1512

SVEN TENGSTRÖM

Die Hexateucherzählung

Eine literaturgeschichtliche Studie

CWK GLEERUP

CWK Gleerup ist das Impressum für wissenschaftliche
Veröffentlichungen des Verlages LiberLäromedel Lund.

Deutsche Übersetzung von Hannelore Zeitler

Printed in Sweden by
TEXTgruppen i uppsala ab

91
ISBN 91–40–04237–5

Till Kerstin och Sara

Inhalt

Einleitung: Kritische Übersicht der bisherigen Forschung, Ziel und Methode der Untersuchung

A. Die literarkritische Quellentheorie

Seit den Anfängen der kritischen Bibelforschung hat man eine enorme Arbeit auf die literarkritische Analyse des Pentateuchs verwendet. Heute dürfte auch kaum noch jemand bestreiten, dass dieser aus mehreren literarischen Schichten besteht und dass es eine wesentliche Aufgabe der Forschung ist, diese nach Möglichkeit zu unterscheiden und ihr Verhältnis zueinander festzustellen. Die literarkritischen Fragestellungen sind also nicht zu umgehen. Wenn die neuere Forschung sie gleichwohl oft beiseite geschoben und sich anderen Aufgaben zugewandt hat, geschah dies kaum, weil alle literarkritischen Probleme nun befriedigend gelöst wären. Man hat wohl eher angesichts eines Misslingens, wie es scheint, resigniert, und die Frage drängt sich auf, woran dies liegen mag.

Eine kritische Analyse kann ja nie völlig voraussetzungslos sein, sie wird vielmehr von einer übergreifenden Theorie gelenkt, die als Arbeitshypothese dient. Die Richtigkeit dieser Theorie lässt sich indessen nie im strengen Sinne durch die Analyse selbst beweisen. Sie ist von Wert nur insofern als sie eine logische, einfache und wahrscheinliche Erklärung sämtlicher oder der meisten möglichen Einzeldaten bietet, welche die Analyse unterscheidet. Analyse und Synthese sind also zwei verschiedene Momente, die ständig ineinandergreifen und stets bereit sein müssen, sich gegenseitig zu revidieren.

Der traditionellen Literarkritik lag fast ausschliesslich die althergebrachte Quellentheorie zugrunde, die durch Julius Wellhausen[1] u.a. ihre klassische Form erhielt. Diese Theorie war an sich nicht die einzige denkbare und hätte wohl eigentlich kaum für mehr als eine provisorische Annäherung gelten dürfen. Dennoch wurde sie so allgemein akzeptiert, dass man den Begriff der Literarkritik mit dem der Quellenscheidung gleichsetzte. Da man die Quellentheorie nur selten radikal in Frage stellte, wurde sie allmählich zu einem bindenden und hemmenden a priori, und je mehr man mit der literarkritischen Analyse arbeitete und die Texte im Detail untersuchte, umso häufiger war man gezwungen, zu Notlösungen zu greifen, um sie mit der Theorie in Einklang zu bringen. Daraus ergab sich häufig eine verheerende Sezierung der Texte.[2] Wenn viele Annahmen relativ allgemeine Zustimmung bei den

Forschern fanden, so bedeutet dies nicht, dass sie an sich wohlbegründet waren, sondern nur, dass die gleichen Voraussetzungen oft zu denselben Schlüssen zwangen.

Indessen lässt sich die Quellentheorie unter verschiedenen Gesichtspunkten kritisieren. Am radikalsten ist man hier wohl in der skandinavischen Forschung vorgegangen, wo vor allem Johannes Pedersen und Ivan Engnell zu nennen sind;[3] sie haben sogar den literarkritischen Fragestellungen an sich die Berechtigung absprechen wollen, doch muss man hierbei bedenken, dass sie sich konkret gegen die von der Quellentheorie dominierte Literarkritik wandten.

Die Kritiker haben darauf hingewiesen, wie sehr die traditionelle literarkritische Analyse an ihre eigenen a priori gebunden war.[4] Auch vom allgemein literaturgeschichtlichen Standpunkt aus betrachtet ist aber die Quellentheorie nicht sehr glaubwürdig, was schon mehrfach hervorgehoben wurde. Zwar hat man viel Mühe darauf verwendet, die Eigenart der verschiedenen Quellen zu beschreiben, ihren Umfang zu bestimmen und ihren Ursprung zeitlich und örtlich zu sichern, aber ein klares und zusammenhängendes Bild hat man kaum zu entwerfen vermocht. Noch weniger überzeugt die Beschreibung des sekundären Vorgangs der Redaktion, der dem Pentateuch, bzw. Hexateuch seine endgültige Gestalt gegeben haben soll. Da bei den Forschern die einzelnen Quellen im Zentrum des Interesses standen, würdigte man die endgültige Form des Hexateuchs herab und betrachtete sie oft ganz selbstverständlich als ein redaktionelles Gemisch.[5] Eine nähere Untersuchung der vorliegenden literarischen Zusammenhänge des Hexateuchs — welche Bezeichnung wir hier vorziehen — lässt aber die Theorie als fragwürdig erscheinen, der zufolge die literarischen Schichten als ursprünglich voneinander *unabhängige, in sich zusammenhängende Quellen* aufzufassen sind.[6]

B. Die form- und überlieferungsgeschichtliche Kompilationstheorie

Die Initiative zur Entwicklung der form- und überlieferungsgeschichtlichen Forschungsmethoden ging vor allem von Hermann Gunkel aus.[7] Mit den von ihm formulierten Voraussetzungen haben dann u.a. Gerhard von Rad und Martin Noth weitergearbeitet. Auch die neuere skandinavische Forschung dürfte in vieler Hinsicht auf Gunkels Theorien aufbauen. Während aber die deutschen Forscher im allgemeinen positiv zur literarkritischen Quellentheorie eingestellt waren und die Form- und Überlieferungskritik und -geschichte als ergänzende Methoden betrachteten, wollten viele Skandinavier in einer „traditionsgeschichtlichen" Methode eine Alternative zur gesamten literarkritischen Forschung sehen.[8]

Aber auch eine einseitige oder dogmatische Abhängigkeit von den grundlegenden Theorien der Form- und Überlieferungsgeschichte oder Traditionsgeschichte war der Deutung der literarischen Zusammenhänge der Hexateucherzählung sowie der Rekonstruktion ihrer Literaturgeschichte im Wege. Ein kurzer Überblick mit einigen kritischen Bemerkungen ist hier daher am Platze.

In der Einleitung zu seinem Genesiskommentar legt Gunkel eine Zusammenfassung seiner theoretischen Ausgangspunkte vor.[9] Die Erzählungen der Genesis haben nach seiner Auffassung ihre grundlegende und zum grössten Teil heute noch bestehende Form schon in einer frühen, schriftlosen Kulturepoche erhalten; sie seien anfänglich freistehende, kurze und einfache Sagen, die einzige Erzählungsform, die in einem frühen Entwicklungsstadium der Kultur vorgekommen sein könne: „Die ältesten Erzähler wären nicht im Stande gewesen, umfangreichere Kunstwerke zu gestalten ... vielmehr begnügt sich die alte Zeit mit ganz kleinen Schöpfungen" (S. XXXIV). Nach Gunkels Definition ist die Sage eine „volkstümliche, altüberlieferte, poetische Erzählung, die Personen oder Ereignisse der Vergangenheit behandelt" (S. VIII); er beschreibt an den Beispielen der Genesis die für die Sage als Erzählungsform bezeichnenden Züge näher und unterscheidet verschiedene Arten der Sagen und Sagenmotive. Die ursprünglich freistehenden Kurzerzählungen wären ziemlich bald, schon auf der Stufe der mündlichen Überlieferung zu grösseren „Sagenkränzen, worin die einzelnen Sagen mehr oder weniger kunstvoll zusammengesetzt worden sind", gesammelt worden (S. XXXIII). Die schriftliche Aufzeichnung sei in der Hauptsache eine Fortsetzung des Sammelns, das während langer Zeit und in verschiedenen Erzählerschulen vor sich ging und allmählich zur Entstehung der verschiedenen Quellenschriften führte, wie sie die Literarkritik unterschieden hat. Gunkel betont ihren Charakter als Sammlungen, „in denen die übernommenen Stücke lose nebeneinander stehen, ohne eine strenge Einheitlichkeit zu zeigen" (S. LXXXII). Sie seien also nicht das Ergebnis einer bewussten schriftstellerischen Tätigkeit, sondern durch die Arbeit einer Anzahl von anonymen Sammlern entstanden. Diese hätten den Stoff nicht nennenswert geprägt, sondern ihn nur in seiner durch die Überlieferung gegebenen Gestalt wiedergegeben:

> Diese Sammler sind also nicht Herren, sondern Diener ihrer Stoffe. Wir dürfen sie uns denken, erfüllt von Ehrfurcht für die schönen alten Erzählungen und bestrebt, sie so gut wiederzugeben, wie sie nur vermochten. Treue ist ihre erste Eigenschaft gewesen. (S. LXXXV.)

Dieser Grundauffassung zufolge betrachtet Gunkel es als eine wesentliche Aufgabe, den „Ursinn" der einzelnen Erzählungen zu finden und ein Bild von den vielen Wandlungen zu zeichnen, die der Stoff im Verlauf der mündlichen Überlieferung durchgemacht haben kann. Dabei gilt Gunkel die Einzelsage

3

ganz natürlich als „die eigentliche massgebende Einheit, die wir in erster Linie untersuchen und geniessen sollen" (S. XXXI). Er erhebt die Forderung, „jede Einzelsage zuerst immer aus sich selber zu deuten" (S. XXXIII), welche Deutung ihrerseits eine Ausscheidung aller jener Elemente, die einen Zusammenhang über die Einzelerzählung hinaus andeuten, voraussetzt. Dass die grösseren literarischen Zusammenhänge durchweg später, künstlich geschaffen und für das Verständnis der Einzelerzählungen unwesentlich sind, hält Gunkel für eine nahezu selbstverständliche Annahme.[10] Als einziges allgemeingültiges Kriterium gilt sein Satz:

> Je selbständiger eine Erzählung ist, je sicherer ist sie in alter Form erhalten. (S. XXXIII.)

Ein weiteres Kennzeichen für das hohe Alter und die Ursprünglichkeit einer Sage ist ihr geringer Umfang und die Einfachheit der Struktur und des Inhalts.

> Je knapper eine Sage ist, umso wahrscheinlicher ist es, dass sie in alter Gestalt erhalten ist. (S. XXXIV.)

Längere Erzählungen von grösserer Weitläufigkeit gehören in eine fortgeschrittenere Kulturstufe. Gunkel führt hier eine neue „Gattung" ein, die Novelle, für die er vor allem die Josepherzählung als Beispiel nennt. Man kann also nach Gunkel Aussagen über das Alter der Erzählungsarten als solcher machen: die Sage ist älter als die Novelle, die ihrerseits älter ist als die Geschichtsschreibung.

Abgesehen von der allgemeinen Entwicklung von kleineren zu grösseren Einheiten rechnet Gunkel mit sehr verschiedenen Wandlungsprozessen des Stoffs im Stadium der mündlichen Tradition. Er sei in verschiedenen Ländern und zu verschiedenen Zeiten entstanden, er sei gewandert, kombiniert und verschiedenen äusseren Verhältnissen angepasst worden, verschiedene Sitten und Gebräuche, religiöse, moralische Wertungen und Vorstellungen hätten ihre Spuren hinterlassen.

> Eine ganze Geschichte der religiösen, sittlichen und ästhetischen Urteile des alten Israel lässt sich aus der Genesis schreiben. (S. LXV.)

Am besten sei die Entwicklung zu verfolgen, wenn man mehrere Varianten derselben Erzählung vergleichen kann, aber auch interne Kriterien der einzelnen Erzählungen ermöglichten es, eine überlieferungsgeschichtliche Entwicklung abzulesen. So nennt Gunkel die Ursagen abgeblasste Mythen; sie seien alte Göttergeschichten, hauptsächlich babylonischen Ursprungs, die dem monotheistischen Gottesglauben Israels angepasst wurden. Die Vätersagen seien von unterschiedlicherem Charakter und Ursprung; sie seien von überwiegend althebräischer und vorkanaanäischer Herkunft. Bis zu einem gewissen Grade und in verkleideter Form spiegeln sie einen stammes- und völkergeschichtlichen Hintergrund, indem die Ahnherren nicht nur als Individuen sondern auch als Personifizierungen von Völkern und Stämmen, deren Namen sie häufig tragen, aufgefasst werden. Auch ätiologische Motive verschiedener Art treten auf, doch seien sie, wie die Anspielungen auf einen historischen Hintergrund, oft von untergeordneter Bedeutung in den Erzählungen, oder sie seien offenbar als sekundäre Umdeutungen älteren Stoffs entstanden. So sind nach Gunkel die Erzählungen oder Erzählungsstoffe im allgemeinen weder historischen noch ätiologischen Ursprungs:

> Sie müssen als schöne Geschichten längst umgelaufen sein und werden ihrem Ursprung nach reine Gebilde der Phantasie sein. (S. XXVI.)

Den ältesten Erzählungsstoff, der also nichts anderes als das Produkt volkstümlicher Erzählerfreude wäre, bezeichnet Gunkel als märchenhaft oder novellistisch. Da die Erzählungen der Genesis ein relativ realistisches Gepräge tragen, zieht er den Ausdruck novellistisch vor, der hier also in einem etwas anderen Sinne gebraucht wird als der oben genannte Begriff der Novelle.

Um Gunkels Auffassung von dem ursprünglichen Charakter des Stoffs zu verdeutlichen, sei hier auf seine Annahmen über die Patriarchen in der Genesis hingewiesen. Er betont, dass ihre Namen ursprüngliche Personennamen und keine Völker- oder Stammesnamen sind; andererseits sind sie aber weder ursprüngliche Götternamen noch Namen bekannter historischer Personen. Daraus folgert Gunkel, dass die ,,hauptsächlichsten Väter Gestalten der Dichtung sind'' (S. LXXX). Erst in einer sekundären Entwicklungsphase seien diese Phantasiegestalten mit den Ahnherren Israels identifiziert worden. Auf Grund dieser Voraussetzung entwirft er z.B. folgende überlieferungsgeschichtliche Entwicklungslinie:

> Der ursprüngliche Jaqob mag der schlaue Hirt Jaqob sein, der den Jäger Esau betrügt; eine andere Sage vom Betruge des Schwiegervaters durch den Schwiegersohn kam umso leichter hinzu, als beide Hirten sind; ein dritter Sagenkranz von einem den jüngsten Sohn liebenden Greise ist auf diese Figur übertragen, und dieser Jüngste ist zu einer Zeit, da man Jaqob mit Israels angenommenem Ahnherrn ,,Israel'' gleichsetzte, Joseph genannt worden; u.s.w. (S. LXXX.)

Dies Zitat mag als typisches Beispiel des überlieferungsgeschichtlichen Hypothesenbauens dienen. An einer Stelle warnt Gunkel davor, ,,allzu rasch den Ursinn der Sagen feststellen zu wollen'' (S. LXXXVI). Selbst hat er aber seine Hypothesen recht weit getrieben und einer Forschungsrichtung den Weg gebahnt, die sich weitgehend mit unkontrollierbaren Spekulationen über vorliterarische Überlieferungsstufen begnügt hat.

Gunkels Forschung galt, wie wir sahen, in erster Linie der Entstehung und Vorgeschichte der Einzelstoffe. In der von ihm angewiesenen Richtung haben von Rad und Noth dann weitergearbeitet und das Problem einer Geschichte des Pentateuchs als *Gesamtüberlieferung* aufgegriffen. Auch Engnell hat von teilweise anderen Voraussetzungen aus dasselbe Problem behandelt und ist unabhängig von Noth zu Schlüssen gelangt, die sich mit den seinigen in verschiedenen Punkten berühren. Entscheidend waren hier die Frage, welchen Umfang das Überlieferungswerk, das mit der Genesis beginnt, ursprünglich hatte und in welchem Verhältnis der Pentateuch zu den folgenden historischen Büchern steht.

Schon die traditionelle Literarkritik fand, dass die für die Bücher Mose vorausgesetzten Quellen mindestens noch im Buch Josua vorlagen, daher sprach man vom Hexateuch als von einer Einheit. Auch von seinen formgeschichtlichen Voraussetzungen aus verteidigte von Rad die Theorie des Hexateuchs.[11] Er ging von der einfachen, aber höchst bedeutsamen Feststellung aus, dass die Bücher Mose und das Buch Josua von einem einheitlichen erzählerischen Rahmen zusammengehalten werden, und zwar folgendem: der Gott, welcher der Erschaffer der Welt ist, erwählte die Väter Israels und versprach ihnen das Land Kanaan. Als die Israeliten in Ägypten zahlreich geworden waren, führte Mose sie von dort hinweg, und nach einer langen Wüstenwanderung eroberten sie das verheissene Land. Ohne eine Erzählung von der Eroberung des Landes ist dieser Rahmen natürlich nicht geschlossen, er muss deshalb auch das Buch Josua umfasst haben. Von Rad versuchte nun, diesen Rahmen von einer vorgegebenen Kleingattung herzuleiten. Diesen fand er in einigen Texten, vor allem in Deut. 26,5b—9 und 6,20—24, Beispiele dessen was er „das kleine geschichtliche Credo" nannte: eine kurze und wohl eben daher altertümliche Zusammenfassung der Hauptetappen von Israels Vorgeschichte, mit einer Festliturgie als Sitz im Leben. Sekundär sei dieses Credo mit verschiedenen Einzelstoffen ausgefüllt worden und so seien die erzählerischen Quellen des Hexateuchs, und durch ihre redaktionelle Zusammenfügung die heutige Gesamtheit zustande gekommen.

Noth und Engnell dagegen meinten, dass Teile des Deuteronomiums, sowie das Buch Josua und die folgenden Bücher bis einschliesslich zu den Büchern der Könige ein einheitliches Werk darstellten: das deuteronomistische Geschichtswerk.[12] Dies wäre ursprünglich ganz unabhängig von dem Sammelwerk der ersten vier Bücher Mose gewesen, dessen letzter erhaltener Abschnitt die Erzählung von Moses Tod, Deut. 34, wäre. Nach dieser Theorie wäre also weder von einem Pentateuch noch von einem Hexateuch zu sprechen, sondern eher von einem Tetrateuch.[13] Während Noth und Engnell aber wenigstens in mancher Hinsicht über das deuteronomistische Werk einig waren, gingen ihre Ansichten zum Charakter und der Überlieferungsgeschichte des Tetrateuchs auseinander. Noth betrachtete die vier ersten Bücher Mose als eine anonyme Zusammenstellung jener Quellenschriften, die er in Übereinstimmung mit früheren Literarkritikern voraussetzte. Diese Quellen wären ihrerseits Sammlungen von Überlieferungen gewesen, geordnet nach einem vorgegebenen Muster, das in seinen Hauptlinien dem kleinen geschichtlichen Credo von Rads entsprach. Noth unterschied hier eine Reihe grundlegender, anfänglich freistehender „Themen", die ursprünglich freistehenden Kurzerzählungen als sammelnde Rahmen dienten. Vom Buch Josua an fand er kein Material, das aus den alten Pentateuchquellen stammen konnte, und umgekehrt fand er in den ersten vier Büchern Mose keine Spuren einer deuteronomistischen Redaktion.

Engnell dagegen stand der traditionellen Quellentheorie sehr skeptisch gegenüber, vor allem betrachtete er — teilweise im Anschluss an Volz — P nicht als eine Quellenschrift, sondern als den „letzten Tradenten und Herausgeber des P-Werks".[14] Er fasste dies Werk also analog mit dem deuteronomistischen Werk auf, insofern als sich keine parallel verlaufenden Quellenschriften feststellen lassen, wohl aber mehrere kleinere Einzelüberlieferungen und Überlieferungssammlungen als vorgegeben angenommen werden können. Engnell war jedoch der Meinung, dass der Tetrateuch auch als Gesamtheit eine Überlieferungsgeschichte gehabt hat: „Die im grossen Ganzen einheitliche Komposition ist wahrscheinlich nicht von P geschaffen worden, sondern entsprach einer schon früher vorliegenden, normativen Form der Darstellung von Israels Vorgeschichte."[15] Indessen liess sich Engnell nicht auf eine nähere Analyse dieser normativen Form ein, so wenig wie auf die Fragen, wann und wo sie entstanden ist und wie P sie verwendet hat.

Wie sehr sich auch die einzelnen Theorien unterschieden und wie verschieden man auch den Umfang des Werkes bestimmte, so lag doch allen als gemeinsame Voraussetzung die Theorie Gunkels zugrunde, das Werk sei am besten als ein Sammelwerk oder eine Kompilation aufzufassen. Daher fiel bei der form- und überlieferungsgeschichtlichen Forschung die Analyse der erzählerischen Zusammenhänge ziemlich summarisch aus; oft forderte man ausdrücklich die „Destruktion des Rahmens" als notwendige Voraussetzung einer kritischen Analyse der kleineren Einheiten.[16] Auch in der traditionsgeschichtlichen Forschung, die doch konsequenter von den Endredaktionen ausgeht, fehlt bisher eine eingehende Analyse der Gesamtkomposition. Eine solche dürfte ergeben, dass die ganze Kompilationstheorie womöglich in Frage zu stellen ist. Gibt es in diesem Falle eine Alternative die diese, sowie die literarkritische Quellentheorie ersetzen kann?

C. Eine literaturgeschichtliche Erweiterungstheorie

1. Gegen die form- und überlieferungsgeschichtlichen Theorien lassen sich viele Einwände erheben: Gunkels Auffassung, dass „die alte Zeit" sich mit „ganz kleinen Schöpfungen" begnügt habe, und dass die kurze einfache Volkssage eigentlich die einzige Erzählungsform sei, die in der ältesten Tradition habe existieren können, ist vermutlich eine zu weitgehende Verallgemeinerung, die sich nicht belegen lässt. Es ist trotz allem recht wahrscheinlich,

dass die Israeliten oder ihre Vorfahren zu allen Zeiten auch lange und komplizierte Geschichten erzählen konnten, mehr oder weniger exakte Erinnerungen an den Verlauf wirklicher Ereignisse. Man kann z.B. kaum in Frage stellen, dass jener Teil des Hexateuchs, in dem der Auszug aus Ägypten, die Wüstenwanderung und die Landnahme erzählt werden, — ganz abgesehen von der rein literarischen Einheitlichkeit des vorliegenden Textes — in ihren Hauptzügen auf ein in der ältesten Tradition gegebenes, letzten Endes auf geschichtlicher Wirklichkeit beruhendes *Kontinuum* zurückgeht. Hierauf haben kürzlich Roland de Vaux und Siegfried Herrmann in ihren Darstellungen der Geschichte Israels hingewiesen, in denen sie sich auch gegen Noths Theorie der ursprünglich freistehenden Themen wenden.[17]

2. Überhaupt ist es aus allgemeinen Gründen zweifelhaft, dass die mündliche Tradition so grosse Bedeutung für die Gestaltung der Texte gehabt hat, wie man sie ihr beimisst. Übertrieben erscheint vor allem die von vielen skandinavischen Forschern vorgetragene Theorie, die mündliche Überlieferung habe noch bis zu einer sehr späten Zeit die entscheidende Rolle gespielt.[18] In den benachbarten Hochkulturen, von denen Israel von Anfang an entscheidende Eindrücke empfing, waren die Schrift und das bewusste literarische Kunstschaffen seit langem gebräuchlich.[19] Epische Werke grossen Umfangs gab es in Mesopotamien, wo vor allem das Gilgameschepos zu nennen ist, und in Syrien, wo die Funde von Ras Shamra Beispiele einer grossen episch-mythischen Dichtung zu Tage brachten. Der Gedanke ist also nicht so abwegig, dass ein literarisches Schaffen im engeren Sinne auch in Israel seit der ältesten Zeit vorgekommen sein kann, wie auch ein episches Werk grossen Umfangs schon in einer sehr frühen Epoche schriftlich fixiert worden sein kann. Da eine solche Theorie nicht a priori abgelehnt werden kann, darf man die Aufmerksamkeit nicht von vornherein ungeteilt den angenommenen vorliterarischen kleinen Einheiten zuwenden, während man die literarische Gestalt der vorliegenden Texte und die Funktion der kleinen Einheiten in den gegebenen literarischen Zusammenhängen ausser Acht lässt.

3. Was dies im Einzelnen bedeutet, mag man der Kritik entnehmen, die Otto Eissfeldt an Gunkels Theorie von den kleinsten Einheiten in den epischen Teilen des Alten Testaments geübt hat.[20] Eissfeldt betont nachdrücklich, dass die Frage nach der kleinsten *literarischen* Einheit etwas ganz anderes ist als die nach der kleinsten *stofflichen* Einheit. Dem Stoff nach kann eine Kurzerzählung geschlossen und selbständig sein. Aber derlei Episoden haben ihre literarische Form oft als Teile einer grösseren Gesamtheit erhalten. Wenn sich also selbständige *Erzählungsstoffe* aufzeigen lassen, so darf man daraus nicht schliessen, dass sie ursprünglich eine alleinstehende *literarische Form* gehabt haben. Folglich kann man auch nicht eine ursprüngliche Erzählungsform rekonstruieren, indem man einfach alle jene Elemente streicht, welche die kleine Erzählung mit einem grösseren Zusammenhang verbinden. Vielmehr kann ein Erzähler landläufige Sagenmotive oder ältere

Erzählungen als blossen Rohstoff aufgegriffen haben, den er dann nach den Intentionen einer grösseren literarischen Komposition durchgreifend umgestaltet. Wenn also der Horizont einer Einzelerzählung über ihre eigenen stofflichen Grenzen hinausreicht, und wenn die nach vorn und nach hinten auf grössere Zusammenhänge übergreifenden Elemente *integrierende Bestandteile* derselben sind, dann ist die Erzählung keine selbständige literarische Einheit, sondern nur ein Teil eines ursprünglichen, grösseren Zusammenhangs. Fehlen dagegen solche Elemente oder sind sie *nachweislich* sekundär, dann darf man sie als in sich geschlossene, selbständige Einheit betrachten. So erhebt sich die Frage, ob die alttestamentlichen Erzählungswerke als „literarisch bedeutungslose, ganz locker gefügte Sammlungen vieler Einzelerzählungen" (S. 144) aufzufassen sind, oder ob die stofflich begrenzten Einheiten in erster Linie als Teile von ursprünglichen und bedeutungsvollen literarischen Zusammenhängen zu deuten sind. Nur durch eine Untersuchung von Fall zu Fall lässt sich diese Frage beantworten.

Dies ist Eissfeldts Gedankengang in seinen Hauptzügen. Er deutet hier in der Tat zugleich eine Forschungsaufgabe und eine Methode an: eine erneute und möglichst voraussetzungslose Analyse der literarischen *Gesamtkomposition* unter Berücksichtigung vor allem der *Funktion* der Einzelerzählungen in den gegebenen, grösseren Zusammenhängen.

Eissfeldt zeigt an einer Reihe von Beispielen, inwiefern einzelne Erzählungen in erster Linie von grösseren Zusammenhängen aus zu verstehen sind, wobei er auf viele wichtige Tatsachen hinweist, welche die ganze Kompilationstheorie in Frage stellen dürften. Die Zusammenhänge die er im Hexateuch aufweisen will, sind aber nur die der von ihm angenommenen literarischen Quellen, was wiederum problematisch erscheint. Interessant ist jedoch Eissfeldts Schlussfolgerung: die Erzählungen in den alttestamentlichen Erzählungs-Büchern sind in ihrer Mehrzahl ursprünglich als Teile von grösseren Zusammenhängen erdacht und geschaffen, erst der Zusammenhang verleiht ihnen ihre volle Bedeutung. Zwar gibt es auch freistehende Geschichten und sekundäre Bindeglieder, doch sind diese ziemlich selten.[21]

4. Von diesem Gesichtspunkt aus sei jetzt versucht, einige kritische Erwägungen zu den form- und überlieferungsgeschichtlichen Rahmentheorien zu formulieren.

Von Rads Theorie des kleinen geschichtlichen Credos war zwar ein wichtiger Hinweis auf die Einheit des Hexateuchs; seine Annahme jedoch, dies Credo sei der ursprüngliche Keim der gesamten Erzählung gewesen, haben mehrere Forscher mit überzeugenden Argumenten abgelehnt. Einer der wichtigsten Einwände ist der, dass alle Texte, die von Rad heranzieht, ihre heutige literarische Gestalt erst in einer späten Epoche erhalten haben.[22] Ganz allgemein wäre auch zu sagen, dass es sich im kleinen Credo um einen unerhört umfassenden Handlungsverlauf handelt. Es ist doch wohl höchst unwahrscheinlich, dass man zunächst nicht mehr davon zu erzählen gewusst

9

hätte, als was in den äusserst knappen Formulierungen des Credos gesagt wird. Das einzig Glaubhafte ist es vielmehr, dass das kleine Credo als eine Zusammenfassung einer vorher bestehenden, ausführlichen Erzählungstradition aufzufassen sit. Wenn dies richtig ist, so verweist es auf die Einheit der Hexateucherzählung in einem viel stärkeren und ursprünglicheren Sinne, als es die Theorie von Rads voraussetzte.

Dies führt uns zu Noths und Engnells Theorie eines Tetrateuchs und eines von diesem unabhängigen deuteronomistischen Werkes. Wahr ist es, dass vom Buch Josua an bis zum Ende der Bücher der Könige eine auf das Ganze gesehen zusammenhängende Darstellung der Geschichte Israels vorliegt, die vom Stil und den Ideen der deuteronomistischen Schule geprägt ist und die wahrscheinlich in mehreren Phasen entstand.[23] Wir können also mit gewissem Vorbehalt von einem einheitlichen deuteronomistischen Geschichtswerk sprechen. Die der historischen Darstellung — oder wenigstens den redaktionellen Abschnitten — zugrundeliegenden Ideen werden schon im Deuteronomium formuliert, das also gleichsam eine Art Prolog der folgenden Geschichte darstellt. Daraus folgt indessen nicht, dass das deuteronomistische Werk von Anfang an von den übrigen Büchern Mose ganz unabhängig gewesen und erst sekundär mit diesen verknüpft worden wäre. Dieser Annahme stellen sich in der Tat verschiedene unübersteigbare Hindernisse in den Weg.

Einerseits hat das deuteronomistische Werk im Deuteronomium und im Buch Josua keinen eigentlichen Anfang gehabt; das Wenigste, was man unter allen Umständen voraussetzen muss, ist die genaue Kenntnis einer entwickelten Erzählungstradition, die von den Verheissungen an die Väter, dem Auszug aus Ägypten und der Wüstenwanderung handelte, an die die Verfasser bewusst anknüpften. Dann ist aber die Annahme am naheliegendsten, dass das deuteronomistische Werk als direkte Fortsetzung der Pentateucherzählung entstand.

Umgekehrt lässt sich leicht feststellen, dass die Erzählung der ersten vier Bücher Mose nicht in sich abgeschlossen ist, sondern in eine Darstellung der Landnahme eingemündet sein muss. Nicht zuletzt von Rads kleines geschichtliches Credo deutet offenbar darauf hin, dass dies der Umfang des ursprünglichen Rahmens war. Aber nicht nur die Geschlossenheit des Rahmens, sonder auch eine grosse Anzahl von vorausdeutenden Details in den einzelnen Abschnitten und Episoden der Pentateucherzählung zeigen, dass diese zum Abschluss eine Landnahmeerzählung als ursprüngliche Fortsetzung fordert: sie kann unmöglich mit dem Tode und der Bestattung Moses geendet haben, selbst dann nicht, wenn sie etwas so Unvollkommenes wie ein Sammelwerk gewesen sein sollte. Sollte diese Fortsetzung also nicht im jetzigen Buch Josua vorliegen, ist man gezwungen, eine heute *verschwundene* Erzählung von der Landnahme als ursprüngliche Abschluss des Pentateuchs anzunehmen. Tatsächlich vertritt Noth diese Hypothese, die jedoch ganz unkontrollierbar und überhaupt unwahrscheinlich ist.[24] Er vermutet, dass die ursprüngliche Landnahmeerzählung bei der Einfügung der alten Pentateuch- quellen in die Erzählung der P-Quelle verlorengegangen sei:

> Die alten Pentateuchquellen aber mussten mit Rücksicht auf den Rahmen der P-Erzählung notwendig beschnitten werden, und ihre Landnahmeerzählung, die über diesen Rahmen überschoss, musste bei der Redaktion des Pentateuch unter den Tisch fallen. (ÜSt., S. 252.)

Weshalb dies notwendig war, erklärt Noth nicht näher. Man sollte doch wohl meinen, es wäre natürlicher gewesen, dass der alte Bericht von der Landnah- me stehen geblieben wäre, wenn er auch über den Rahmen von P hinausging. Ebenso unerklärlich wäre es aber andererseits, dass die P-Quelle als *selbstän- dige* Erzählung abrupt mit Moses Tod aufgehört hätte. Und welch eigentümli- ches Zusammentreffen, dass gerade der Abschnitt von der Landnahme, der so unerklärlich von der ursprünglichen P-Quelle ebenso wie von dem Redak- tor, der die älteren Quellen in die P-Quelle eingefügt hatte, ausgelassen wor- den war, — dass gerade dieser Abschnitt in einer — der Hypothese nach *an- deren* — Version zu Anfang des völlig „unabhängigen" deuteronomistischen Werks vorliegt. Noth räumt immerhin ein, dass die unter den Tisch gefallene Landnahmeerzählung höchst eigentümliche Übereinstimmungen mit der im Buch Josua vorliegenden aufgewiesen haben muss.[25] Die ganze Hypothese ist gelinde gesagt unwahrscheinlich.

Zu diesen grundlegenden Einwänden kommen zwei weitere hinzu, die sich auf rein literarkritische Indizien gründen. Sowohl Noth als auch Engnell behaupten, der Tetrateuch enthalte keine eigentlich deuteronomistischen Elemente, wie umgekehrt keine nennenswerten Spuren von P im deuterono- mistischen Werk vorkämen. Richtig ist es wohl, dass man in den vier ersten Büchern Mose keine durchgehende deuteronomistische Redaktionsschicht findet, so wenig wie im deuteronomistischen Werk eine zusammenhängende P-Schicht vorhanden ist. Diese bemerkenswerte Tatsache fordert eine Erklä- rung, doch wäre es übereilt, daraus zu folgern, der Tetrateuch und das deute- ronomistische Geschichtswerk seien ursprünglich völlig unabhängig vonein- ander gewesen. Eine solche Annahme wird noch unwahrscheinlicher, wenn man feststellen muss, dass trotz allem Spuren von P im deuteronomistischen Werk vorkommen und dass deuteronomistisch geprägte Texte auch im Rah- men der vier ersten Bücher Mose auftreten.

Spuren von P im deuteronomistischen Werk, vor allem im Buch Josua, werden von Noth auch nicht geleugnet, doch misst er ihnen keine entschei- dende Bedeutung bei, sondern tut sie als isolierte Zutaten im „Stile" von P ab.[26] In dem letzteren Ausdruck liegt eine allzu leichtfertige Umgehung der Schwierigkeit: was im „Stile" von P gehalten ist, muss kurz und gut als zur P- Schicht gehörig betrachtet werden, da man sonst ja gerade die stilistischen Kriterien verwendet, um zu entscheiden, zu welcher literarischen Schicht

11

oder Quelle die Texte gehören. P-Textstellen kommen zwar nur sporadisch im Buch Josua und den folgenden Büchern vor, daher rechtfertigen sie die Annahme einer zusammenhängenden P-Quelle für diese Bücher nicht, — damit hat Noth sicher recht. Indessen gibt er keine zureichende Erklärung dafür, dass trotz allem Spuren einer P-Schicht *vorkommen*. Dass sie sich nicht auf eine zusammenhängende Quelle in Jos. bis Kön. zurückführen lassen, mag als Indizium dafür dienen, dass die P-Schicht auch in Gen. bis Num. nicht als Quelle zu werten ist, sondern eher als eine Rahmenbearbeitung und Erweiterung, die sich vor allem auf die vier ersten Mosebücher konzentriert hat und in den folgenden Abschnitten immer sporadischer wird.

Entsprechend erklärt Noth auch die deuteronomistisch geprägten Texte in den ersten vier Büchern Mose als Erweiterungen „im deuteronomistischen Stile".[27] Diese Textstellen hat u.a. Chr. Brekelmans diskutiert[28]. Er findet, dass Noth das bei ihnen tatsächlich vorliegende Problem unterschätzt. Brekelmans sucht die Erklärung darin, dass der Stil und die Theologie des Deuteronomiums der Endpunkt einer langen Traditionsentwicklung sei. Viele der in den ersten vier Büchern Mose als deuteronomistisch betrachteten Textstellen könnten demnach in Wirklichkeit *vordeuteronomistisch* sein und auf eine nordisraelitische „elohistische" Tradition zurückgehen, von der die ursprünglich nordisraelitischen Deuteronomisten unmittelbar abhängig waren. Hierdurch wird ein sicher sehr wichtiger Sachverhalt hervorgehoben, nämlich die bemerkenswerte Kontinuität, die zwischen den älteren Schichten der Bücher Mose und den früheren Phasen der deuteronomistischen Tradition zu herrschen scheint. Besonders wichtig ist dieses Prinzip der Kontinuität auch für die Beurteilung des Josuabuches. Aber als eine generelle Lösung des Problems der deuteronomistisch geprägten Stellen in Gen. — Num. dürfte Brekelmans' Theorie unzulänglich sein: diese Texte durchgängig auf den ältesten literarischen Bestand zurückzuführen, geht vielleicht doch zu weit.

Aus den obigen Gesichtspunkten ergibt sich die Schlussfolgerung, dass das Verhältnis der Bücher Mose zu den folgenden historischen Büchern wesentlich komplizierter ist, als Noth und Engnell annahmen, und dass dies Problem wahrscheinlich keine Lösung finden kann, wenn der „Hexateuch" nicht irgendwie als ursprüngliche Einheit anerkannt wird, was dann auch zu der Annahme führen muss, dass die deuteronomistische Geschichte als Fortsetzung dieser älteren Erzählung entstand.

5. So ergibt sich die Aufgabe, den Hexateuch — unter Ausschluss der Gesetzestexte — von neuen Gesichtspunkten aus zu untersuchen. Wenn ich die vorliegende Studie als literaturgeschichtlich bezeichne, so bedarf dies einer Erklärung. Die Texte werden nach rein literarischen Gesichtspunkten behandelt; Fragen ihrer eventuellen Abhängigkeit von vorliterarischen Überlieferungen werden nur in beschränktem Umfang und mit einer gewissen prinzipiellen Zurückhaltung einbezogen, da man hier oft nicht über Ver-

mutungen hinauskommt. Die Untersuchung geht also nicht *überlieferungs-* oder *traditions*geschichtlich vor. Ich versuche vielmehr, Strukturen und Zusammenhänge der uns vorliegenden literarischen *Gesamtheit* zu analysieren, wobei ich Fachtermen wie Redaktionskritik und Redaktionsgeschichte vermieden habe, da in diesen vorausgesetzt wird, dass die Einheit des epischen Werkes ausschliesslich oder wesentlich nur *redaktionell* wäre. Voraussetzung einer literarischen Analyse ist dagegen die Beachtung der literarkritischen Aspekte, wobei ich von teilweise neuen Ausgangspunkten, bis zu einem gewissen Grade im Rahmen der Kompositionsanalyse und unabhängig von der Quellentheorie, ausgehe. Mein Hauptzweck ist es jedoch nicht, noch einmal literarische Schichten zu unterscheiden und ihre relative Chronologie zu finden, das Ziel ist vielmehr literaturgeschichtlich in dem weiteren traditionellen Sinne, nämlich die literarischen Schichten im Lichte ihrer zeitgeschichtlichen und milieumässigen Voraussetzungen zu deuten, soweit sich diese nun präzisieren lassen. Dieser übergreifende Zweck ist für die literarischen Analysen weitgehend massgebend gewesen. Dass in der neueren, strukturalistisch orientierten Literaturwissenschaft die literaturgeschichtlichen Probleme oftmals in den Hintergrund gedrängt werden, ist wohl nur zu bedauern.

Eine vollständige Untersuchung der Hexateucherzählung sollte natürlich sämtliche literarischen Schichten umfassen. Die vorliegende Untersuchung beschränkt sich indessen auf eine Teilaufgabe, nämlich die älteste Schicht herauszuarbeiten und zu deuten, mit der weiteren Einschränkung, dass ich mich auf bestimmte, klar nachweisbare *Hauptlinien* konzentriere. Zur Ergänzung der vorliegenden Studie sind Detailuntersuchungen sowie Analysen der jüngeren literarischen Schichten geplant.

6. Bei den Annahmen über die Literaturgeschichte des Pentateuchs — oder Hexateuchs — ist man bisher von der literarkritischen Quellentheorie ausgegangen, und die form- und überlieferungsgeschichtliche Forschung hat in dieser Hinsicht nichts Neues beigebracht, sie hat uns nur eingeschärft, dass die schriftliche Festlegung der Überlieferungen von untergeordneter Bedeutung gewesen ist. Es bestanden also keine Schwierigkeiten, verschiedenen vorliterarischen Entwicklungsstufen ein hohes Alter zuzuschreiben, während man zugleich an der allgemeinen Annahme festhielt, die ersten schriftlichen Quellen seien vermutlich erst zur Zeit der Könige entstanden.[29] Es gilt als wahrscheinlich, dass die älteste von ihnen, der Jahwist, aus Jerusalem etwa zur Zeit Salomos stammt.

Diese Annahmen erscheinen fragwürdig. Zahlreiche konvergierende Indizien deuten vielmehr darauf, dass ein durchkomponiertes episches Werk in Zentralpalästina vor der Zeit der Könige entstand. Hier seien im Voraus einige der wichtigsten angedeutet:

a) Die Verhältnisse und Ereignisse der Königszeit sind, abgesehen von einigen leicht abgrenzbaren, isolierten Texten, dem Erzählungshorizont des Hexateuchs fremd.[30]

b) Die für den Hexateuch in seiner Gesamtheit grundlegende Vorstellung von den zwölf Stämmen Israels ist wahrscheinlich nicht zur Zeit der Könige entstanden.[31]

c) Rahel und Joseph, ebenso wie den Rahelstämmen und da vor allem dem Haus Joseph, wird durchgehend der höchste Rang zuerkannt,[32] während Juda in Gen. 38 episodisch und in einer nicht gerade ehrenvollen Rolle erscheint. Damit wäre die Erzählung von Achan, Jos. 7, zu vergleichen, in der man eine antijudäische Tendenz vermerkt.

d) Wie anerkanntermassen die Jakob- und Josepherzählungen mit Zentralpalästina verknüpft sind, so wurzelt auch die Landnahmeerzählung im Gebiet der Rahelstämme. Auch die Wüstenwanderung zielt auf einen Jordanübergang nördlich vom Toten Meer ab und weist somit auf Zentralpalästina hin.

e) Obwohl die Traditionen von Abraham und Isaak ursprünglich mit Südpalästina verknüpft sind, deutet manches darauf, dass sie ihre *literarische Gestalt* in Zentralpalästina erhalten haben.[33]

f) Am wichtigsten ist es vielleicht, dass das alte gemeinsame Zentrum der Josephstämme, Sichem, in der gesamten Hexateucherzählung überraschend programmatisch hervorgehoben wird. Zwar wird der Ort vielleicht nicht besonders häufig genannt, er kommt aber gerade in jenen Textabschnitten vor, die für die literarischen Zusammenhänge wesentlich sind. Dagegen kommt Jerusalem fast gar nicht vor. Überlieferungen mit sicherer Anknüpfung an Jerusalem erscheinen nur in sekundären Erweiterungen.

Wir nehmen daher an, dass eine grosse Israelsage gerade in Sichem oder in dessen Nähe, spätestens zur Zeit kurz vor der Gründung des Königtums, vielleicht in der ersten Hälfte des 11. Jahrhunderts entstanden ist. Ihr Zweck war es, vom Ursprung und der Frühgeschichte der israelitischen Stämmegemeinschaft zu erzählen und damit literarisch und ideologisch die Zusammengehörigkeit und Solidarität darzustellen, die wenigstens im Prinzip seit dem „Landtag von Sichem" zwischen den zwölf Stämmen vorausgesetzt wurde. Diese Zusammengehörigkeit gründete sich auf die Annahme einer gemeinsamen ethnischen Abstammung, (die Patriarchenerzählung), auf einen gemeinsamen Kult Jahwes (der Exodus, Ursprungslegende des Jahwekults), auf die Forderung der Solidarität unter den Stämmen im Krieg (die Landnahme, Theorie und Pädagogik des Jahwekriegs), sowie auf eine gemeinsame profane und sakrale Rechtsordnung (der Sichembund, Jos. 24, vermutlich in einer ursprünglichen Textgestalt die älteste Bundeserzählung). So einheitlich ist der Grundplan des Werkes, dass es sehr wohl das Werk eines einzigen Verfassers gewesen sein kann. Zwar muss diesem früheres Überlieferungsmaterial verschiedener Art vorgelegen haben, und das Werk zeugt ja auch davon, dass es an vielen Punkten schwer war, die verschiedenartigen Traditionen einheitlich zu verarbeiten. Wenn wir auch vielleicht etwas von ihrer Herkunft und ihrem ursprünglichen Inhalt ahnen können, so dürfte doch jeder Versuch, vorliterarische Erzählungseinheiten der Struktur und dem Wortlaut nach zu rekonstruieren, zum Misslingen verurteilt sein. Wir können also mit keiner früheren Entwicklungsphase der Erzählungstradition als mit der aus Sichem stammenden, ursprünglichen literarischen Gesamtkomposition der Israelsage rechnen.

Diese alte Erzählung, die in ihren wesentlichen Zügen — eingebettet in die heutigen Bücher Mose und das Buch Josua — heute noch erhalten ist, war aller Wahrscheinlichkeit nach der Grund, auf dem die Deuteronomisten anfänglich weitergebaut haben; diese Annahme ist umso naheliegender, wenn es richtig ist, dass auch sie in Zentralpalästina ihre ursprüngliche Heimat hatten.[34] Ihre Tätigkeit erstreckte sich vermutlich gleichzeitig auf zwei Gebiete: teils gestalteten sie das Deuteronomium, das von Anfang an in den erzählerischen Zusammenhang der Israelsage eingefügt war, teils setzten sie die Darstellung der Geschichte Israels fort.

Es ist nun einleuchtend, dass das Deuteronomium so gut wie das anschliessende Geschichtswerk in mehreren Etappen gewachsen ist, dass beide also eine lange literarische Entstehungsgeschichte haben,[35] — abgesehen von den schriftlichen und eventuell mündlichen Quellen, deren man sich bedient hat und die wohl teilweise sehr alt sind. Es ist denkbar, dass die Tätigkeit der deuteronomistischen Schule sich über ein paar Jahrhunderte erstreckt hat und sich in mehrere Perioden einteilen lässt. Die erste dürfte in die Zeit vor dem Fall des Nordreichs nach Sichem oder in dessen Nähe zu verlegen sein. In dieser Zeit erhielt das Deuteronomium wahrscheinlich seine grundlegende, einheitliche Struktur.

Alles spricht dafür, dass viele Deuteronomisten, ursprünglich Leviten aus Sichem und dem Nordreich, nach Samarias Fall ihre Zuflucht in Juda und Jerusalem suchten.[36] Hierher brachten sie die altisraelitischen Traditionen des Hexateuchs mit; offenbar scheinen diese auch erst zur Zeit Hiskias wachsende Bedeutung in Jerusalem erlangt zu haben.

Deuteronomistische Kreise haben dann mit Sicherheit die Reformation Josias inspiriert, die einen Triumph der altisraelitischen Traditionen, u.a. mit der Einführung des Passah-Massothfestes in Jerusalem, darstellte. Das Frühlingsfest, das zur Erinnerung an den Auszug aus Ägypten und an die Stiftung des Jahwekults gefeiert wurde, war das Hauptfest im alten Sichem gewesen und vermutlich vorher nie in Jerusalem gefeiert worden (vgl. 2. Kön. 23, 22).

Die Zeit nach Jerusalems Fall war eine letzte Phase deuteronomistischer Tätigkeit, u.a. erhielt das deuteronomistische Geschichtswerk jetzt seine endgültige Redaktion.[37] Viele der Ermahnungen und Drohungen, die im Deuteronomium Mose in den Mund gelegt werden, scheinen auch tatsächlich die bereits hereingebrochene Katastrophe vorauszusetzen, vgl. z.B. Deut. 29, 27.

Vor den verschiedenen Phasen der literarischen Tätigkeit der Deuteronomisten hatte man jedoch vielleicht schon in alter Zeit in Sichem die Israelsage auszubauen begonnen. Vielleicht war der älteste Kern von Richter 1—9 ein solcher vordeuteronomistischer Ausbau. Der Stoff dieser Kapitel ist zum grössten Teil mit Benjamin, Manasse-Ephraim und Sichem verknüpft. Wolfgang Richter hat hier ein ursprüngliches „Retterbuch" identifiziert, das er auf das 9. Jahrhundert datiert.[38]

Für die P-Schicht dürfte nun ungefähr dasselbe Prinzip gelten. P kann als Sammelbezeichnung von einer oder zwei — vielleicht auch von noch mehr — Bearbeitungs- und Erweiterungsschichten des grossen, von den Deuteronomisten hinterlassenen, literarischen Korpus aufgefasst werden. Auch die P-Schule hat natürlich viel altertümlichen Stoff gesammelt; sie wurzelt in der alten Tradition Jerusalems, was wohl u.a. ihr lebhaftes Interesse für den Tempelkult und für die Funktionen der Priester erklärt. Quantitativ überwiegen in der literarischen Produktion der P-Schule die Kultgesetze, die man wohl von Anfang an in den Rahmen der Ereignisse vom Sinai eingefügt hatte. Aber zu P gehören auch einige Zusätze zum erzählerischen Stoff, sowie vor allem eine Bearbeitung und Systematisierung des *Rahmens* der älteren Erzählung. Die Geschichtsauffassung ist hier wohl von der exilisch-nachexilischen Situation geprägt, wo man sich um die Wiederherstellung des Althergebrachten bemühte. Man suchte in der Vergangenheit die Normen, die nach der Rückkehr aus dem Exil verbindlich sein sollten. Daher fasste man die Geschichte in erster Linie als eine sukzessive Stiftung der Ordnungen auf, angefangen mit der kosmischen Ordnung der Schöpfung, über den Bund mit Noah und Abraham bis zur Epoche Moses und dem Sinaibund, wo das Gesetz endgültig und für alle Zeiten festgestellt wurde. Nach der Zeit Moses konnte vom Gesichtspunkt der P-Schule nichts grundlegend Neues hinzukommen. Deshalb hat man sich hier nicht besonders für die Geschichte Israels nach Moses Tod interessiert.

Wahrscheinlich ist dies die richtige Erklärung der Tatsache, dass sich die literarische P-Schicht in der Hauptsache auf die vier ersten Bücher Mose erstreckt. Es besteht kein Anlass, sich eine selbständige P-Quelle für die Zeit von der Schöpfung bis zu Moses Tod zu denken, und ebenso wenig ein P-Werk im Sinne Engnells, da die Hexateucherzählung als bewusst ausgearbeitete, literarische Komposition schon lange vorgelegen haben muss, ehe die literarische Tätigkeit der P-Schule begann.

Zusammenfassend lässt sich die hier skizzierte Theorie als eine literaturgeschichtliche Erweiterungstheorie bezeichnen. An sich ist ihr Prinzip nicht neu, sie steht vielmehr früheren Hypothesen ziemlich nahe, u.a. der von Volz in *Der Elohist als Erzähler* vorgeschlagenen. Nur die Modalitäten sind in gewisser Hinsicht neu: viel von dem, was man früher als den Quellen vorgegebene Tradition betrachtete, kann hier als Merkmal der literarischen Grundkomposition interpretiert werden.

D. Gesichtspunkte zur Methode

Bei der möglichst voraussetzungslosen literarischen Analyse eines so umfassenden Werks wie des Hexateuchs ist es in erster Linie notwendig, richtig gewählte Textabschnitte in der rechten Ordnung zu analysieren. Wählt man Einzelerzählungen oder begrenzte Abschnitte mehr oder weniger willkürlich zum Ausgangspunkt der Untersuchung, so läuft man Gefahr, diese ungebührlich zu isolieren und ihre eventuelle Funktion als notwendige Glieder eines ursprünglichen, grösseren Zusammenhangs ganz einfach zu übersehen. Es gilt nämlich die Regel: je weiter der Rahmen eines Zusammenhangs gefasst ist, desto weniger kommt er oft in den einzelnen Abschnitten unmittelbar zur Geltung, desto schwerer ist er auch von dem beschränkten Horizont der letzteren wahrzunehmen. Natürlich müssen die sich aus den grösseren Zusammenhängen ergebenden Dimensionen unbemerkt bleiben, wenn man die Destruktion des Rahmens zu einer Voraussetzung jeder kritischen Analyse der kleineren Einheiten macht. Deshalb müssen wir statt dessen in erster Linie jene Abschnitte des Hexateuchs studieren, in denen eine literarische Gesamtkonzeption besonders klar hervortritt: Rahmenstücke und Verbindungsglieder, Texte, die eine umfassende und konsequente Entwicklung der Ereignisse andeuten, die an durchgehende Themen anknüpfen, Personen einheitlich schildern, an dieselben Orte anknüpfen u.s.w. Wir versuchen also in erster Linie, die literarische Einheitlichkeit der Grunderzählung des Hexateuchs darzulegen und diese in einen zeitgeschichtlichen Zusammenhang einzuordnen. Dabei gehen wir von einer Analyse der *Einleitung* des gesamten Erzählungswerks, unter besonderer Berücksichtigung des *Schlusses* aus. Die verschiedenen Haupt- und Unterabschnitte, und nach Möglichkeit auch die kleineren Einheiten, behandeln wir dann vor allem hinsichtlich ihrer Funktion in den grösseren Zusammenhängen. Wenn diese Funktion für die Gesamtheit notwendig ist oder wenn die grösseren Zusammenhänge in bedeutendem Masse in den begrenzten Textabschnitten vorausgesetzt und angedeutet werden, darf man annehmen, dass diese als Teile der grösseren Komposition gestaltet wurden. Texte die sich nicht ohne Schwierigkeit in die Gesamtheit einfügen lassen, können entweder sekundäre Zusätze sein oder auch auf vorliterarischen Stoff zurückgehen, den der Verfasser glaubte, aufnehmen zu müssen, ohne ihn befriedigend einfügen zu können.

Wenn wir nun klargestellt haben, dass die Untersuchung von einer Analyse derjenigen Texte ausgehen muss, die in irgendeiner Hinsicht als Bindeglieder dienen oder auf grössere Zusammenhänge hindeuten, ist nun zu betonen, dass auch die Texte die eine solche Funktion in der Hexateucherzählung haben, verschiedenen literarischen Schichten zugeordnet werden müssen. Wahrscheinlich hat u.a. diese Tatsache zu der Annahme geführt, dass man mit einer Reihe voneinander ursprünglich *unabhängiger* Erzählungsstränge rechnen muss. Andere Erklärungen sind jedoch, wie gesagt, denkbar und wahrscheinlicher: wir können es mit einer Rahmenvariante zu tun haben, die durch sekundäre Bearbeitung früherer Schichten entstand (P), oder es kann sich um verstreute Zusätze — vielleicht von derselben Hand — handeln, die den Zusammenhang der *früheren* Schicht voraussetzen und auf ihn anspielen (Volz, Rudolph, Mowinckel über E). Es ist indessen klar, dass auch bei der Analyse der Texte mit verknüpfender Funktion die literarkritische Aufgabe die primäre ist. Nun ergeben sich aber tatsächlich beim Studium dieser Texte recht bald die grossen Linien eines einheitlichen *hauptsächlichen* Zusammenhangs, der sich allmählich klarer und ausführlicher abzeichnet, wenn sich die Untersuchung zwischen dem grossen Rahmen, den Hauptabschnitten und den Einzelepisoden der Erzählung bewegt und diese sich gegenseitig erhellen. Sobald ein klares Bild eines einheitlichen und durchkomponierten literarischen Hauptzusammenhangs hervortritt, verändert sich auch die Grundlage der literarkritischen Beurteilung der verschiedenen Unterabschnitte des Hexateuchs: viele erzählerische und sonstige Texte erweisen sich als dem ursprünglichen Hauptzusammenhang völlig fremd, weshalb sie als sekundäre Zusätze auszuscheiden sind (so der Sinai und die Bileamerzählung).

Ein methodischer Fehler der traditionellen Literarkritik war es vermutlich, dass sie der kritischen Analyse der grossen literarischen Zusammenhänge nicht den gebührenden Vorrang gewährt hat. Man ist vielmehr vom isolierten Detailstudium einzelner Texte ausgegangen und hat dabei angenommen, man könne die Kriterien derselben Quellensonderung fast überall anwenden.

Die vorliegende Untersuchung erhebt natürlich keinen Anspruch auf Vollständigkeit. Ihr Ziel ist es, konvergierende Indizien in solcher Anzahl aufzuweisen, dass die oben skizzierte Hypothese als wahrscheinlich gelten kann.

Anmerkungen zur Einleitung

[1] *Die Composition des Hexateuchs; Prolegomena zur Geschichte Israels.*

[2] Vgl. z.B. P. Volz und W. Rudolph, *Der Elohist als Erzähler.* Vor allem Volz stellt in dieser Untersuchung die Quellentheorie in Frage. Seine Auffassung sei hier zitiert (S. 21): „Vieles, sehr vieles von dem, was jetzt in den Kommentaren mit grösster Genauigkeit auf E und J verteilt wird, wäre nicht auseinandergerissen, nicht verteilt worden, wenn nicht das Dogma der Quellenscheidung längst vorher als Voraussetzung festgestanden hätte."

[3] I. Engnell, *Gamla Testamentet*; id., SBU, vor allem in den Art. „Formhistorisk metod", „Litterärkritisk metod", „Moseböckerna", „Traditionshistorisk metod". Johannes Pedersen hat seine Auffassung in verschiedenen Zusammenhängen entwickelt; in erster Linie sei seine Deutung der Exoduslegende genannt, in *Passahfest und Passahlegende,* ferner in *Israel III—IV,* S. 384—415, sowie in Additional note I: *The Crossing of the Red Sea and the Paschal Legend.* Prinzipieller äussert er sich in *Die Auffassung vom Alten Testament.*

[4] Viele Forscher haben betont, wie schwach die Indizien sind, auf die sich die Quellenscheidung gründet. Der Standpunkt M. Noths sei hier vor allem zitiert, ÜP, S. 21: „Es gibt bei genauem Zusehen nur verschwindend wenige Synonyma und synonyme Wendungen, deren wechselnder Gebrauch mit einiger Wahrscheinlichkeit auf eine Verschiedenheit von Schriftstellern zurückgeführt werden kann, die den Stoffen ihre überlieferte Formulierung gegeben haben, und diese Worte und Wendungen kommen viel zu selten vor, als dass sie wirklich zur Ordnung des gesamten Stoffes dienen könnten." Noth beruft sich hier auf Volz und gibt ihm in diesem Punkt Recht. Nach Noth kann sich die Quellenhypothese nur auf ein einziges, entscheidendes Kriterium berufen: „Das ist die unbezweifelbare und Schritt für Schritt immer wieder zu konstatierende Tatsache des *mehrfachen Vorkommens* der gleichen Erzählungsstoffe oder Erzählungselemente *in verschiedenen Fassungen*" (S. 21). Er hält hier nur eine Erklärung für möglich, und zwar die Annahme, dass parallel verlaufende Quellen miteinander verflochten wurden. Er lehnt die Erklärungsmodelle von Volz und Rudolph ab, die sich auf die Annahme *eines* ursprünglichen Erzählungswerkes gründen, das bearbeitet und neu herausgegeben wurde oder sekundäre Zusätze und Erweiterungen erhielt. Hiergegen erhebt Noth zwei Einwände: bei Erweiterungen und Zusätzen handelt es sich um die Einführung von neuem erzählerischem Stoff, nicht aber um die Wiederholung *derselben* Erzählung in verschiedenen Varianten; bei Bearbeitung und Neuausgabe handelt es sich darum, ältere Fassungen *zu ersetzen,* nicht aber um die *Beibehaltung* auch des älteren Stoffes. Diese beiden Argumente erscheinen mir nicht stichhaltig: rein prinzipiell können ja parallele Erzählungsvarianten durch verstreute Zusätze und Erweiterungen zusammengefügt worden sein, so gut wie durch die Verflechtung von zwei Quellen. Und warum sollte ein „späterer Herausgeber" bei der Bearbeitung eines älteren Erzählungswerkes nicht genau so grossen Respekt für das ihm vorliegende Material wie ein Redaktor beim Verflechten von zwei Quellen beweisen? Welche dieser Lösungen man zu akzeptieren hat, lässt sich nicht theoretisch entscheiden, sondern nur rein empirisch bei einer Untersuchung der Texte. Hinzu kommt, dass parallele Erzählungsvarianten im eigentlichen Sinne vielleicht seltener vorkommen, als es die Literarkritiker oftmals vermutet haben.

[5] Ein aufschlussreiches Beispiel für die traditionelle Auffassung der Literarkritiker von den Mosebüchern und von ihrer eigenen Aufgabe bietet Georg Fohrer, *Überlieferung und Geschichte des Exodus,* S. 5: „Wer würde denn eine redaktionelle Mischung von Schillers ‚Jungfrau von Orleans', Shaws ‚Die heilige Johanna' und Brechts ‚Die heilige Johanna der Schlachthöfe' als ideal betrachten? So ist der jetzige Text des Hexateuchs nicht mehr als ein Notbehelf, von dem ausgehend man schleunigst zu den ursprünglichen Erzählungssträngen zurückkehren muss, soweit sie erhalten sind." Diese bei aller herkömmlichen Literarkritik so bezeichnende *Eile,* zu den „ursprünglichen" Erzählungszusammenhängen „zurückzukehren", hat, wie man erwarten kann, dazu geführt, dass der vorliegende Text mit seinen Zusammenhängen oft reichlich hastig übergangen wird.

[6] W. Richter, *Exegese als Literaturwissenschaft,* S. 62 ff, hält wenigstens prinzipiell und methodisch die Begriffe Literarkritik und Quellenscheidung auseinander. Das Problem der Unterscheidung von zusammenhängenden literarischen oder redaktionellen Schichten kann nach seiner Auffassung erst angegriffen werden, wenn man zuvor die „kleinen Einheiten" nach verschiedenen Gesichtspunkten analysiert hat. Richter hat sich jedoch nicht von der Quellentheorie

gelöst, sagt aber, „dass sich die Urkundenhypothese mehr durch Gewohnheit und grössere Praktikabilität durchgesetzt hat" (S. 64).

[7] Gunkels Selbständigkeit als Forscher betont W. Klatt, *Hermann Gunkel.* Frühe Ansätze zu formgeschichtlichen Fragestellungen beleuchtet E. Ruprecht, *Die Frage nach den vorliterarischen Überlieferungen in der Genesisforschung des ausgehenden 18. Jahrhunderts.*

[8] H. Ringgren, *Literarkritik, Formgeschichte, Überlieferungsgeschichte,* definiert die Begriffe: die Überlieferungsgeschichte betrachtet „das Anwachsen und die allmähliche Umformung der Überlieferungen von den einfachen Formen des Anfangs bis zu den grossen Komplexen der fertigen alttestamentlichen Literatur"; die Traditionsgeschichte versucht es, „die Bedeutung der gegebenen Traditionen für die Formung der Texte" anzugeben. Diese Definitionen verdeutlichen die Verschiedenheit der methodischen Ansätze: Ausgangspunkt der Überlieferungsgeschichte ist eine Rekonstruktion der als ursprünglich vorausgesetzten „einfachen Formen"; Ausgangspunkt der Traditionsgeschichte ist der vorliegende Text. Während die Erstere wirklich eine geschichtliche Entwicklung bis zu den vorliegenden Texten hin zu zeichnen versucht, wird die Letztere oft ganz einfach zu einer Analyse der Endredaktionen; über ihre Vorstufen äussert man sich nur mit grösster Vorsicht. Beide haben ihre theoretischen Voraussetzungen: grundlegend für die überlieferungsgeschichtliche Forschung waren die Theorien Gunkels, die wir hier näher referieren; grundlegend für die Traditionsgeschichte waren die Annahmen über die mündliche Tradition, die bis zur schriftlichen Endredaktion die entscheidende Rolle gespielt haben sollte (siehe unten, Anm. 18). Wenn man von diesen theoretischen Voraussetzungen absieht, so bleibt die Berechtigung der traditionsgeschichtlichen Methode bestehen: Ausgangspunkt muss immer eine voraussetzungslose Analyse der vorliegenden Texte sein. Was W. Richter, *Exegese als Literaturwissenschaft,* S. 46, Anm. 49, über die „Uppsala-Schule" sagt, beruht auf einer unzulänglichen Kenntnis derselben.

[9] *Genesis,* Einleitung, „Die Sagen der Genesis" S. I—CIII.

[10] Zustimmend zitiert er, S. XXXIII, Anm. 1, Wellhausen, *Prolegomena,* S. 349: „Die Individualität der einzelnen Erzählung ist das Wesentliche und das Ursprüngliche, der Zusammenhang ist Nebensache und erst durch die Sammlung und schriftliche Aufzeichnung hineingebracht."

[11] *Das formgeschichtliche Problem des Hexateuch.*

[12] Noths Bezeichnung: Dtr; Engnells: das D-Werk. Noth, *Überlieferungsgeschichtliche Studien* S. 3—110; Engnell, *Gamla Testamentet,* S. 209 ff; 231 ff.

[13] Noth hat jedoch nicht vom „Tetrateuch" gesprochen.

[14] *Gamla Testamentet,* S. 212.

[15] *Gamla Testamentet,* S. 209.

[16] Auch W. Richter, *Exegese als Literaturwissenschaft,* S. 25, behauptet hinsichtlich des Alten Testaments ganz generell und problemlos: „Es fehlen in ihm grosse Literaturformen." Und anschliessend: „Da im AT die ‚einfachen Formen' vorherrschen, ergeben sich gegenüber den hier vergleichbaren Literaturen einige Besonderheiten." Demgemäss ist seine Methodologie so geordnet, dass zuerst „die kleinen Einheiten" in mehreren Momenten analysiert werden und erst danach „die Frage nach der literarischen Zusammenfügung und Bearbeitung der einzelnen Einheiten und Kompositionen" (S. 165) gestellt wird. In einem anderen Zusammenhang sagt er umgekehrt: „Die erste Aufgabe muss es danach sein, vom gegebenen Werk aus zurückzugehen bis auf die kleinsten Elemente" (S. 44). Warum gilt das nicht bei dem Verhältnis zwischen der literarischen Gesamtkomposition und den kleinen Einheiten?

[17] De Vaux, *Histoire,* S. 358—364, nimmt als Hypothese zwei parallel verlaufende Auszugstraditionen an, die er mit zwei entsprechenden, parallelen Einzugstraditionen verknüpft: die der Leastämme über Kadesh nach Südpalästina und die der Rahelstämme unter Mose über das Schilfmeer, den Sinai und das Ostjordanland nach Zentralpalästina. Die Tradition der Rahelstämme hätte dann die Form der vorliegenden Erzählung bestimmt. Mit eingehender Beweisführung sucht die Vaux die ursprüngliche Kontinuität, die alten Überlieferungen von Mose, dem Auszug aus Ägypten und dem Sinai festzustellen: „Il n'y a pas de raison déterminante d'écarter Moïse d'aucune de ces traditions et il y a des preuves positives qu'elles ont été reliées entre elles" (S. 423). Obwohl die Stellung der Sinaiepisoden im Rahmen der Hexateucherzählung problematisch ist, ist die Annahme, dass die Abschnitte des Exodus — der Wüstenwanderung — der Landnahme auf eine zusammenhängende Tradition zurückgehen, mit Sicherheit im Prinzip richtig. Herrmann, *Geschichte Israels,* S. 110 f., spricht völlig überzeugend von „einer durchlaufenden Mose-Überlieferung über eine von Ägypten bis Palästina an seiner Seite agierende Gruppe". In

20

diesem Zusammenhang sagt er auch mit Recht: „Noth hat sich die Möglichkeit zur Annahme eines überlieferungsgeschichtlichen und historischen Kontinuums dadurch genommen, dass er hypothetisch fünf Themen aufstellte, um den Pentateuchstoff zu ordnen. Er hat aber gleichzeitig diese literarische Hypothese so weit ausgebaut, dass er jedes der Themen auch zu selbständiger historischer Geltung erhob." (Sh. auch id., *Mose, und Israels Aufenthalt in Ägypten,* S. 65 f.). Von Herrmanns eigenen Ausgangspunkten aus gesehen ist es indessen nicht ganz konsequent, dass er von dieser angenommenen Mosetradition die Landnahmeerzählung des Josuabuches isoliert, die er im Anschluss an Alt und Noth als benjaminitisch bezeichnet. Er verwahrt sich aber gegen ihre „literarisch-überlieferungsgeschichtliche Zergliederung der Traditionen" (S. 134 f.): die Landnahmeerzählung „bezieht aber doch ihre eigentliche Substanz aus der historischen Erinnerung, die durchaus nicht nur isolierte Geschenisse an bestimmten Haftpunkten bewahrte, sondern auch grössere Zusammenhänge zu erfassen imstande war." (ebda).

[18] So H.S. Nyberg, *Studien zum Hoseabuche,* und im Anschluss an ihn u.a. Engnell. Sie betonten, wie andere skandinavische Forscher, andererseits die Zuverlässigkeit der mündlichen Tradition. Diese Auffassung war die Grundlage der sog. traditionsgeschichtlichen Methode, die u.a. versucht, literarische Unebenheiten in den vorliegenden Texten durch den Hinweis auf die Wandlungen des Stoffes im Verlauf der mündlichen Überlieferung zu erklären. Derart hält Nyberg es für fraglich, ob man sich in vorexilischer Zeit für rein literarische Zwecke in grösserem Ausmass der Schrift bedient hat. Historische Traditionen, Epik und Kultlegenden wurden, meint Nyberg, im Wesentlichen mündlich überliefert, ebenso wie auch grösstenteils die Gesetze. Vgl. u.a. S. 8: „Die Vorgeschichte des at. Stoffes war somit überwiegend eine mündliche. Man hat mit Traditionskreisen bzw. -zentren zu rechnen, die den Stoff bewahrten und weitergaben. Es versteht sich von selbst, dass es bei dieser Überlieferungsweise nicht ohne Veränderungen des Stoffes abging, aber wir haben es dann mit lebendiger Umformung und nicht mit graphischen Verderbnissen zu tun." Die Bedeutung der mündlichen Tradition haben nach Nyberg folgende Forscher betont: Birkeland, *Zum hebräischen Traditionswesen;* Engnell, *Gamla Testamentet,* S. 39 ff.; id. *Profetia och tradition;* id., Artikel in SBU (vor allem „Gamla testamentet"); Nielsen, *Oral tradition.* Ringgren geht eher empirisch vor, in *Oral and Written Transmission in the Old Testament* untersucht er eine Reihe von Psalmen- und Prophetentexten die im AT zweimal vorkommen um festzustellen, ob die hier gegebenen Varianten aus ihrer mündlichen oder schriftlichen Überlieferung zu erklären sind. Beide Erklärungen kommen in Betracht.

[19] G. Widengren, *Literary and Psychological Aspects of the Hebrew Prophets* and *Oral Tradition and Written Literature among the Hebrews* vertritt hinsichtlich der Bedeutung der mündlichen Tradition eine Auffassung, die von der bei den skandinavischen Forschern sonst üblichen abweicht. Obwohl die israelitischen Stämme während einer längeren Zeit nur in der Nachbarschaft der Stadtstaaten in Palästina mit ihrer höheren materiellen Kultur gelebt haben, darf man mit Widengren annehmen, dass sie von Anfang an tief von der städtischen Kultur mit der sie dort in Berührung kamen, beeindruckt wurden und dass sie u.a. auch schreiben lernten — wenn sie es nicht schon vor ihrer Ansiedlung im Kulturland konnten. Deshalb ist Widengrens Auffassung durchaus berechtigt, *Oral Tradition,* S. 205: „From the moment that a people had acquired a system of writing it was no longer 'primitive', it belonged to a culture area possessing a 'high culture'. This date can be fairly well fixed in the history of Israel for it is to be assumed at least from the period of settlement in Canaan." Vgl. auch Noth, *Geschichte Israels,* S. 44: „Erst die Erfindung der alphabetischen Lautschrift, die mit einigen zwanzig verschiedenen Schriftzeichen auskommen konnte, ermöglichte eine allgemeine Verbreitung der Kunst des Schreibens und Lesens, die nun schliesslich jeder, der es wollte, lernen konnte. Und diese Erfindung war um 1200 in Syrien-Palästina schon gemacht, und die israelitischen Stämme konnten sie alsbald aus der städtischen Kultur des Landes kennenlernen und übernehmen."

[20] *Die kleinste literarische Einheit in den Erzählungsbüchern des Alten Testaments.*

[21] Eissfeldt, S. 149, fasst dies folgendermassen zusammen: „Dazu scheint mir das die Lage der wissenschaftlichen Arbeit an den Erzählungsbüchern des AT zu sein: Sie hat in den letzten 30 Jahren mit ihrer wesentlich stoffkritisch bedingten Auffassung der einzelnen Erzählungen als selbständiger literarischer Einheiten und der damit gegebenen Beurteilung der grösseren Gebilde als blosser Sammlungen unzusammenhängender Einzelgeschichten das Verständnis der Einzelerzählungen und ihrer Stoffe ungemein gefördert, aber das von den Früheren erarbeitete Verständnis der grösseren Zusammenhänge ist ihr vielfach abhanden gekommen, und jedenfalls hat sie einen in dieser Richtung gehenden Fortschritt der Forschung gehemmt." Geschrieben 1927,

hat dies vielleicht heute noch seine Gültigkeit.

[22] L. Rost, *Das kleine Credo,* weist darauf hin, dass der bei von Rad zitierte Haupttext, Deut. **26**, 5—9, in seiner Wortwahl mit den Rahmenreden von Dtr und mit der Jeremiabiographie des Baruch verwandt ist. T.C. Vriezen, *The Credo in the Old Testament,* deutet die bei von Rad angeführten Texte in ihrem literarischen Kontext als Ausdrücke deuteronomistischer Theologie; er bezweifelt, dass die Gattungsbezeichnung „Credo" zutreffend sei, vgl. S. 12: „It is typical of Israel (on this score jewish theology is right), that it, in contrast to the Christian church, never had a definite directly circumscribed, generally valid, 'canonical' confession of faith. Therefore, the question comes to the fore: Does the idea of a credo not import something that is foreign to the world of ancient Israel?" W. Richter, *Beobachtungen zur theologischen Systembildung,* behandelt die einzelnen Formeln, aus denen das Credo aufgebaut ist, greift aber die Frage nach dem Verhältnis desselben zu der Hexateucherzählung nicht auf. O. Carmichael, *A New View of the Origin of the Deuteronomic Credo,* legt u.a. dar, dass erzählende Texte des Pentateuchs eine Voraussetzung des Credos sind. Eine ausführliche Übersicht über die Kritik an von Rads Hypothese gibt E.W. Nicholson, *Exodus and Sinai,* S. 20—27. Sh. auch de Vaux, *Histoire,* S. 379.

[23] Noths Theorie einer einheitlichen Redaktion wird u.a. von H. Weippert in ihrer gründlichen Studie *Die „deuteronomistischen" Beurteilungen der Könige von Israel und Juda* in Frage gezogen.

[24] Engnell hat die Frage vom Abschluss des Tetrateuchs, die doch von ganz entscheidender Bedeutung ist, nicht berührt. Die Annahme Mowinckels, *Tetrateuch, Pentateuch, Hexateuch,* dass der jahwistische Landnahmebericht in Ri. **1** vorhanden sei, befriedigt nicht, da dieses Kapitel keineswegs den Erwartungen von Gen.—Num. entspricht.

[25] Vgl. Noth, ÜP, S. 78: „Nur soviel steht nach den erhaltenen Anfangsstücken fest, dass auf Grund der Landnahmeerinnerungen der mittelpalästinischen Stämme an einen gemeinsamen Anmarsch der vereinten israelitischen Stämme /. . ./ durch das südliche Ostjordanland gedacht war und dass man von da aus die Stämme auf eine uns nicht bekannte Weise in ihre Kulturlandgebiete gelangen liess". Das entspricht aber genau der Landnahmeerzählung des Josuabuches. Und man könnte präzisere Entsprechungen aufzeigen: Num. **25**, 1 wird Sittim als letzter Lagerplatz am Ende der Wüstenwanderung genannt; von Sittim bricht man auf, um über den Jordan zu gehen, Jos. **3**,1; die Einsetzung Josuas als Nachfolger Moses wird in verschiedenen literarischen Schichten erzählt; die Annahme, Deut. **31**,1, 2a,7—8 sei deuteronomistisch, ist nicht genug begründet: was an sprachlichen Analogien mit zweifellos deuteronomistischen Texten hier zu konstatieren ist, kann als wörtliche Zitate dieses älteren Textes bei den Deuteronomisten erklärt werden (gegen N. Lohfink, *Die deuteronomistische Darstellung des Übergangs der Führung Israels von Moses auf Josue*); Noth nimmt an, dass die parallele Erzählung von Num. **27**,15—23 zu P gehört, räumt aber ein, dass diese Erzählung ein grosses Gewicht hat „da sie in den Plan von P, der auf eine Landnahmeerzählung gar nicht hinaus wollte, so wenig passt, dass man annehmen muss, dass er hier von älterer Überlieferung abhängig ist." (ÜP, S. 193.) Für eine Abhängigkeit von Dtr gibt es nach Noth keine Anhaltspunkte: „Also wäre doch an die alten Pentateuchquellen zu denken, in deren nicht mehr erhaltener Landnahmeerzählung Josua schon eine ähnliche Rolle gespielt haben könnte wie im Josuabuche." (Ibid.) In Num. **14**,24,30 wird dem Kaleb ein besonderer Landbesitz versprochen; diese Versprechung wird Jos. **14**, 6 ff. erfüllt; Num. **32** bekommen Ruben und Gad von Mose ihre Erbteile im Ostjordanland unter der Bedingung, dass sie mit den übrigen Stämmen über den Jordan ziehen; Jos. **1**,12—18, **4**,12 gehorcht man diesem Befehl; nachdem man das Westjordanland erobert hat, kehren sie in ihre Stammesgebiete zurück, Jos. **22**. Endlich werden die Gebeine Josephs bei Sichem begraben, Jos. **24**,32; dieser Notiz entspricht Gen. **50**,25, Ex. **13**,19. Ausserdem kann man konstatieren, dass keine in Gen. — Num. vorkommenden Hinweise auf die Landnahme im Josuabuche ohne Entsprechung bleiben.

[26] ÜSt, S. 182—190. Immerhin handelt es sich um eine ganze Reihe von Texten, Noth selber nennt folgende: Jos. **4**,15—17, den er als sekundären Zusatz jener Bearbeitung betrachtet, in der die Priester als Träger der Bundeslade eingeführt werden; Jos. **4**,19, **5**,10—12, wo nur die Zeitangaben auf P zurückzuführen seien; Jos. **14**,1b, **18**,1, **19**,51a, in denen Noth wirkliche Merkmale von P erkennt, sowie Jos. **21**,1—42, welcher Text an die letzteren Stellen anknüpft. Ausser dem Buch Josua führt Noth 1. Kön. **8**,1—11 an, wo er die Verse 1a, 4a, 10 und 11 als Zusätze im Stile von P bezeichnet.

[27] ÜSt, S. 13 und Anm. 1.

[28] *Die sogenannten deuteronomischen Elemente in Gen. — Num.*

[29] Manche Forscher nehmen an, dass die beiden ältesten erzählerischen Quellen in ihrer Ge-

22

samtheit auf eine frühere gemeinsame Vorlage zurückgehen, so R. Kittel, *Geschichte des Volkes Israel*, I, S. 249—259; der Hypothese Kittels schliessen sich u.a. an: W.F. Albright, *From the Stone Age to Christianity*, S. 241, J. Bright, *A History of Isarel*, S. 65. Auch M. Noth nimmt an, dass J und E auf eine gemeinsame Grundlage zurückgehen, vgl. ÜP, S. 40 ff: „Die Übereinstimmungen in den Überlieferungselementen, in denen sie parallel laufen, gehen so weit, dass diese ihnen gemeinsame Grundlage bereits eine feste Gestalt gehabt haben muss, sei es nun, dass sie schriftlich fixiert war, oder sei es, dass sie in mündlicher Weitergabe bereits nach Aufbau und Inhalt sehr ausgeprägt geformt war."

[30] Die Indizien, mit denen man ursprünglich die Datierung der ältesten erzählerischen Schicht auf die frühe Zeit der Könige begründete, sind eigentlich schwach, vgl. z.B. Wellhausen, *Prolegomena*, S. 334 f: „Viel lebhafter als in den persönlichen Charakterzügen der Patriarchen /. . ./ zeigen sich die historisch-nationalen Bezüge in den Verhältnissen derselben zu ihren Brüdern, Vettern und übrigen Verwandten. Da blickt überall der Hintergrund, bricht überall die Stimmung der israelitischen Königszeit durch." Die Belegstellen, die Wellhausen für diese Auffassung heranzieht, stammen indessen fast alle aus Texten, die keine Bedeutung für den erzählerischen Zusammenhang haben und als sekundäre Zusätze betrachtet werden können, zuweilen mag auch seine Textdeutung zweifelhaft erscheinen; vgl. z.B. S. 336: „Joseph erscheint hier durchaus als der Träger des nordisraelitischen Königtums, als der Diademträger unter seinen Brüdern, wozu er ja auch schon durch seine frühesten Träume bestimmt wird." Heute dürfte wohl niemand mehr behaupten, dass Joseph in königlichen Kategorien dargestellt ist.

[31] Wir werden in anderem Zusammenhang auf die Diskussion anlässlich der Annahme Noths in *Das System der zwölf Stämme Israels* zurückkommen, dass in vormonarchischer Zeit eine israelitische Amphiktyonie bestanden habe. Diese Theorie lässt sich sicher in verschiedener Hinsicht kritisieren, kann aber nicht in ihrer Gesamtheit abgetan werden. Wenn Noth das ganze produktive Stadium bei der Entstehung der Pentateucherzählung in die vormonarchische Zeit verlegt, geschieht dies mit dem sicher richtigen Hinweis darauf, dass die hier vorliegende Sagenüberlieferung ihre Voraussetzung in einer lebendigen Stammesorganisation hat: „Der Boden aber, aus dem eine Sagenüberlieferung in diesem Sinne lebendig erwächst, pflegt derjenige Stand der Dinge zu sein, in dem die Geschichte eines Volkes von der Gemeinsamkeit seiner Stämme als seiner beratenden und handelnden Glieder getragen wird, bevor eine im eigentlichen Sinne staatliche Ordnung mit ihren Organen Führung und Verantwortung übernimmt und damit das Eigenleben der Stämme verkümmern lässt." (ÜP, S. 47.)

[32] Die Verknüpfung der Patriarchenerzählung mit Zentralpalästina beobachtete Wellhausen, *Prolegomena*, S. 332: „Die nahe Beziehung, in welche die Aramäer zu den Israeliten gesetzt werden, wird sich wohl daraus erklären, dass die Patriarchensage im mittleren und nördlichen Israel ihren eigentlichen Boden hat, wie das aus der ausgesprochenen Vorliebe für Rahel und Joseph klar erhellt." Vgl. auch S. 337: „Sympathien und Antipathien mischen sich überall ein, dabei wird durchgehend der nordisraelitische Standpunkt eingenommen, wie sich besonders klar daraus ergibt, dass Rahel die schöne und geliebte Frau Jakobs ist, die er eigentlich allein haben wollte, Lea die hässliche und zurückgesetzte, die ihm nur unterschoben ist." In einer Anmerkung fügt Wellhausen noch hinzu: „Es ist aber nur daraus zu schliessen, dass diese Sagen in Ephraim entstanden, nicht dass sie dort auch in ihrer uns vorliegenden Gestalt niedergeschrieben sind." Diese Erklärung befriedigt nicht: denn gerade in den Strukturelementen der literarischen Komposition tritt die Verankerung in Nord- oder Zentralpalästina deutlich zutage.

[33] Es ist vermutlich falsch, die Traditionen von Abraham und Isaak ohne alle Einschränkungen als „südlich" zu bezeichnen und daraus zu folgern, dass sie in Juda und Jerusalem besonders gepflegt wurden. Abraham ist mit Mamre verbunden, einem Platz, der zur Zeit Davids völlig vergessen gewesen zu sein scheint, Isaak mit Beer Seba. Das eigentliche Gebiet des Stammes Juda begann aber nördlich von Hebron, während Hebron zusammen mit dem Land südlich davon nur im weiteren Sinne zu Juda gerechnet wurde. Die von hier stammenden Traditionen aus vordavidischer Zeit sind auf keinen Fall judäisch. Dagegen deutet manches darauf, dass die südlich vom eigentlichen Juda ansässigen Stämme besonders enge Verbindungen mit den zentralpalästinischen Stämmen gehabt haben. Der Ursprung dieser Verbindungen ist vielleicht in Kades Barnea zu suchen, wo eine nahe Gemeinschaft zwischen der Mose-Josua-Gruppe und den später im Negev von Juda ansässigen Stammgruppen bestanden haben kann. Ursprünglich stammen sicher Simeon und Levi hierher, und gemäss einer zuverlässigen Überlieferung gehörte Mose zum Stamm Levi, Ex. 2,1; eine authentische Tradition mag auch der Angabe Num. 13—14 zugrunde-

liegen, dass Kaleb, dem Hebron als Besitz zugeteilt wurde, eng mit Josua verbunden war. Ferner hat man darauf hingewiesen, dass Beer Seba besondere Verbindungen mit Zentralpalästina gehabt hat, vgl. de Vaux, *Histoire,* S. 170. Andererseits ist es auffällig, dass Juda in vordavidischer Zeit eine so isolierte Stellung unter den übrigen israelitischen Stämmen eingenommen zu haben scheint. Es ist also nicht so unwahrscheinlich, dass die Traditionen von den südlichen Patriarchen vor allem in Zentralpalästina weitererzählt worden sind; in älteren Texten von gesicherter judäischer und jerusalemitischer Herkunft kommen überhaupt sehr wenige Anspielungen auf die Hexateuchtradition vor.

[34] Einen nördlichen Ursprung der deuteronomistischen Tradition und des Deuteronomiums verteidigten u.a. bes. A.C. Welch, *The Code of Deuteronomy;* A. Alt, *Die Heimat des Deuteronomiums;* F. Dumermuth, *Zur deuteronomischen Kulttheologie und ihren Voraussetzungen.*

[35] Mit mehreren entwicklungsgeschichtlichen Phasen im Deuteronomium wird fast durchgehend in neueren Untersuchungen gerechnet, vgl. bes. für Deut. 5—11 N. Lohfink, *Das Hauptgebot;* für Deut. 5—28 G. Seitz, *Redaktionsgeschichtliche Studien zum Deuteronomium.* Lohfink, *Darstellungskunst und Theologie in Dtn 1,6—3,29* geht von der Annahme Noths aus, dass die ersten vier Kapitel im Deuteronomium das Exordium des deuteronomistischen Geschichtswerkes gewesen seien, was wohl nur teilweise wahr ist, weil damit die Beziehungen dieser Kapitel zum übrigen Deut. unbeachtet bleiben; wahrscheinlich kann man sie als Anknüpfungsglied zwischen der Grunderzählung des Hexateuchs und dem ersten deuteronomistischen Ausbau betrachten. Wichtig ist in dieser Hinsicht die Feststellung Lohfinks, dass Deut. 1,19—46 Textkenntnis der alten Kundschaftergeschichte von Num. 13 f. voraussetzt, so dass „im Spiel mit der Quelle indirekte theologische Aussagen gemacht sein könnten." (S. 109.) Vgl. dazu die mehr literarkritisch arbeitenden Untersuchungen von J.G. Plöger, *Literarkritische formgeschichtliche und stilkritische Untersuchungen zum Deuteronomium* und S. Mittmann, *Deuteronomium 1,1—6,3.*

[36] Dass die Deuteronomisten Leviten waren: vgl u.a. A. Bentzen, *Die josianische Reform und ihre Voraussetzungen,* S. 46 ff; G. von Rad, *Deuteronomium-Studien,* S. 46 ff; H.W. Wolff, *Hoseas geistige Heimat,* Ges. St., S. 248 ff.

[37] F.M. Cross, *Canaanite Myth and Hebrew Epic,* S. 275—289, nimmt mit guten Gründen an, dass eine aus der Zeit Josias stammende Hauptedition des deuteronomistischen Geschichtswerkes in exilischer Zeit reeditiert wurde: „There were two editions of the Deuteronomistic history, one written in the era of Josiah as a programmatic document of his reform and of his revival of the davidic state. In this edition the themes of judgement and hope interact to provide a powerful motivation both for the return to the austere and jealous god of old Israel, and for the reunion of the alienated half-kingdoms of Israel and Judah under the aegis of Josiah. The second edition, completed about 550 B.C., not only updated the history by adding a chronicle of events subsequent to Josiah's reign, it also attempted to transform the work into a sermon on history adressed to Judaean exiles." (S, 287,)

[38] *Traditionsgeschichtliche Untersuchungen zum Richterbuch; die Bearbeitungen des „Retterbuches" in der deuteronomischen Epoche.* Andere Forscher nahmen früher an, dass die Rahmenstücke in Richter 2,6 bis 1. Sam. 12 stilistische Übereinstimmungen mit Jos. 24 aufweisen und kaum als ausgeprägt deuteronomistisch betrachtet werden können: So schon B. Stade, ZAW 1 (1881), S. 339—343; K. Budde, *Kurzer Hand-Commentar zum AT* (1902); O. Eissfeldt, *Einleitung,* S. 349. Diese Forscher nahmen an, dass die betreffenden Texte eine Fortsetzung der E-Quelle des Hexateuchs sind. W. Beyerlin, *Gattung und Herkunft des Rahmens im Richterbuch,* nimmt einen vordeuteronomistischen Rahmen zum Richterbuch an; zu demselben Schluss gelangt auch G. Schmitt, *Der Landtag von Sichem,* S. 16 ff., wo er den nahen Zusammenhang zwischen Jos. 24 und den Rahmenteilen in Ri. 2,6 bis 1. Sam. 12 betont.

I. Der Einleitungsabschnitt, Gen. 11,27—13,18

Die Hexateucherzählung schildert zum allergrössten Teil die älteste Geschichte Israels. Durch die ersten elf Kapitel der Genesis wird diese zwar in den Rahmen der Urgeschichte der Menschheit eingefügt, aber von der hier sich eröffnenden, weiteren Perspektive merkt man im Verlauf der folgenden Erzählung kaum etwas. Hier können wir daher ganz von den ersten elf Kapiteln, die ziemlich isoliert am Anfang der Genesis stehen, absehen. Mit dieser Feststellung ist natürlich die Frage, ob die älteste literarische Schicht der Urgeschichte der folgenden Erzählung schon von Anfang an vorausging, oder ihr vielleicht erst sekundär vorangestellt wurde, noch keineswegs entschieden. Auf diese Frage brauchen wir hier jedoch nicht einzugehen, in unserem Zusammenhang interessiert nur die Frage: wie wird die Darstellung der frühesten Geschichte Israels eingeleitet? Nur der unmittelbare Auftakt zu dieser ist für die folgenden literarischen Zusammenhänge von direkter Bedeutung. Am Anfang der Patriarchenerzählung finden wir nun auch einen charakteristischen Einleitungsabschnitt, Gen. **11**,27—**13**,18, den wir in erster Linie genauer analysieren müssen.

Der Abschnitt besteht aus zwei Teilen, der erste, Gen. **11**, 27—32 bildet eine Eröffnung, die die eigentliche Erzählung vorbereitet: hier wird ein ferner Hintergrund angedeutet und werden genealogische Verhältnisse geklärt, die für die folgenden Zusammenhänge grundlegende Bedeutung haben; im zweiten Teil, Gen. **12**,1 ff beginnt dann die eigentliche Erzählung mit dem Befehl und der Verheissung Jahwes und mit der Wanderung Abrams.

Es sei betont, dass dieser einleitende Abschnitt nur den Auftakt zu einem weiteren erzählerischen Zusammenhang bildet; dass er also keine in sich geschlossene Erzählungseinheit ist. Schon Gunkel erkannte diese Tatsache, aus der er folgerte, dass der erste Teil von Kap. **12** als eine literarische Schöpfung von J zu betrachten sei und dass sich hier eigentlich keine vorliterarischen Erzählungstraditionen aufspüren liessen.[1] Auch Von Rad betonte, dass die Verse 1—9 als ,,ein vom Jahwisten *ad hoc* geschaffenes Übergangsstück von der Urgeschichte zu der nun einsetzenden Reihe der eigentlichen Abrahamerzählungen'' zu betrachten seien, hinter dem keine vorliterarische, selbständige Erzählungseinheit aufzuspüren sei. Darüber hinaus betonte er aber, dass gerade Abschnitte dieser Art besonders bedeutungsvoll sind, da sich hier der ,,grosse Sammler'' der Patriarchenerzählungen ,,programmatisch'' äussert.[2]

Wir untersuchen zunächst **11,27**—32 genauer, wo wir vermutlich die ursprüngliche Eröffnung der Israelsage in ziemlich unveränderter Form finden, abgesehen von einigen Zusätzen, die aus der P-Schicht stammen und die wir hier einklammern:

> [Und diese sind die Generationen Terachs.] Terach zeugte den Abram, den Nachor und den Haran. Und Haran zeugte den Lot. Und Haran starb zu Lebzeiten seines Vaters Terach in seiner Heimat [in Ur-Kasdim]. Und Abram und Nachor nahmen sich Weiber, Abrams Weib hiess Sarai, Nachors Weib hiess Milka, die Tochter Harans, des Vaters der Milka und Jiska. Sarai aber war unfruchtbar; sie hatte kein Kind. [Und Terach nahm seinen Sohn Abram und Lot, den Sohn Harans, seinen Enkel und Sarai, seine Schwiegertochter, das Weib seines Sohnes Abram, und zog mit ihnen aus Ur-Kasdim, um ins Land Kanaan zu gehen, und sie kamen bis Charran und blieben dort. Und die Tage Terachs betrugen 205 Jahre.] Und als Terach in Charran gestorben war, sprach Jahwe zu Abram: Gehe du aus deiner Heimat und aus deiner Verwandtschaft und aus deinem Vaterhause in ein Land, das ich dir zeigen will.

Auch die quellenscheidende Literarkritik teilte den Text auf J und P auf, in der Regel 28—30 J; 27, 31, 32 P. Hier wie an den übrigen Stellen ist es aber natürlicher, den Anteil P's an dem vorliegenden Text als eine redaktionelle Erweiterung des ursprünglichen Textes zu erklären. Von P stammt die Einleitungsformel אלה תולדת תרח ferner die Erwähnung von Ur-Kasdim, von der Wanderung von dort nach Charran und von Terachs Alter. Vermutlich war ursprünglich Charran an Stelle von Ur-Kasdim als Terachs Heimat bezeichnet worden, V. 28; Charran wird ja auch in V. 32 b genannt, der wahrscheinlich zum ursprünglichen Textbestand gehört. V. 32 b, וימת תרח בחרן hat ursprünglich in kontrastierendem Anschluss an V. 28, על-פני תרח gestanden, was von Rad wohl richtig mit „zu Lebzeiten Terachs" übersetzt.

In der Tat weicht dieser Text völlig von dem zunächst vorhergehenden ab, obwohl beide eine Genealogie enthalten. In Gen. **11,10**—27a haben wir P's leicht erkennbare *tōlĕdōt*-Erzählung vor uns: hier werden die Nachkommen Sems bis zu Abram in stereotypen Wendungen aufgezählt. Zu den charakteristischen Zügen dieser *tōlĕdōt*-Erzählung gehören teils die Formulierungen אלה תולדת שם V. 10, und ואלה תולדת תרח, V. 27, die P als Überschriften dienen, teils den Abschluss von Sems Generationen, V. 26, in denen das erste Glied der nächsten Generationsreihe, V. 27, vorweggenommen wird. Dies ist die stehende Methode P's; die Verse 26 und 27 wiederholen sich also inhaltlich, sind aber literarisch ganz verschieden: V. 26 setzt die stereotypen Formulierungen des vorhergehenden Abschnitts fort, während V. 27 dagegen zwei zusammengesetzte Nominalsätze enthält: תרח הוליד את-אברם /. . ./ ורהרן הוליד את-לוט. Die Erzählung geht dann im Imperfectum consecutivum weiter, und hier wird nun das vorhergehende, gleichförmige Schema der *tōlĕdōt*-Erzählung unterbrochen.[3]

Vieles deutet also darauf, dass wir hier den Anfang zu etwas ganz Neuem haben, von dem wir annehmen dürfen, dass es grossenteils einer älteren literarischen Schicht angehört.

Ihrer literarischen Gattung nach sind die Verse 27—32 eine typische Erzählungseröffnung. Eine sehr gute Parallele bietet die Eröffnung der Geschichte von Samuel. Hier begegnet uns der häufig vorkommende Zug, dass bei der ersten Präsentation einer Person auch seine Abstammung, oft über mehrere Generationen, angegeben wird, 1. Sam. **1**,1—3:

> Es war ein Mann von Ramathajim-Zophim, vom Gebirge Ephraim der hiess Elkana, ein Sohn Jerohams, des Sohnes Elihus, des Sohnes Tohus, des Sohnes Zuphs, ein Ephraimiter. Und er hatte zwei Frauen; die eine hiess Hanna, die andere Pennina. Pennina aber hatte Kinder, und Hanna hatte keine Kinder. Dieser Mann ging jährlich hinauf von seiner Stadt, um anzubeten und Jahwe Zebaoth zu opfern in Silo. Dort aber waren Hophni und Pinhas, die beiden Söhne Elis, Priester Jahwes.

Vergleicht man Gen. **11**,27—32 mit diesem Text, so erkennt man unmittelbar, dass beide von genau demselben Typus sind und dieselbe Funktion haben, nämlich eine Reihe von Personen vorzustellen, die für die folgende Handlung eine bestimmte Bedeutung haben. Wie die Geschichte Samuels mit der Nennung seines Vaters beginnt, so wird in Gen. **11**,27 Terach, der Vater Abrahams, genannt, und man erfährt, dass Abraham und Nachor Brüder waren. Daraus ergibt sich der Zusammenhang mit den folgenden Erzählungen von Isaak und Rebecka, sowie von Jakob und Laban, in denen auch hervorgehoben wird, dass alle Vorfahren Israels nichtkanaanäischer Herkunft waren (vgl. Gen. **24**,1ff; **26**,34f; **27**,46; **28**,1). Mütterlicherseits stammt Israel von Nachor ab, und deshalb wird dieser in der Eröffnung besonders hervorgehoben, indem seine Heirat, wie auch die Abrams erwähnt wird, während dagegen die Frauen von Terach, Haran und Lot nicht genannt werden. Ausserdem ahnt man schon hier in der Einleitung, dass Haran und Lot dem vom Unglück betroffenen Zweig der Familie angehören, wie es die folgende Erzählung bestätigt.

Unser Text erwähnt ferner, dass Sarai unfruchtbar war, ebenso wie Hanna z.B. in der Eröffnung der Erzählung von Samuel. Dies häufig wiederkehrende Legendenmotiv dient zur Hervorhebung, dass das endlich geborene Kind eine besondere Berufung oder einen vorbestimmten Platz in einem göttlichen Plan hat, weshalb schon seine Geburt auf ein direktes Eingreifen Gottes zurückzuführen ist. Damit wird also hier die Erwartung einer Geburtserzählung erweckt.

Ur-Kasdim wurde vermutlich nur von P als Abrams ursprüngliche Heimat bezeichnet. Die Stadt hat für den weiteren Verlauf keine Bedeutung, und da der Text ein Eröffnungsabschnitt ist, darf man annehmen, dass P nur einen fernen Hintergrund ausserhalb des eigentlichen Rahmens der Erzählung andeuten wollte.[5] Umso bedeutungsvoller ist die Gegend von Charran. Sie wird durchgehend als das Land betrachtet, in dem die Angehörigen der Patriarchen wohnten und wo auch Isaak und Jakob sich ihre Frauen holten.

Dass die Nennung Terach der eigentliche Ausgangspunkt der Hexateucherzählung war, geht schliesslich aus der abschliessenden Zusammenfassung des ganzen Erzählungswerkes in Jos. **24**,2—13, hervor. Dass es sich hier um eine solche Zusammenfassung handelt, unterliegt keinem Zweifel, wie u.a. G. Schmitt richtig hervorgehoben hat.[6] Der erste Name, der in diesem Text vorkommt, ist Terach, V. 2, und es gibt keinen triftigen Grund zu der Annahme Schmitts (und vor ihm u.a. Noths), diese Erwähnung sei ein späterer Einschub, um Abraham von dem Vorwurf zu befreien, er habe fremden Göttern gedient.[7] V. 2 gehört zu dem ursprünglichen Bestand des historischen Rückblicks, der Jos. **24** einleitet (und der wenigstens teilweise deuteronomistisch oder protodeuteronomistisch sein kann). Er greift auf den ursprünglichen Ausgangspunkt der Darstellung von Israels Geschichte in der Hexateucherzählung zurück: Terach, Abrahams und Nachors Vater, Gen. **11**,27—32.

Schon die Eröffnung deutet also voraus auf einen umfassenden Erzählungszusammenhang und liefert wichtige Kriterien zur Deutung der Funktion der einzelnen Erzählungen und Abschnitte dieses Zusammenhangs. Nach der Vorstellung der Personen, ihrer Verwandtschaftsbeziehungen und der Angabe einiger den Hintergrund bildenden Verhältnisse, beginnt die Handlung in **12**,1 ff., wo von Jahwes Befehl und Verheissung, sowie von Abrams Wanderung erzählt wird.

In literarischer Hinsicht sind auch die Verse 1—8 zum grössten Teil einheitlich und werden im allgemeinen J zugeschrieben. Nur die Verse 4b,5abα sind ein Zusatz, der aus der Bearbeitung und Erweiterung des älteren Textes durch P stammt. Es lassen sich ausgeprägte stilistische und inhaltliche Übereinstimmungen zwischen diesen Versen und denen von **11**,31—32 wahrnehmen, wo gerade von Terachs Wanderung von Ur nach Charran die Rede ist. An beiden Stellen kommt eine Altersangabe vor, ausserdem findet man genau dieselbe Verbfolge und dieselbe Ausführlichkeit der Aufzählung.

Die Erzählung von der Wanderung kommt jedoch erst am Ende von Kap. **13** zum Abschluss, wo es heisst, dass Abram sich bei Mamre, im südlichen Kanaan, niederliess. In dem heutigen Text wird aber die Erzählung von der Wanderung durch die eigentümliche Episode von Abram und Sarai in Ägypten, **12**,10 ff, unterbrochen. Sie erscheint als ein im Zusammenhang völlig unmotivierter Ausflug von Bethel nach Südkanaan, von dort nach Ägypten und dann wieder zurück nach Bethel, von wo Abram sich schliesslich mit seiner Familie allein von neuem nach Südkanaan begibt. Ausserdem ist zu beachten, dass die Erzählung eine Variante der Erzählungen in Gen. **20** und **26** ist, was ebenfalls dafür spricht, dass sie in unserem Zusammenhang sekundär ist.[8]

Wenn man nun die Verse **12**,10 ff ausscheidet, erhält die Wanderungserzählung einen klareren und einfacheren Verlauf, ihr ursprünglicher Zusammenhang muss jedoch noch genauer rekonstruiert werden. Offenbar ist V. 9 als ein Bindeglied hinzugekommen, als man die darauffolgende Erzählung einfügte. Aber auch V. 8b erscheint in dem ursprünglichen Zusammenhang unmotiviert: hier wird die Errichtung eines Altars erwähnt, aber gewöhnlich stellt der Altarbau den Abschluss einer Kultgründungslegende dar, wo ihm eine göttliche Offenbarung vorausgeht, so z.B. in denkbar kürzester Form in 12,7; ausserdem sind die Kultgründungslegenden mit bestimmten Plätzen verbunden. In beiden Hinsichten weicht V. 8 b vom Schema ab: dem Altarbau geht keine Offenbarung voraus und der Ort wird in V. 8a nur vage als das Gebirge östlich von Bethel angegeben. Diese Angabe bereitete ursprünglich wahrscheinlich die Episode der Trennung von Lot und Abram vor, 13,2 ff, zu der sie gut passt, da hier von grossen Viehherden die Rede ist. Als die Erzählung von 12,10 ff an ihrem jetzigen Platz eingefügt wurde, benötigte man eine Motivierung dafür, dass Abram in Bethel gerastet hatte, und aus diesem Bedürfnis entstand vielleicht die Notiz vom Altarbau. Sie ist also aller Wahrscheinlichkeit nach sekundär, und das gilt dann ebenso von der Anspielung auf diesen Altarbau in V. 13,4. Den ursprünglichen Zusammenhang der Erzählung finden wir vermutlich in 12,8a, 13,2ab, 5 (6?), 7 ff:

> Dann brach er auf nach dem Gebirge östlich von Bethel und schlug sein Zelt auf, Bethel im Westen und Ai im Osten. Abram aber war schwer reich an Vieh. Aber auch Lot, der mit Abram gezogen war, hatte Schafe, Rinder und Zelte. Und Streit entstand zwischen den Hirten von Abrams Vieh und denen von Lots Vieh.

Nachdem Lot seines Weges gezogen ist, folgt ein Jahwewort an Abram, V. 14—17, darauf wiederum folgt anmittelbar eine Notiz von einem Altarbau, jedoch nicht in Bethel, sondern in Mamre. Gleichwohl hat man den Eindruck, dass das Jahwewort und der Altarbau, V. 14—18, zusammen eine Einheit bilden, wie sie dem gebräuchlichen Schema der Kultgründungslegende entspricht. Auch andere Indizien deuten darauf, dass diese Vermutung richtig ist. Die Rede Jahwes enthält die Überlassung des ganzen Landes Kanaan an Abraham und seine Nachkommen, also einen logischen Abschluss der vorhergehenden Episode, deren springender Punkt es war, dass Abraham das Land nicht mit Lot teilen soll. Die Rede enthält ferner eine Aufforderung, Abram solle durch das Land ziehen, was dieser auch tut, V. 18. Diese beiden Momente der göttlichen Übereignung des Landes und der Wanderung Abrams gehören zusammen, ihr Hintergrund ist ein Rechtsbrauch: auf die formale Übereignung eines Bodenbesitzes folgt die Besitzergreifung durch Betreten des übereigneten Bodens.[9]

Abrams Wanderung durch das Land ist also als eine symbolische Inbesitznahme zu deuten, welche Bedeutung auch schon dem prägnanten Ausdruck 12,6 ויעבר אברם בארץ zugrundeliegen dürfte. Ganz folgerichtig wird also am Endpunkt dieser Wanderung von dem Altarbau berichtet, was dann auch darauf deutet, dass die Verse 14—18 als Einheit aufzufassen sind.

Wenn wir die Funktion dieses Wanderungsberichtes als eines einleitenden Abschnittes zur folgenden Erzählung genauer analysieren, machen wir als Erstes folgende wesentliche Feststellung: der Erzähler legt das grösste Gewicht auf die Wanderung als solche, da sie im Gehorsam gegenüber einem göttlichen Befehl geschieht, durch eine Verheissung motiviert wird und selbst als symbolische Besitzergreifung des Landes gedeutet wird; sie spielt sich auch auf dem bekannten Hauptweg durch das zentralpalästinische Hochland ab; das Itinerar ist also keine künstliche Konstruktion. Daraus ergibt sich, dass die Wanderung etwas ganz anderes ist als ein konventionelles Glied zur Verbindung vorgegebener, lokaler Einzelüberlieferungen (gegen Gunkel, vgl. oben, Anm. 1): die Wanderung ist das eigentliche Hauptmotiv der Erzählung, die insgesamt als eine literarische Schöpfung zu betrachten ist. Auch die Episoden, die sich in Sichem und Bethel abspielen, sind ursprünglich als Teile der Erzählung von der Wanderung geschaffen worden; sie sind aber zugleich von entscheidender Bedeutung für die folgenden Zusammenhänge. Um die Funktion dieser Episoden im Zusammenhang der Erzählung zu beleuchten, sei zunächst auf ein episches Spannungsmoment hingewiesen: Abram weiss anfangs nicht, in *welches* Land er kommen soll, er weiss nur, dass Jahwe es ihm ,,zeigen will", wenn er dort angelangt ist (V. 1). Das geschieht auch, als Abram nach Sichem kommt (V. 7). Hier wird zum ersten Mal die Verheissung auf das Land Kanaan präzisiert, wodurch die Spannung ihre Auflösung erhält. Sichem nimmt damit einen zentralen Platz im einleitenden Abschnitt ein, worauf wir gleich zurückkommen werden (Kapitel II). Nebenbei sei hier bemerkt, dass P durch seinen Zusatz V. 4b,5, die ursprüngliche Geschichte bis zu einem gewissen Grade verdorben hat: er sagt gleich zu Anfang, dass Abram sich in das Land Kanaan begeben werde und hebt damit die Spannung auf.

Ein zweites Problem, das zu Anfang der Erzählung angedeutet wird und im Verlauf der Wanderung zu einer vorläufigen Lösung kommt, ist das Verhältnis zwischen Abram und Lot. Der Befehl Jahwes und seine Verheissung von Land und Nachkommenschaft ergeht nur an Abram, aber der Erzähler fügt hinzu, dass ,,Lot mit ihm ging" (V. 4a). Was aus Lot werden soll, erfährt man anfänglich nicht. Die Spannung erhöht sich bei der Ankunft in Sichem, wo Abram und seinem Geschlecht allein das Land Kanaan gelobt wird. Erst die nächste Etappe bringt eine Lösung: Abram und Lot trennen sich im Gebirge östlich von Bethel (**13**,2, ff.). In dem Glauben, das beste Land gewählt zu haben, wandert Lot nach Sodom hinab, jenem Unheil entgegen, dem er später zu entfliehen vermag, — wahrscheinlich dank der Fürbitte Abrams (Gen. **18**,16—33). Abram dagegen, der Lot die Wahl gelassen hatte, erhält den besten Teil und erfährt dabei zugleich, was zunächst unklar war: Er soll nicht mit Lot teilen, sondern das ganze Land soll ihm und seinen Nachkommen zufallen (**13**,14—17). Der Nachdruck wird hier natürlich darauf gelegt, dass Abram das Land Kanaan nicht selber gewählt hat, sondern dass Jahwe es ihm und seinen Nachkommen gegeben hat.

Es zeigt sich hier also, dass die Erzählungen von Abram und Lot zusammen eine organische Einheit bilden, und ferner, dass die Wanderung und das Thema der Verheissung überall zu einer geschickt durchgeführten, literarischen Komposition verwoben sind.

Gunkels Urteil, die Erzählung von der Wanderung sei „sehr wenig konkret und kaum eine ‚Geschichte' zu nennen," (vgl. oben, Anm. 1) ist also ganz unberechtigt. Sie ist durchweg von Spannung erfüllt, dagegen bleibt sie aber völlig offen, es wird eigentlich nichts dadurch zu einem Abschluss gebracht, dass die Wanderung zuende ist. Der Erzähler verlässt Lot mit einer flüchtigen Andeutung dessen, was die Ursache seiner späteren Geschicke sein wird, 13,13, und folgt Abrams Wanderung bis zu ihrem Endpunkt, Mamre im Südland, aber keine der Verheissungen, welche dieselbe veranlasst hatten und auf ihren Etappen präzisiert worden waren, ist bis jetzt verwirklicht worden. Im Gegenteil, je deutlicher der Inhalt der Verheissung im Verlauf der Wanderung angegeben wird, desto grösser wird die Spannung zwischen der gegenwärtigen Situation und der verheissenen Zukunft.

An ein paar Textstellen wird dies Spannungsverhältnis notiert: es wird Abram in erster Linie verheissen, dass er ein *grosses Volk* werden wird, 12,2, was der Erzähler mit der Erwähnung von Sarais Unfruchtbarkeit im Eröffnungsabschnitt kontrastiert, 11,30. Damit hat er angedeutet, dass die Geburt Isaaks als erste Etappe auf dem Weg zur Verwirklichung der in der Einleitung zitierten Verheissung zu verstehen ist. Daraus ergibt sich auch, dass ein grosser Teil der folgenden Erzählungen von Abram in einen weiteren Rahmen eingefügt wird: sie sind nur der Anfang einer längeren Geschichte, die davon handeln muss, wie die Nachkommen Abrams ein grosses Volk werden.

Dasselbe gilt von der Verheissung des Landes. Schon in Gen. 12,1 wird sie angedeutet, aber erst in V. 7 klar formuliert. Hier wird ganz entsprechend die Spannung zwischen den Verhältnissen zur Zeit der Verheissung und dem Verheissenen notiert: Dem Vers 7 wird die kontrastierende Bemerkung des Verses 6 vorausgeschickt: „Es wohnten aber zu der Zeit die Kanaanäer im Lande". Auch hier deutet sich also eine nachfolgende, längere Erzählung an, die davon handeln muss, wie das grosse Volk, zu dem die Nachkommenschaft Abrahams nach der Verheissung heranwachsen soll, das Land der Kanaanäer in Besitz nimmt. Wir können daher feststellen, dass die Erzählung von Abrams Wanderung von Charran ins Südland ein Auftakt nicht nur der anschliessenden Erzählungen von Abraham ist, sondern dass sie sich auch als erste Etappe einer langen Kette von Ereignissen darstellt, die erst damit zum Abschluss kommen, dass die Nachkommen Abrams das Land Kanaan erobern.

Was wir hier von der einleitenden Erzählung über die Wanderung sagten, gilt auch von dem gesamten Abrahamsabschnitt: sein eigentliches Thema ist die auf eine ferne Zukunft gestellte Verheissung. Dass die Verheissung in einem besonderen Zusammenhang mit Abraham steht, lässt nicht zuletzt die konsequente Personenzeichnung erkennen.

Die zu Anfang der Erzählung gegebenen Verheissungen sind von solcher Art, dass Abraham ihre Verwirklichung zu seinen Lebzeiten nicht erleben kann. Gleichwohl motivieren und bestimmen aber diese Versprechungen sein Handeln die ganze Zeit: er ist stets bereit, den Befehlen Folge zu leisten, die mit den Verheissungen verknüpft sind.

An und für sich war es nicht leicht, dem Befehl in Gen. **12**,1 Folge zu leisten. Zunächst wird gesagt, was Abram verlassen soll: sein Land, seinen Stamm und seine Familie, das Milieu also, von dem das Individuum in alter Zeit völlig abhängig war. Die Verheissung ist vollständig paradoxal: Sarai ist unfruchtbar, das Ziel der Wanderung ist anfänglich unbekannt, und bei Abrams Ankunft im verheissenen Land erweist sich dieses als von einem anderen Volke bewohnt. Mit dieser Anhäufung von Schwierigkeiten verfolgt der Erzähler natürlich einen Zweck: er will eine Handlungsweise schildern, die aus dem Vertrauen auf Jahwes Verheissungen erwächst, auch wenn diese nach menschlichem Ermessen unglaubhaft erscheinen. So ist also die Wanderung selbst ein Ausdruck des Glaubens und zugleich die Vorbedingung der zukünftigen Erfüllung der Verheissungen. Eine noch dramatischere Glaubensprobe ist die Wanderung mit Isaak, Gen. **22**, die als deutliche Steigerung an Gen. **12** anknüpft, und deren Höhepunkt mit Sicherheit ursprünglich die feierliche eidliche Bestätigung der Verheissung war. Auf diese Erzählung werden wir später zurückkommen (Kapitel IV).

Überhaupt erscheint Abraham als auffallend schweigsam, er ergreift fast nie selber die Initiative: er überlässt es Lot, das Land zu wählen und willigt in Sarais Vorschlag ein, Hagar an ihrer Stelle Kinder gebären zu lassen, dann lässt er es zu, dass Sarai Hagar misshandelt, Gen. **16**. Auf Saras Forderung und auf Gottes Weisung vertreibt er schliesslich Hagar und Ismael, Gen. **21**. Westermann hat adrauf hingewiesen, dass Abraham eigentlich nie in den Erzählungen, die von ihm handeln, als der Hauptagierende dasteht, dass also diese Episoden nicht einmal als Abraham-Erzählungen im eigentlichen Sinne betrachtet werden können:

> Wo sich im Abraham-Kreis eine dramatische Verdichtung des Geschehens findet, steht Abraham nicht eigentlich in der Mitte; er ist Zuschauer oder Teilnehmer, aber weder der entscheidend Handelnde noch der direkt Leidende. Der Abraham-Kreis enthält viele Erzählungen, in denen ein Mensch bedroht oder gefährdet wird; — es ist niemals Abraham selbst.[10]

Wahrscheinlich liegt hier eine von literarischen Intentionen bestimmte, einheitliche Personenzeichnung vor.[11] Sie lässt Abraham als den Gläubigen, Gehorsamen, Friedfertigen und Nachgiebigen erscheinen. Aber damit wird ganz sicher nicht beabsichtigt, ein Beispiel der Moral aufzustellen.[12] Die Personenzeichnung ist mit anderen Worten kein Selbstzweck, sondern lässt eine für die literarische *Komposition* bedeutungsvolle Intention erkennen: ihr Zweck ist es, Abrahams einzigartige Stellung als Portalfigur der Geschichte Israels hervorzuheben. Diese Geschichte beginnt nicht durch menschliche

Initiative, an ihrem Anfang stehen vielmehr die Verheissungen Jahwes an Abraham, deren Verwirklichung dadurch ermöglicht wird, dass Abraham durch seinen Glauben und Gehorsam der göttlichen Initiative den Vortritt gewährt. So ist die Darstellung der Person Abrahams völlig auf die Gesamtkonzeption der Hexateuchgeschichte abgestimmt, und demzufolge wissen wir sehr wenig davon, wie die Gestalt Abrahams in vorliterarischer Tradition erschienen sein mag.

Aus den obigen Analysen ergibt sich, dass Gen. 11,27—13,18 eine Einleitung zur Abrahamerzählung, aber zugleich eine Einleitung zur Erzählung des Hexateuchs in seiner Gesamtheit ist. Diese Einleitung erweckt folgende Erwartungen: damit die Verheissungen in Erfüllung gehen können, muss als erstes Hindernis die Unfruchtbarkeit Sarais behoben werden, sodass sie Abraham einen Sohn gebären kann; danach muss erzählt werden, wie Abrahams Nachkommen ein grosses Volk werden, und schliesslich muss die Geschichte davon handeln, wie dies Volk das verheissene Land in Besitz nimmt. Es ist zu beachten, dass die Verheissung der Nachkommenschaft und die des Landes in eben dieser Reihenfolge in Gen. 12,1—7 gegeben wird.

Entsprechend entwickelt sich auch die Erzählung des Hexateuchs: Abraham wird ein Sohn verheissen und Sara gebiert Isaak; Jakob, der Sohn Isaaks, erhält den Namen Israel und wird damit zum Ahnherrn des Volkes; seine Söhne sind die Väter der zwölf Stämme; in Ägypten werden sie ein grosses Volk und damit ist die erste Verheissung an Abraham erfüllt. Das Volk hat jedoch kein eigenes Land und da es zahlreich und mächtig ist (רב ועצום, Ex. 1,9), erregt es Furcht, die zu einer so schweren Unterdrückung führt, dass die Existenz des Volkes selbst gefährdet wird. Die Situation wird aber dadurch gerettet, dass die zweite Verheissung sich nun verwirklicht: unter der Führung Moses wird das Volk aus Ägypten befreit, um zum verheissenen Land zu gelangen. Der Auszug aus Ägypten und die Wüstenwanderung stehen also ganz unter dem Thema der Landesverheissung, Ex. 3—Deut. 34. Erst mit der Eroberung des Landes sind aber alle Verheissungen an Abraham verwirklicht worden, und damit ist auch die Hexateucherzählung — nahezu — abgeschlossen. Bis hierher war die ganze Erzählung von einem einzigen Thema beherrscht, das wie in der klassischen Epik dem Werk in seiner Einleitung vorausgeschickt wird: Jahwes Verheissungen an Abraham. Als Konsequenz ihrer Erfüllung ergibt es sich nun, dass sich das Volk seinerseits verpflichten muss, Jahwe, und nur ihm, zu dienen. Das heisst mit anderen Worten, dass die Erzählung von der Bundesverpflichtung des Volkes ihren ursprünglichen und einzig logischen Platz am Schluss des gesamten Werkes gehabt haben muss. Hier, in Jos. 24, finden wir auch eine solche Erzählung, den Landtag zu Sichem. Viele Indizien deuten darauf, dass diese in einer früheren Fassung die ursprüngliche Bundeserzählung war. Sie spielt sich ja auch an jenem Ort ab, wo Abraham die Verheissung zuerst empfangen hatte.

Die obigen Ausführungen beleuchten verschiedene Aspekte der einleitenden Funktion des Abschnittes Gen. **11,27—13,18**. Damit wird auch angedeutet, dass der Abschnitt einen Schlüssel zum näheren Verständnis der Funktion bietet, die den verschiedenen kleineren Einheiten im literarischen Zusammenhang zukam.

Die Frage erhebt sich nun: wer hat das Werk geschaffen, das hier eingeleitet wird, ein ,,Sammler" oder ein ,,Verfasser"? Schon ein Blick auf den einleitenden Abschnitt berechtigt zu einer ziemlich sicheren Antwort: seine kunstvolle literarische Komposition ist das Werk eines ,,Verfassers", um nicht zu sagen eines bedeutenden Dichters. Als nächste Frage ergibt sich: was lässt sich über diesen Verfasser aussagen, wann und wo hat er geschaffen?

Anmerkungen zu Kap. I

[1] *Genesis*, S. 167: „Die Erzählung ist sehr wenig konkret und kaum eine ‚Geschichte' zu nennen, daher in dieser Form für jung zu halten. Vorgefunden hat der Erzähler wohl nur die ‚Notizen', dass Abraham aus Aram-Naharaim gekommen, und dass er die Altäre von Sichem-und Bethel gestiftet habe. Diese ‚Notizen' hat er zu einer Art ‚Geschichte' ausgeführt, die er wie ein Motto vor die Abrahamgeschichten gesetzt hat. So sollen wir Abraham beurteilen: er ist der Gläubige, Gehorsame und darum Gesegnete."

[2] *Das erste Buch Mose*, S. 135 f.

[3] Gunkel, *Genesis*, S. 156, stellt fest, dass der Inhalt von V. 26 in V. 27a wiederholt wird: beide Verse gehören zu P. Er weist auf die parallele Konstruktion in Gen. **5**,32 und **10**,1 hin, die sicher von P stammen. Man könnte ferner die Stelle Gen. **6**,9 heranziehen, die wohl in ihrer Gesamtheit von P stammt und ihrer Form nach ganz analog der von **11**,27 ist. Eine adäquate Erklärung dieser Stellen wurde durch die Annahme unmöglich, dass P eine selbständige Quelle sei. Wir werden auf dies Problem bei einer Analyse von P als Rahmenbearbeitung zurückkommen. Die Übergänge von einem *tōlĕdōt*-Abschnitt zu dem nächsten haben eine ähnliche literarische Form, können aber oft als Neuformulierungen eines älteren, darunter liegenden Textes vermutet werden. Wahrscheinlich ist Gen. **11**,27 so zu erklären, dass P hier mit leichter Hand den Anfang einer älteren Erzählung retouchiert hat, um ihn in das Muster des *tōlĕdōt*-Rahmens einzufügen. Dass der Abschnitt **11**,10—26 als schematisierte *Erzählung* ausgestaltet ist, hat für den Aufbau des *tōlĕdōt*-Rahmens ein besonderes Gewicht.

[4] Das Sondergepräge der alttestamentlichen Erzählungseröffnungen hat W. Caspari, *Der Stil des Eingangs der israelitischen Novelle*, schon früher untersucht. Besonders zu beachten ist, dass die Nennung des *Vaters* der Hauptperson der anschliessenden Erzählung einer der charakteristischen und bedeutungsvollen Züge der Erzählungseröffnungen ist, so z.B. in dem zitierten Text, 1. Sam. **1**,1—3, ferner in der Einleitung zur Erzählung von Saul, 1. Sam. **9**,1—2, oder zu Anfang der Erzählung von David, 1. Sam. **16**,1ff.

[5] De Vaux, *Die hebräischen Patriarchen*, S. 28 f., *Histoire*, S. 182 ff., stellt die Hypothese zur Diskussion, dass die Tradition der Wanderung von Ur nach Charran unter den Juden während des Exils in Babylonien entstanden sei, als Ur und Charran durch Nabonids Restaurierung der Tempel zu wichtigen Zentren des Mondkultes wurden. De Vaux selber stellt sich ablehnend zu dieser Hypothese, für die gleichwohl die Wahrscheinlichkeit spricht: ausser in den Genesistexten kommt die Tradition von Ur nur in Neh. **9**,7 und in noch jüngeren Texten vor; auch ist die Bezeichnung Ur-*Kasdim* kaum vor der Zeit des neubabylonischen Reichs möglich.

[6] *Der Landtag von Sichem*, S. 26 ff., vor allem S. 29.

[7] *Der Landtag von Sichem*, S. 10.

[8] Schon Wellhausen, *Die Composition*, S. 23, und Gunkel, *Genesis*, ad loc., haben festgestellt, dass die Episode nicht zum ursprünglichen Zusammenhang der Erzählung gehört haben kann. Eine Schwierigkeit hatte sich aber daraus ergeben, dass der Text zu J zu gehören schien, während die parallele Erzählung in Gen. **20** E zugeschrieben wurde; indessen meinte man ja, dass auch **12**,1—8 und **13**,5 ff. zu J gehörten, woraus sich zwangsläufig eine sehr komplizierte Erklärung ergab: Gunkel schreibt den Bericht von der Wanderung, **12**,1 ff., der Haupterzählung zu (J[a]), während **12**,9—**13**,4 aus einer „verwandten" Quelle (J[b]) stammen sollte, welche ein Redaktor (R[J]) in die Haupterzählung von J eingearbeitet hätte. Diese Erklärung mag als ein Beispiel für die Mängel der Quellentheorie dienen.

[9] Sh. besonders S. Schwertner, *Das verheissene Land*, S. 171—177. Die gewöhnliche Annahme, dass die Verse 14—17 in diesem Zusammenhang sekundär sind, ist unberechtigt: auf Jahwes Aufforderung an Abram, dass er das Land „in der Länge und Breite" durchwandern solle, muss natürlich um der Konsequenz willen eine Schilderung folgen, wie Abram kreuz und quer durch Palästina wandert; wenn auch die Trennung von Lot und Abraham es genügend klar macht, dass das Land Kanaan Abram ungeteilt gehören soll, so ist es gewiss nicht überflüssig, dass diese Tatsache durch ein Jahwewort bestätigt wird, es geht im Gegenteil daraus hervor, dass das Jahwewort logisch mit der Erzählung zusammengehört.

[10] *Arten der Erzählung in der Genesis*, S. 61, Anm. 36.

[11] Ganz anders wird Abraham allerdings in Gen. **14** dargestellt, wo von seinem aktiven und entscheidenden Eingreifen in die Ereignisse berichtet wird. Es ist aber zu beachten, dass man

gerade dies Kapitel aus vielen Gründen als sekundären Zusatz betrachtet.

[12] So z.B. Gunkel, *Genesis,* S. 162: „Abrahams Tat aber ist der unbedingte Gehorsam, der sich voller Vertrauen seinem Gott unterwirft. So war der Urahnherr Israels — das will das Buch sagen —, und so sollt ihr, seine Söhne, auch sein!" Vgl. auch oben, Anm. 1.

II. Sichem in der Erzählung des Hexateuchs

A. Sichem in der einleitenden Wanderungserzählung

Man findet häufig eine Aussage Alts zitiert: „Sichem-*nablūs* ist in der Tat die ungekrönte Königin von Palästina".[1] Alt wollte damit betonen, dass Sichem mehr als jede andere Stadt im zentralen Bergland, mehr sogar als Jerusalem, die natürlichen Voraussetzungen hatte, Palästinas Hauptstadt zu werden:

> Das liegt recht eigentlich im Herzen Palästinas, d.h. ungefähr im Schnittpunkt der nordsüdlichen und der westöstlichen Mittellinie des Landes, Und es ist, als sei schon in der geologischen Vergangenheit dafür gesorgt worden, dass sich gerade hier auch das historische Zentrum Palästinas entwickeln musste. Ein tiefer Einschnitt im Rückgrat des Gebirges zwischen Ebal und Garizim ermöglicht hier den Übergang von Westen nach Osten und umgekehrt in nur 500 m Höhe über dem Meer und noch nicht 800 m über dem Jordangraben. Ein ganzes Bündel guter Wege läuft denn auch in diesem Pass zusammen.[2]

Für das Verständnis des Zusammenhangs der Hexateucherzählung ist es nicht unwesentlich, dass gerade der Ort, an den Abraham zuerst auf seiner Wanderung gelangte, auch rein geographisch als das eigentliche Zentrum des verheissenen Landes aufgefasst werden konnte.[3]

Der Erzähler lässt Abraham denselben Weg wie später Jakob auf seiner Wanderung vom nördlichen Mesopotamien einschlagen: er führt durch Transjordanien, den Wadi ez-Zerqa, über den Jordan und durch den Wadi Fårʿah hinauf, und von dort nach Süden durch einen engen Pass, der sich zu einer von niedrigen Bergen umgebenen Hochebene öffnet, mit Ebal und Garizim im Westen. In der Talöffnung zwischen diesen beiden Bergen liegt Sichem. Zum ersten Mal nach seinem Übergang über den Jordan bot sich Abraham hier von den Anhöhen um die Stadt der Blick über eine offene Landschaft. Nun „zeigt" Jahwe ihm das Land (vgl. Gen. **12**,1) und präzisiert seine Verheissung: „Deinen Nachkommen will ich dieses Land geben" (**12**,7). Von Sichem führt der Weg der Patriarchen durch das zentrale Bergland nach Süden, u.a. an Silo und Jerusalem vorbei, die jedoch nicht in der Wanderungserzählung genannt werden. Bethel dagegen wird erwähnt; hier zweigt ein Weg zum Jordanthal ab, das man von den Anhöhen östlich der Stadt teilweise sehen kann. Dies ist der Kreuzweg, an dem sich Abraham und Lot trennen, und der Ort, von dem aus Lot seinen Blick auf die Tiefebene um das Tote Meer richtet. Man kann also feststellen, dass die wirklichen geographischen

Gegebenheiten ein mitbestimmender Faktor für die Gestaltung der einleitenden Wanderungserzählung gewesen sind, und es ist offensichtlich, wie schon gesagt, dass die Episoden in Sichem und Bethel in erster Linie als Funktionen derselben aufzufassen sind: sie müssen als literarische Schöpfungen des Verfassers der Wanderungserzählung aufgefasst werden, dessen Absicht es u.a. gewesen sein dürfte, die gegebene historische und religiöse Bedeutung der beiden Orte dadurch zu betonen, dass er Abraham an ihnen Rast machen lässt.

Dagegen besteht kein Anlass, ursprünglich freistehende Lokaltraditionen vorauszusetzen, die Abraham mit Sichem und Bethel verbunden hätten.[4] Deshalb ist aber Abrahams Verknüpfung mit diesen Orten nicht von geringerer Bedeutung, sie erweist sich im Gegenteil als umso wichtiger für den literarischen Zusammenhang der Hexateucherzählung: wenn dem Erzähler keine vorliterarischen Traditionen vorlagen, auf die er bauen konnte, so muss ausschliesslich ihm daran gelegen haben, Abraham in Sichem und Bethel rasten zu lassen. Wir sehen auch, dass in der Erzählung keine anderen Etappen auf der Wanderung Abrahams erwähnt werden, während von Jakob berichtet wird, dass er auf demselben Weg noch an anderen Orten gerastet hat: in Mispa in Gilead, Mahanaim und Penuel.[5] Dass nur Sichem und Bethel im Zusammenhang sowohl mit Jakob als auch mit Abraham genannt werden, muss darauf beruhen, dass der Erzähler diesen beiden Orten besondere Bedeutung zumass.[6] Aus Gen. **12**,7 geht hervor, dass er Sichem als den *ersten Kultplatz* betrachtete, den die Ahnherren Israels im verheissenen Land gegründet hatten: vermutlich hat er ihn deshalb auch für den wichtigsten gehalten. Indem er Jahwe die Verheissung des Landes Kanaan zum ersten Male gerade in Sichem aussprechen lässt, hat er das literarische Hauptthema der ganzen Hexateucherzählung — die Verheissung an die Väter — ausdrücklich mit diesem Ort im Zentrum des Landes verknüpft.[7]

B. Sichem oder Jerusalem?

Die herkömmliche Annahme, dass die Erzählung von Abrahams Wanderung von dem judäischen, in Jerusalem tätigen Jahwisten stamme, kann nun auf Grund dieser Beobachtungen in Zweifel gezogen werden. Zwar ist es richtig, dass das Ziel der Wanderung das Südland war und dass die Traditionen von Abraham, ebenso wie die von Isaak, im tiefsten Süden verankert gewesen sein müssen; damit ist indessen nicht gesagt, dass diese Traditionen auch besonders eng mit Juda und Jerusalem verknüpft gewesen sind.[8] Wäre nun aber der Erzähler wenigstens südpalästinischer Abstammung gewesen, dürfte man erwarten, dass er ursprüngliche Erzählungstraditionen gekannt und wiedergegeben hätte, in denen Abraham eine aktive Hauptrolle spielte. Das scheint bei diesem Erzähler indessen nicht der Fall gewesen zu sein: wir haben im vorigen Kapitel Westermanns richtige Beobachtung zitiert, dass Abraham selber eigentlich nie aktiv und aus eigener Initiative in den Verlauf des Geschehens eingreift (Sh. oben, S. 32). Die Geschichte Abrahams ist fast durchgehend mit dem literarischen Thema der Verheissung als einer Grundvoraussetzung gestaltet, und dies Thema wird, wie wir sahen, in Gen. **12**,7 programmatisch besonders mit Sichem verknüpft. In der Erzählung von Abrahams Wanderung werden daher Sichem und Bethel wahrscheinlich nicht aus judäischer Perspektive gesehen, vielmehr wird hier der ins südlichste Palästina gehörige Abraham vom zentralpalästinischen Horizont dargestellt.

In einem einzigen Text, Gen. **14**, wird Abraham in einer aktiven Heldenrolle dargestellt, und dies Kap. ist u.a. auch insofern einzigartig, als Abraham hier in einem kurzen Abschnitt mit Jerusalem in Verbindung gebracht wird. Überlieferungen von Verbindungen der Patriarchen mit Jerusalem konnten natürlich prinzipiell entstehen, nachdem die Stadt zur Zeit Davids israelitisch geworden war. Bezeichnenderweise betrachtet man aber Gen. **14** als einen völlig isolierten Fremdkörper im Zusammenhang der übrigen Erzählung der Genesis. Daraus ergibt sich die Frage: wie kommt es, dass Jerusalem, ausser in dem sekundär eingefügten Gen. **14**, in der gesamten Genesis nicht und im gesamten Hexateuch kaum genannt wird? Im ursprünglichen literarischen Bestand des letzteren wird die Stadt wahrscheinlich nur einmal flüchtig erwähnt, Jos. **10**, wo Adoni-Sedek von Jerusalem unter den fünf amoritischen Königen, die Josua tötet, erwähnt wird.

Völlig unerklärlich ist das Fehlen jeglicher Anspielung auf diese Stadt in der Erzählung von Abrahams Wanderung, wenn man voraussetzt, dass sie von einem Erzähler oder Sammler stammt, der selber in Jerusalem wohnte und, wie der Verfasser von Gen. **14**, 18—20, Interesse daran gehabt haben dürfte, die Überlieferung von den Patriarchen Israels auch mit seiner eigenen Stadt zu verknüpfen. Der Erzählung nach führte Abrahams Weg ja ohnehin ganz nahe an Jerusalem vorbei! Es muss erwähnt werden, dass auch das am Wege der Wanderungen der Patriarchen gelegene Silo stillschweigend übergangen wird und auch sonst nirgends im ursprünglichen literarischen Bestand der Hexateucherzählung vorkommt.[9] Dass Silo nicht erwähnt wird, deutet wohl darauf, dass die Stadt mit ihren Überlieferungen, die später von Jerusalem übernommen wurden, etwas relativ Neues repräsentierte, was keinen unmittelbaren Zusammenhang mit den älteren Zentra israelitischer Tradition, Sichem und Bethel, hatte, in denen die Hexateucherzählung ursprünglich beheimatet gewesen sein dürfte.

C. Sichem am Ende des Erzählungswerkes

Wenn sich die Verankerung des Erzählers in Sichem oder dessen Umgebung schon bei der Analyse der einleitenden Wanderung als wahrscheinlich darstellt, so wird dieser Eindruck noch verstärkt, wenn man den Abschluss zum Vergleich heranzieht. Wie der Anfang der gesamten Erzählung mit Sichem verknüpft ist, wo die Verheissung des Landes zuerst ausgesprochen wird, so kehrt an dem Punkt, wo dies literarische Hauptthema seine endgültige Abrundung erfährt, d.h. am Ende des Buches Josua, die Handlung nach Sichem *zurück*, Kap. **24**. Eine ausgeprägte Lokaltradition gibt vor allem V. 32 wieder, der vermutlich der Schlusspunkt des gesamten Werkes war: die Notiz von Josephs Grab in Sichem.

Noth hat bezweifelt, dass dieser Vers authentisch ist,[10] was eigentlich nur in seiner allgemeinen Theorie von der Unabhängigkeit des Buches Josua von den Büchern Mose begründet ist. Daher meinte Noth, die Notiz von Josephs Grab sei „ein durch die beiden anderen Gräbertraditionen veranlasster, späterer Zusatz" (d.h. V. 31 und 33), mit „wörtlichen Entlehnungen" jener Textstellen im Pentateuch, wo erzählt wird, dass Joseph die Israelsöhne schwören liess, seine Gebeine in das verheissene Land zurückzubringen, Gen. **50**,25, bzw. dass Mose Josephs Gebeine beim Auszug aus Ägypten mitführte, Ex. **13**,19. Ausserdem spielt die Grabnotiz auf Gen. **33**,19 an, wo von Jakobs Erwerb eines Landstücks vor Sichem die Rede ist. Noth gibt andererseits zu, dass die genannten Textstellen im Pentateuch, die er im Anschluss an die traditionelle Literarkritik E zuschreibt, eine Erwähnung von Josephs Begräbnis in Palästina erfordern: eine solche muss nach seiner Auffassung in E's „unter den Tisch" gefallener Landnahmeerzählung vorgekommen sein.[11] Noths Erklärungen kann man nicht akzeptieren: will man trotz der sachlich und literarisch vollständigen Kontinuität zwischen den Textstellen im Pentateuch und Jos. **24**,32, die letztere als späteren Zusatz betrachten, um darauf eine heute verschollene Notiz gleichen Inhalts, ja sogar gleichen *Wortlauts* zu postulieren, so erscheint dies vollständig ungereimt. Ausserdem hat die Notiz von Josephs Grab ihren ganz natürlichen Platz in Jos. **24**, da dies Kapitel in seiner Gesamtheit mit Sichem verbunden ist.[12] Der einzig logische Schluss ist also, dass Jos. **24**,32 der ursprüngliche Abschluss jenes literarischen Zusammenhangs ist, der in Gen. **50**,25 beginnt und mit Ex. **13**,19 fortsetzt.

Die diesen Textstellen gemeinsam zugrundeliegende Wirklichkeit ist offenbar die aus alter Zeit gegebene Tradition von Josephs Grab, dem man einen bestimmten Platz in jenem Gebiet zuwies, das Jakob nach der Überlieferung von Chamor, Sichems Vater, erworben hatte. Der Verfasser der Hexateucherzählung hat natürlich den Platz des Grabes und das Gebiet, in dem es lag, gekannt. Wenn er nun vom Tode Josephs in Ägypten erzählte, was vom Gesichtspunkt der literarischen Komposition aus die Ereignisse des Exodus vorbereitete, war er auch gezwungen, eine Erklärung dafür zu geben, dass Josephs Grab dennoch in Sichem liegen sollte. Seine erzählerischen Angaben darüber, wie Josephs Gebeine von Ägypten dorthin gebracht wurden, mögen zwar an sich wirklichkeitsfremd erscheinen, in ihnen wird aber versucht, eine Frage zu beantworten, die sich spätestens dann eingestellt haben muss, als die Patriarchenerzählung mit der Erzählung vom Auszug und von der Landnahme zusammengefügt wurde; die gegebene Antwort setzt ja auch einen erzählerischen Zusammenhang von Josephs Tod in Ägypten über die Ereignisse des Exodus bis zur Versammlung der Stämme in Sichem voraus.

Wir können hieraus folgende Schlüsse ziehen: die drei Textstellen Gen. 50,25, Ex. 13,19 und Jos. 24,32 hängen miteinander zusammen und stammen von demselben Verfasser; sie müssen gleichzeitig mit der literarischen Gestaltung der Grunderzählung des Hexateuchs entstanden sein, weil mit dieser schon die Frage gestellt war, die ja nicht ohne Antwort bleiben konnte. Aus Jos. 24,32 geht dann hervor, dass sich auch die beiden Textstellen Gen., Ex. auf Sichem beziehen. Nun steht aber V. 32 nicht isoliert in Jos. 24, da die Erwähnung von Josephs Begräbnis in Sichem nur im Rahmen eines Berichts von der Versammlung der Stämme dort ihren Platz gehabt haben kann. V. 32 setzt also eine Erzählung wie die von Jos. 24 voraus. In ihrer vorliegenden Fassung hat aber diese Erzählung eine ganz deutliche abschliessende Funktion, da sie auf den gesamten Zusammenhang zurückgreift, der mit der Erwähnung von Terach, Abrahams Vater beginnt, Gen. 11,27, vgl. Jos. 24,2. Auch wenn der vorliegende Text von Jos. 24 wenigstens teilweise spät sein sollte, so ist jedoch die Folgerung kaum zu umgehen, dass schon die Grunderzählung des Hexateuchs mit einer Versammlung der Stämme in Sichem geendet hat. Die ursprüngliche Erzählung von dieser Versammlung liegt mit Sicherheit der heutigen Fassung von Jos 24 zugrunde. Die Tatsache, dass sowohl in der Einleitung als auch am Abschluss dieses erzählerischen Werks die zentrale Bedeutung Sichems nachdrücklich hervorgehoben wird, ist vielleicht das wichtigste Indizium dafür, dass man auch seinen literarischen Ursprung hier suchen muss.

D. Sichem in der Josephsgeschichte

Wir dürfen annehmen, dass die Erwähnung von Josephs Grab und von den Josephsöhnen, Jos. 24,32 einen programmatischen Sinn hat und dass Josephs bedeutende Rolle in der Genesis durch die literarischen Intentionen bestimmt war, die dem gesamten Erzählungswerk zugrundelagen und die sich weitgehend durch den lokalen Ursprung desselben erklären. Hierbei ist zu beachten, dass Josephs Hauptrolle sich nicht nur auf die Josephserzählung, Gen. 37—50, beschränkt, sie wird vielmehr schon in den Erzählungen über

Lea und Rahel angedeutet. Ein wohlbekanntes Motiv, das auch in anderen Zusammenhängen vorkommt, ist ja die Geschichte von der unfruchtbaren Lieblingsfrau, die erst nach dem Eingreifen Gottes einen Sohn gebiert, Gen. 29,31—30,24: hier wird dadurch auf die in der Josephsgeschichte dargestellte, zukünftige Erhöhung Josephs vorausgedeutet. Andererseits hängt aber dies Motiv unauflöslich mit der Erzählung zusammen, wie Jakob seine Frauen Lea und Rahel erwirbt, und lässt sich also auf keinen Fall aus der Jakob-Labanerzählung herauslösen. Auch in der Erzählung von Jakobs Begegnung mit Esau erhalten Joseph und Rahel einen Ehrenplatz, Gen. 33,2. Die Erzählungen von Jakob und Joseph wurden also sehr wahrscheinlich ursprünglich als Teile ein und desselben erzählerischen Werkes geschaffen. Andererseits hat man auch auf die ursprüngliche Funktion der Josephserzählung als Verbindungsglied zwischen der Patriarchenerzählung und der Exoduserzählung hingewiesen. Die recht verbreitete Annahme, dass die Josephserzählung anfänglich eine freistehende Einheit gewesen sei, erscheint unhaltbar.[13]

Dann ist es auch kein Wunder, dass die Josephserzählung ebenfalls programmatisch mit Sichem verknüpft ist. An ihrem Anfang sendet Jakob seinen Lieblingssohn vom Südland aus, um seine Brüder aufzusuchen, die ihre Herden bei Sichem hüten, Gen. 37,12 ff. Hier werden also wiederum die Ereignisse mit Sichem verknüpft. Eine Eigentümlichkeit sei jedoch bemerkt: Als Joseph nach Sichem kommt, findet er seine Brüder nicht dort, sondern er muss sie anderswo suchen. Obwohl dieser Zug als authentisch und ursprünglich im literarischen Zusammenhang betrachtet werden muss, hat er für die unmittelbare Entwicklung der Ereignisse keinerlei Bedeutung.[14] Man gewinnt den Eindruck, als habe ein Interesse daran bestanden, Sichem an den Beginn der Erzählung zu stellen. Wie zu Anfang der Geschichte Abrahams ist der Hinweis auf den Ort zwar kurz, aber programmatisch bedeutsam: vermutlich lässt sich der Sinn desselben nur aus dem grösseren Zusammenhang der Hexateucherzählung und vor allem durch die ursprüngliche Verknüpfung Josephs mit Sichem, die u.a. in der Grabtradition vorliegt, erklären. Hier sei aber zugleich betont, dass Gen. 27—50 nicht nur von Joseph handelt, obwohl er die Hauptperson ist, sondern von Joseph und seinen Brüdern:[15] wenn hier zu Anfang von den Vätern der zwölf Stämme erzählt wird, dass Joseph seine Brüder *vermisst,* kann dies sehr wohl als vorausweisend gedeutet werden, wenn nämlich an Ende erzählt wird, wie die Nachkommen der Jakobssöhne, die zwölf Stämme, sich gerade in Sichem, dem gemeinsamen Zentrum der Josephstämme *versammeln,* Jos. 24.

Nicht nur zu Anfang der Josephsgeschichte, sondern auch an ihrem Ende wurde Sichem in einem wichtigen, höchstwahrscheinlich ursprünglichen Abschnitt erwähnt: in Jakobs Testament, Gen. 48,21 f. Zwar ist der Text schwierig zu deuten und stellt uns vor ein heikles literarkritisches Problem: in dem vorliegenden Wortlaut wird auf ein kriegerisches Unternehmen angespielt, durch das Jakob in den Besitz Sichems gelangt sein sollte, aber in dem vorhergehenden literarischen Zusammenhang wird nichts erzählt, worauf sich der Text hier beziehen könnte, auch Gen. 34 kommt nicht in Frage. Dagegen ist der Gedanke naheliegend, dass Jakob jenes Landstück testamentiert, das er mit vollem Recht sein Eigentum nennt, das er nach Gen. 33, 19 von Chamor, dem Vater Sichems, gekauft hat. Aber aus dieser Deutung ergibt sich eine weitere Schwierigkeit: in Gen. 48,22 handelt es sich sehr wahrscheinlich um den Namen der *Stadt* Sichem; dass aber die Stadt selber in Jakobs Hand gewesen wäre, dürfte der ursprüngliche Text kaum vorausgesetzt haben, es wird auch sonst nirgends gesagt. Aber die Schwierigkeit ist nicht unüberwindlich: nichts widerspricht der Annahme, dass der Name der Stadt sich hier konkret auf jenen Teil ihres Territoriums bezieht, den Jakob als Eigentum erworben hatte.[16] Am wahrscheinlichsten ist folglich die Annahme Noths: „Dann kann es sich aber letztlich nur um dasselbe Landstück handeln wie Gen. 33,19".[17] Dann bleibt nur noch die Schwierigkeit mit dem Relativsatz: „das ich mit meinem Schwert und meinem Bogen aus der Hand des Amoriters nahm", V. 22b. Es spricht alles dafür, dass dies ein sekundärer Einschub ist, er steht ausserhalb aller literarischen Zusammenhänge und spielt auf keine bekannte Überlieferung an; nach dem präpositionalen Ausdruck עַל-אָחִיךָ hinkt er deutlich. Schliesslich ist er mit Jos. 24,12b zu vergleichen, wo uns der analoge Ausdruck „nicht mit deinem Schwert und deinem Bogen" nochmals begegnet, unmittelbar nach der Erwähnung von הָאֱמֹרִי. Die ganze zweite Hälfte von V. 12 ist jedoch offenbar unmöglich im Zusammenhang und vermutlich ein später Zusatz, vielleicht von sekundärer, deuteronomistischer Redaktion. Dann ist also auch Gen. 48,22b als ein solcher Zusatz anzusehen.[18] Betrachten wir nun den vermutlich ursprünglichen Text, der sich also auf Gen. 33,19 bezieht und nichts von einer kriegerischen Eroberung enthält, so haben wir hier den Ausdruch אַחַד עַל-אָחִיךָ, der sich wohl auf den doppelten Anteil des väterlichen Erbes bezieht, der dem Erstgeborenen zukam[19]: Jakob gibt also Joseph das Recht der Erstgeburt. Eine verdeutlichende Übersetzung von V. 22 würde lauten: „Ich gebe dir (das Landstück bei) Sichem als einen über deine Brüder (hinausgehenden Anteil)".[20] Dass dies die Bedeutung des ursprünglichen Textes sein muss, bestätigt Jos. 24,32, wo Jakobs Landstück ausdrücklich unter Hinweis auf Gen. 33,19 genannt wird, und es ausserdem heisst, dass dies den Josephstämmen als *besonderes* Erbe zufiel. Wir stellen also fest, dass ein literarischer Zusammenhang zwischen folgenden Texten vorliegt: das Landstück, das Jakob von Chamor, Sichems Vater, gekauft hat, Gen. 33,19, wohin sich Joseph einst begeben hatte, um seine Brüder aufzusuchen, Gen. 37,12 ff, vermacht Jakob vor seinem Tode testamentarisch Joseph, der damit das Recht der Erstgeburt erhält, Gen. 48,21: gemäss Jakobs Testament erhalten dann die „Josephsöhne" dies Landstück als besonderes Erbteil über das der Brüder hinaus, Jos. 24,32. Dort wird nun Joseph begraben, dessen Gebeine Mose beim Auszug aus Ägypten mitgeführt hatte, Ex. 13,19, gemäss dem Versprechen, dass Joseph selber den „Israelsöhnen" vor seinem Tode abgenommen hatte, Gen. **50**,25. Es sei betont, dass das Landstück bei Sichem hoch bewertet wird, da man es offenbar als Zweitanteil über die Anteile der Brüder hinaus betrachtet.[21] Hinter dieser Bewertung spürt man einen Anspruch, dass dem israelitischen Kultplatz bei Sichem, dem gemeinsamen Zentrum der Josephstämme, der Rang des religiösen Hauptzentrums für die Stämme Israels zukommt.

Zusammenfassend wäre zu sagen, dass in der Hexateucherzählung jegliche Spur einer Verknüpfung mit Jerusalem fehlt, dass ihre Perspektive mit grösster Sicherheit nicht judäisch, ja nicht einmal südpalästinisch ist. Die lokale Verknüpfung mit *Sichem* und die Hervorhebung der Gestalt Josephs gehören dagegen zu den wichtigsten verbindenden Elementen der literarischen Komposition. Diese beiden Elemente laufen in der abschliessenden Notiz von Josephs Grab in Sichem zusammen, die eine alte, jedenfalls vor der Entstehung der Hexateucherzählung vorliegende Lokaltradition widerspiegelt; damit ist also zugleich der Ort angewiesen, wo wir vermutlich den Ursprung des gesamten Erzählungswerkes zu suchen haben. Eine grosse Anzahl weiterer Indizien deutet in der gleichen Richtung, wir haben hier nur einige der prinzipiell wichtigsten aufgegriffen. Die übrigen werden wir im Verlauf der Untersuchung in verschiedenen Zusammenhängen berühren. Dabei ist nicht zu vergessen, dass sie durch ihre konvergierende Tendenz an Schlüssigkeit gewinnen.

Anmerkungen zu Kap. II

[1] *Jeruusalems Aufstieg,* S. 246.

[2] Ibid.

[3] Die gründlichste Studie zu den mit Sichem verknüpften Texten ist die von E. Nielsen, *Shechem.* Die Stadt wird auf Tell Balâṭah bei Nablus lokalisiert, wo deutsche Ausgrabungen unter der Leitung von E. Sellin und später von G. Welter kurz vor dem ersten Weltkrieg begonnen und 1926 wieder aufgenommen wurden. 1956 begann eine amerikanische Expedition in Zusammenarbeit der Drew University, des Mc Cormick Theological Seminary und der American School of Oriental Research, unter der Leitung von G.E. Wright und E.F. Campbell, Jr. Eine Zusammenfassung über die Archäologie und Geschichte der Stadt, auf Grund der vier ersten Ausgrabungskampagnen liefert G.E. Wright, *Shechem. The Biography of a Biblical City.* Vorläufige Berichte über die fünfte Kampagne liegen in BASOR 180 (1965), 7—41 vor, über die sechste in BASOR 190 (1968), 2—41. Es deutet nichts darauf, dass die Stadt zu Anfang der Eisenzeit I gewaltsam zerstört worden wäre; sie blieb offenbar bis in die Zeit Abimelechs nicht-israelitisch. Uns interessieren die Resultate der Bodenflächenuntersuchung in Sichems Umgebung, die im Anschluss an die sechste Ausgrabungskampagne vorgenommen wurde, vgl. BASOR 190, S. 40 *Summary.* Diese deutet auf eine starke Expansion der Bevölkerung in dieser Gegend von der Amarnazeit an bis zur Periode Eisen I. Die Stätten nahe der Stadt, die mit altisraelitischen Traditionen verknüpft sind, lassen sich nicht näher lokalisieren. Von einem gewissen Interesse sind aber vielleicht die späteren Kultplatztraditionen, die mit dem Berge Garizim verknüpft waren. Durch Ausgrabungen bei *Tell er-Râs* auf der Nordostspitze des Berges im Verlauf der sechsten Ausgrabung konnte man die Reste des von Hadrian errichteten Zeustempels identifizieren, der in literarischen Quellen erwähnt wird und auf römischen Münzen aus Neapolis abgebildet ist. Unter den Resten des Hadrianstempels fand man Reste eines früheren Monumentalbaus, vielleicht auch eines Tempels, der in der hellenistischen Zeit bestanden hat. Die amerikanischen Archäologen vermuten, dass es sich um die Reste des Tempels der Samaritaner handeln könnte. Es ist nicht unmöglich, dass die Samaritaner bei der Wahl dieses Platzes — er ist in der Landschaft weithin sichtbar — an eine altisraelitische Lokaltradition anknüpften: in Jos. 8,30—35 heisst es, dass Josua einen Altar, auf dem „Berge Ebal" errichtete, während der samaritanische Text, Dt. 27,4 Garizim an Stelle des Ebal bei den Masoreten nennt. Es ist nicht unmöglich, dass die Masoreten den ursprünglichen Text sowohl hier als auch in Jos. 8,30 geändert haben, weil sie den Namen Garizim als von der samaritanischen Tradition belastet betrachteten, vgl. Noth, *Das Buch Josua,* ad.loc. Gegebenenfalls wäre es denkbar, dass schon Josuas Altar auf der nordöstlichen Spitze des Garizim gelegen hatte, wo sich vielleicht auch der Tempel der Samaritaner befunden hat, und wo mit Sicherheit der Zeustempel Hadrians gelegen hat. Die Reste eines quadratischen Gebäudes am Fusse des Garizim, das Welter 1931 etwa 300 m südwestlich der Stadt entdeckte, und dessen Grundriss Analogien zu einem 1954 beim Flugplatz von Amman gefundenen Gebäude aufweist, hat man auf das Ende der mittleren Bronzezeit datiert, es kann also kaum mit israelitischer Geschichte in Verbindung gebracht werden. Auch ist seine Anwendung wohl nicht völlig geklärt. Vgl. hierzu G.R.H. Wright — J.B. Hennesy, *The Bronze Age Temple at Amman,* ZAW 78 (1966), 351—359. G.R.H. Wright, *Temples at Shechem,* ZAW 80 (1968), 1—35, bes. 9—16. R.G. Boling, *Bronze Age Buildings at the Shechem High Place: ASOR Excavations at Tananir.* BA 32 (1969), 81—103. E.F. Campbell, Jr. — G.E. Wright, *Tribal League Shrines in Amman and Shechem,* ibid. S. 104—116.

[4] Nach Gunkel, *Genesis,* S. 167, hätte der Erzähler „Notizen", dass Abraham die Altäre von Sichem und Bethel gestiftet habe, vorgefunden, was sich nicht beweisen lässt und kaum glaubwürdig ist, vgl. oben, Kap. I, Anm. 1.

[5] Auf diesen Unterschied in der Erzählung zwischen Jakobs Wanderung und der Abrahams hat auch Nielsen hingewiesen, *Shechem* S. 215. Seine Erklärung, dass die transjordanischen Orte den Erzähler von Gen. 12—13 nicht interessiert hätten, weil er judäisch war, darf man wohl bezweifeln: dass dies wirklich der Fall war, müsste doch erst bewiesen werden.

[6] Im Gegensatz hierzu Meyers Auffassung: in *Die Israeliten und ihre Nachbarstämme,* S. 260: „Im übrigen werden beide Kultorte möglichst indifferent behandelt." Diese Auffassung gründet sich auf die Tatsache, dass die Erwähnung der Orte, Gen. 12—13, farblos erscheinen mag, doch übersieht man dabei, dass sie an ihrem Platz in der einleitenden Wanderungserzählung von programmatischer Bedeutung für den gesamten anschliessenden literarischen Zusammenhang sind.

[7] Nielsen, *Shechem*, S. 215, macht beim Vergleich von **12**,6—8, **13**,14—17 und **28**,13—15 die ausserordentlich wichtige Beobachtung: „This divine promise is, so to speak, at home in the region of Bethel (and Shechem)." Tatsächlich sind Sichem und Bethel eng miteinander verbunden und von Anfang an Zentren derselben israelitischen Traditionsbildung, wie wir bald näher sehen werden. Dass die Verheissung an die Väter wirklich als *literarisches Hauptthema* zu bezeichnen ist, ging bereits aus den Analysen des vorigen Kapitels hervor. Auch im Folgenden, Kap. IV, werden wir näher hierauf einzugehen haben.

[8] Das scheint tatsächlich nicht der Fall gewesen zu sein, vgl. oben, Einleitung, Anm. 33. In älteren Texten von gesicherter judäischer oder jerusalemitischer Herkunft kommen überhaupt sehr selten Anspielungen auf die Hexateuchtradition vor.

[9] In Jos. **18**,1,8ff, **19**,51, **21**,2, **22**,9,12 ist Silo der Platz, an dem Josua das Land durch das Los unter die Stämme verteilte, aber hier handelt es sich entweder um sekundäre Texte oder um solche, in denen der Name Silo sekundär eingefügt ist. Nielsen, *Shechem,* Kap. "Shechem and Shilo", S. 315—322, betont, dass die beiden Orte Zentren von teilweise parallelen, aber weitgehend voneinander unabhängigen Traditionen waren: In der Genesis wird Sichem oft, Silo aber nie genannt, das statt dessen vor allem in den ersten Kap. des ersten Buches Samuel eine Rolle spielt. „On the other hand, *Shechem* lies beyond the scope of the Samuel-Saul-David traditions" (S. 317). Offenbar gehörte die *Bundeslade* ursprünglich nach Silo, ehe sie nach Jerusalem überführt wurde, während die einzige Erwähnung der Bundeslade in Sichem, Jos. **8**,33, eindeutig sekundär ist; die Bundeslade hat nie etwas mit Sichem zu tun gehabt, vgl. Nielsen, *Shechem,* S. 74—80. J. Maier, *Das altisraelitische Ladeheiligtum,* S. 1—39, hat nachgewiesen, dass die Bundeslade in der älteren literarischen Schicht des Hexateuchs nicht vorkommt, was also auch gegen die Herkunft des Ladeheiligtums aus der Wüstenzeit Israels spricht (S. 40). Auch F. Langlamet, *Gilgal et les récits de la traversée du Jourdain,* kommt zu dem Ergebnis, dass die Bundeslade in der ältesten literarischen Schicht von Jos. **3**—**4** nicht erwähnt wird. Ri. **21**,19 ff. lässt vermuten, dass das israelitische Erntefest der Früchte und des Weines, das spätere Laubhüttenfest, ursprünglich in Silo gefeiert wurde, ehe es das Hauptfest des Jahres in Jerusalem wurde, während das in Sichem gefeierte Passahfest allem Anschein nach keine Bedeutung in Jerusalem hatte und erst durch die Reform Josias dort eingeführt wurde, 2. Kön. **23**,21ff. Wir können hinzufügen, dass Silo offenbar wie Jerusalem einen Tempel und eine organisierte Priesterschaft besass, die beide vermutlich in Sichem fehlten. Es ist also klar, dass Jerusalem Traditionen übernommen hat, die anfänglich nach Silo gehörten, vgl. Eissfeldt, *Silo und Jerusalem.* Vom Standpunkt Jerusalems aus gesehen erschien Silo daher ganz natürlich als das Hauptzentrum des vormonarchischen Israels und als der Vorgänger Jerusalems, während die Traditionen Sichems hier lange Zeit ohne Bedeutung blieben. Man darf also annehmen, dass die Erwähnung Silos ebenso wie die der Bundeslade im Hexateuch in Jerusalem entstandene, sekundäre Zusätze sind. Rätselhaft bleibt nur, wie sich Silo mitten in Ephraim offenbar ohne nähere Verbindung mit Bethel oder Sichem zu einem so wichtigen Zentrum entwickeln konnte. Die dänischen Ausgrabungen der zwanziger Jahre von H. Kjaer, danach von S. Holm-Nielsen und B. Otzen, 1963, bei *Tell Seilûn* erbrachten Reste einer wichtigen Ansiedlung aus der mittleren Bronzezeit II, während die späte Bronze- und Eisenzeit wenig vertreten sind. Nichts deutet auf gewaltsame Zerstörung beim Übergang von der späten Bronzezeit zur Eisenzeit I, vgl. M.-L. Buhl und S. Holm-Nielsen, *Shilo.*

[10] *Das Buch Josua,* S. 141.

[11] Die einzige Grabtradition, die nicht in den ursprünglichen literarischen Zusammenhang gehört, ist die von Eleasars Grab, V. 33.

[13] Dass die Josephsgeschichte ursprünglich freistehend war, haben früher u.a. Gunkel, *Die Komposition der Joseph-Geschichte,* Rudolph in Volz-Rudolph, *Der Elohist als Erzähler,* S. 180—183, de Vaux, *Histoire,* S. 281, angenommen. Noth dagegen hat wohl richtiger erkannt, dass die Josephserzählung, auch wenn man sie selbständig erzählen konnte, doch anfangs als ein Verbindungsglied zwischen zwei „Themen" konzipiert worden sein muss: „Verheissung an die Erzväter" und „Herausführung aus Ägypten"; er betrachtet die Josephsgeschichte als „die breite und kunstvolle erzählerische Entfaltung einer Themenverbindung", ÜP, S. 227.

[14] Vgl. Redford, *Story of Joseph,* S. 144: „In the entire Joseph story there is no more enigmatic episode than this". Zugleich nimmt er aber an, dass die Episode in diesem Zusammenhang offenbar sekundär ist, eine Annahme, die durch den rätselhaften Charakter derselben wohl kaum zureichend begründet ist. Es ist nicht ausgeschlossen, dass gerade in dieser Episode ein Schlüssel zum Verständnis der Josephsgeschichte liegt.

[15] Vgl. hierzu Noth, ÜP, S. 226 f, 232, der richtig hervorhebt, dass in der Josephsgeschichte das Zwölfstämmesystem von Anfang an vorausgesetzt wird, und dass schon in der ursprünglichen Überlieferung von den Söhnen Jakobs vorausgesetzt worden sein muss, dass ihre Anzahl zwölf war. Auch Noths Erklärung zu Josephs Vorrang gegenüber den Stammvätern der übrigen Stämme ist die einzig plausible, ÜP, S. 229: „Dass die Wahl unter den Jakobsöhnen gerade auf Joseph fiel, hat seinen einfachen Grund /. . ./ darin, dass die Josephgeschichte im Kreise des ‚Hauses Joseph' entstand und sich hier auch weiter entfaltete."

[16] H. Seebas, *Der Erzvater Israel,* S. 27, Anm. 79, weist sicher zu Recht die bei Gesenius-Buhl, *Handwörterbuch,* 17. Aufl. und ähnlich bei KBL (1953) angenommene Sonderbedeutung des Wortes שכם, Gen. **48**,22, als ‚Landstrich', eig. ‚Rücken des Landes' ab. Es handelt sich also hier um den Namen der Stadt Sichem selbst, aber auch wenn man die von den Wörterbüchern vorgeschlagene Sonderbedeutung akzeptieren würde, könnte in dem Text ein auf den Stadtnamen bezogenes Wortspiel liegen. Dagegen hat Seebas, op.cit., S. 28, wohl kaum mit seiner Folgerung Recht, dass Gen. **33**,19 und **48**,22 sich auf ganz verschiedene Plätze ziehen: „48,22 bezieht sich also auf Sichem selbst, 33,19 aber auf ein Stück Land bei Sichem." Gegen diese Unterscheidung spricht Jos. **24**,32, wo der Stadtname *zusammen* mit einer genaueren Bezeichnung von Jakobs Landstück vorkommt: בשכם בחלקת השדה אשר קנה יעקב. Aus diesem Ausdruck geht hervor, dass der Stadtname mit besonderer Beziehung auf das Landstück, das ja zum Territorium der Stadt gehörte, gebraucht werden konnte.

[17] ÜP, S. 90.

[18] Dieser Zusatz kann sehr wohl eine Anspielung auf die Zerstörung der Stadt durch Abimelech gewesen sein, wie es de Vaux, *Histoire* S. 585, vorschlägt: „La tradition de Gen. XLVIII, 22 reporte à l'ancêtre Israel-Jacob ce qui a été l'oeuvre de ses lointains descendants /. . ./ le texte peut etre, précisément peu après Abimélek, une justification de son action violente; on affirmait que Sichem était une possession israélite, par droit de conquête de l'ancêtre Jacob."

[19] I. Mendelsohn. *On the Preferential Status of the Eldest Son.*

[20] Dies ist im grossen Ganzen die von Seebas vorgeschlagene Übersetzung, op.cit., S. 27 f.

[21] Vgl. Seebas, S. 28, Anm. 79.

III. Sichem und die Stämme Israels

Unsere Aufgabe in diesem Kapitel ist es, weiter zu beleuchten, wie die Beheimatung des Erzählers in Sichem den Horizont des epischen Werkes bestimmt; hierfür ist es besonders signifikant, welche Stellung den verschiedenen israelitischen Stämmen und Stämmegruppen zugeteilt wird. Drei Gruppierungen werden programmatisch im ganzen epischen Werk hervorgehoben: die Josephstämme, die Rahelstämme und die zwölf Stämme. Ihr Verhältnis zu Sichem muss hier näher untersucht werden.

A. Die Josephstämme

In Jos. **24**,32 heisst es, dass die Josephsöhne jenes Landstück bei Sichem zum Erbe bekamen, das Jakob gemäss Gen. 33,19 von den Einwohnern der Stadt gekauft hatte und auf dem er einen Altar gebaut hatte (oder eine *maṣṣēbah* errichtet hatte, wenn man eine Textkorrektur voraussetzt[1]). Mit der Bezeichnung Josephsöhne werden hier die beiden Josephstämme zusammengefasst, was bedeuten muss, dass das fragliche Landstück mit seinem Heiligtum als das *gemeinsame* Eigentum Manasses und Ephraims betrachtet wurde, obwohl es auf dem Territorium Manasses gelegen haben dürfte. Dass man hierher auch das Grab des gemeinsamen Stammvaters verlegte, lässt deutlich erkennen, dass die eigentliche Bedeutung des Ortes die des Hauptzentrums beider Stämme war, was auch aus seiner Lage nahe bei der Grenze zwischen den Gebieten der Stämme hervorgeht.

Diese Tatsache und die daraus abzuleitenden Schlussfolgerungen sind nicht ohne Bedeutung für die Frage nach dem Ursprung der Josephstämme, welche Frage wir hier nicht übergehen dürfen, da sie mit dem zusammenhängt, was vermutlich auch die unmittelbaren, durch Tradition und Geschichte gegebenen Voraussetzungen der ursprünglichen Hexateucherzählung waren.

Einige Hypothesen seien hier genannt. Noth und andere Forscher haben angenommen, dass sich die Bezeichnung „Haus Joseph" ursprünglich auf eine einheitliche Gruppe von Einwanderern bezog, die auf dem Boden Palästinas in zwei Stämme zerfallen sei.[2] Der nördliche der beiden so entstandenen Stämme habe anfangs den Namen Machir getragen, nachdem dieser Stamm aber zum grössten Teil ausgewandert sei und sich im Ostjordanland niedergelassen habe, hätten die im Westen gebliebenen Elemente des Stammes den Namen Manasse angenommen.

Eine andere Auffassung vertritt E. Täubler.[3] Er nimmt an, dass Machir vor jener Gruppe eingewandert sei, aus der später die Stämme Ephraim und Manasse entstanden. Die letztere Gruppe hätte sich in einem anfänglich kleineren Gebiet niedergelassen, הר אפרים, von dem sie den Namen erhalten hätte, der dann später auf das ganze zentralpalästinische Gebirgsland übertragen worden sei, nachdem der Stamm Ephraim sich dort ausgebreitet hatte. Im nördlichen Teil dieses Gebiets Ephraim habe eine Sippe, nach einem Stammeshäuptling Manasse genannt, führende Stellung erlangt und sich als selbständige Einheit konstituiert, nachdem der südliche Teil unter die Herrschaft der Philister geraten sei, und nachdem Machir seine Stellung im Westjordanland verloren hatte. Die Gestalt Josephs habe ursprünglich zur Überlieferung der Machiriten gehört, sei dann aber von Manasse und Ephraim übernommen worden, welche die gemeinsame Bezeichnung Haus Joseph angenommen hätten, um in den Rahmen des Zwölfstämmesystems zu passen. Das sei aber erst zur Zeit der frühen Könige geschehen.

E. Nielsen[4] dagegen nimmt an, dass Manasse (früher Machir) und Ephraim zwei zunäuchst voneinander unabhängige, und aus verschiedenen Richtungen kommende Gruppen waren. Machir sei von Norden her eingewandert, Ephraim habe den Jordan in der Nähe von Jericho überschritten. Die beiden Stämme hätten sich auf dem Boden Palästinas, vermutlich in Sichem, zusammengeschlossen. Dies Ereignis sei der historische Hintergrund zu Jos. 24. Dadurch, dass Manasse den anfangs ephraimitischen Jahwekult annahm, sei das Haus Joseph entstanden. Da die Josephgeschichte in der Genesis nach Nielsen Analogien zu den Osiris- und Ba'alsmythen enthalte, habe man Grund zu der Annahme, dass Joseph ursprünglich ein mit dem vorisraelitischen Sichem verknüpfter „Kultheros" gewesen sei, den die Stämme zu ihrem gemeinsamen Stammvater gemacht hätten.[5]

Hier muss natürlich vieles reine Vermutung bleiben, aber manche Annahmen können vielleicht doch auf Grund der Information der Texte als wahrscheinlich gelten. Betrachten wir zunächst, wie der Name Joseph angewendet wird. Er ist ein ursprünglicher *Personenname,* der in dem zentralen Abschnitt, Gen. 29—Ex. 1, auch nur zur Benennung der Person Joseph vorkommt. In den Texten wird jedoch überall vorausgesetzt, dass Joseph Stammvater eines der zwölf Stämme Israels ist. Das verdeutlicht nicht zuletzt die Josephgeschichte, Gen. 37—50, deren zentrales Thema ja die Beziehungen zwischen Joseph und seinen Brüdern ist: die Zwölfzahl der Brüder, ihre Namen, Benjamins Sonderstellung und Josephs eigener Vorrang, — alle diese Züge, die unauflöslich mit der Erzählung verknüpft sind, enthalten deutliche Hinweise auf die Stämme Israels und ihr Verhältnis zueinander, was darauf deutet, dass in der Erzählung das Zwölfstämmesystem von Anfang an vorausgesetzt war, und dass sie ursprünglich als Erzvätersage konzipiert worden ist.[6] Joseph ist wahrscheinlich im Wesentlichen eine gerade für die Bedürfnisse des Zwölfstämmesystems und der damit verknüpften Josephideologie erdichtete

Gestalt. Überlieferungsgeschichtliche Theorien über den früheren Ursprung der Josephgestalt dürften alle nicht zu verifizieren sein.[7]

Man hat häufig betont, dass nirgends ein vom Namen Joseph abgeleiteter *nomen gentile* vorkommt; nur in bestimmten Zusammenhängen wird der Name als *Stammesbezeichnung* im eigentlichen Sinne gebraucht, und zwar nur bei Aufzählungen von *sämtlichen zwölf Stämmen Israels* oder bei Anspielungen auf sie, so etwa bei den verschiedenen Aufzählungen der Söhne Jakobs, die sich ja auch auf die Stämme beziehen, Gen. **29,31—30,24, 35,23—26, 46,8—25**, ebenso bei Jakobs Segnungen, Gen. **49**, die eigentlich den Stämmen gelten, und bei den Segnungen Moses, Deut. **33**, die wenigstens teilweise literarisch von Gen. **49** abhängig sind, und endlich bei der Aufzählung der zwölf Stämme, Deut. **27,12**. In den meisten übrigen Texten werden Ephraim und Manasse als eigentliche Stämme genannt. Gen. **48,5**, wo erzählt wird, wie Jakob Ephraim und Manasse mit seinen eigenen Söhnen gleichstellt, hat offenbar den Zweck Ephraim und Manasse als zwei vollwertige Stämme hervorzuheben. Die Ausdrücke בית יוסף und בני־יוסף scheinen nur zusammenfassende Bezeichnungen dieser beiden primären Einheiten zu sein und kommen meistens im Zusammenhang mit der ausdrücklichen Erwähnung derselben vor.[8] Keiner der übrigen israelitischen Stämme wird in den Texten ebenso nachdrücklich in Untergruppen aufgeteilt.

Aus diesen Beobachtungen lässt sich vielleicht folgern, dass die Aufteilung des Hauses Joseph in zwei Stämme ursprünglicher ist, als Noth und andere Forscher angenommen haben. Die Indizien, die nach Noth darauf deuten, dass Joseph ursprünglich der Name einer ungeteilten Einwanderergruppe war, sind auch kaum überzeugend.[9] Täublers Annahme, dass Ephraim eine ursprüngliche Einheit gewesen sei, aus der sich Manasse später abgesondert habe, lässt sich tatsächlich ebensowenig verifizieren. Täublers Spätdatierung des Sammelnamens „Haus Joseph" ist aus verschiedenen Gründen gänzlich unannehmbar. Hier sei nur angedeutet, dass dieser Name aus Sichem stammen muss, das ja das Bindeglied zwischen Ephraim und Manasse war; andererseits lässt vor allem die Josephsgeschichte erkennen, dass der Name Joseph mit einer Ideologie verknüpft war, die den Vorrang der Josephstämme unter den zwölf Stämmen behauptete. Folglich muss der Sammelname „Haus Joseph" in einer Zeit entstanden sein, in der Sichem das Zentrum einer solchen Ideologie und der bewussten israelitischen Einigungsbestrebungen, die dieser zugrunde lagen, gewesen sein kann, d.h. also wohl, bevor Jerusalem das Zentrum der Monarchie Davids wurde. Was endlich Nielsens Hypothese betrifft, dass Machir-Manasse und Ephraim zwei verschiedene Einwanderergruppen gewesen seien, so ist eines seiner Hauptargumente eine nicht belegbare stammesgeschichtliche Deutung der Erzählung von der Rückkehr Jakobs nach den Jahren bei Laban und von seinem Aufenthalt in Sichem. Nielsen meint, der historische Hintergrund dieser Erzählung sei die Einwanderung Machir-Manasses gewesen.

Wenn also die Sammelbezeichnung nicht älter ist als die Einteilung in Manasse - Ephraim (Noth) und auch nicht nachträglich als Name eines Zusammenschlusses früher konstituierter Stämme entstanden ist (Täubler, Nielsen), so bleibt die Möglichkeit, dass Ephraim und Manasse ihre Zusammengehörigkeit durch die Annahme eines gemeinsamen Stammvaters etwa *gleichzeitig* damit zum Ausdruck brachten, dass sie sich als Stämme auf dem Boden Palästinas konstituierten. Dass Joseph als Stammesname vor allem in Textzusammenhängen vorkommt, wo von allen zwölf Stämmen Israels die Rede ist, mag darauf deuten, dass die Zusammenfassung von Manasse und Ephraim wenigstens teilweise aus Gründen der *Systematisierung* geschah, und mit der Entstehung des Zwölfstämmesystems zusammenhing. Dieses wäre also *gleichzeitig* mit der Bildung des Hauses Joseph und am gleichen Ort entstanden, für welche Annahme nicht zuletzt deshalb die Wahrscheinlichkeit spricht, wenn man bedenkt, dass die Vorstellung von den zwölf Stämmen Israels von Anfang an mit der Behauptung des Vorranges der Josephstämme verbunden gewesen sein muss.

Wenn auch die Textunterlagen weder in der einen noch in der anderen Richtung sichere Schlussfolgerungen zulassen, können unsere obigen Annahmen an Wahrscheinlichkeit gewinnen, wenn man allgemeinere, territorialgeschichtliche Gesichtspunkte heranzieht. Besondere Beachtung verdient in diesem Zusammenhang Alts Darstellung der israelitischen Landnahme als eines langsamen, und wenigstens in der ersten Phase friedlichen Eindringens neuer Völkerschaften, anfangs Kleinviehnomaden, die sich in den offenen und freien Gebieten niederliessen, wo die kanaanäischen Stadtstaaten ihre Hoheitsansprüche wenigstens praktisch nicht geltend machen konnten.[10] In den fruchtbaren Niederungen, die seit alters dicht bevölkert waren, lagen diese Stadtstaaten dicht beieinander, während die Siedlungen in dem weniger zugänglichen Hochland spärlicher waren, — hier vor allem etablierten sich auch die israelitischen Stämme.

Wie verschiedene andere Forscher hat Alt andererseits darauf hingewiesen, dass die Kette der Stadtstaaten, die sich von der Ebene im Westen bis nach Jerusalem im Hochland erstreckte, eine Barriere zwischen Juda im Süden und den Rahelstämmen in Zentralpalästina bildete; eine ähnliche Barriere bildeten die Stadtstaaten der Jesreelebene, welche die Rahelstämme von den galiläischen Stämmen im Norden trennten. Von den wenigen Städten des zentralen Hochlandes wird in ausserbiblischen Quellen ausser Jerusalem nur Sichem genannt. Aber im Unterschied zu Jerusalem dürfte Sichem das Zentrum eines ziemlich umfangreichen Territorialstaates mit expansiven Tendenzen gewesen sein, was zu Konflikten mit den benachbarten Stadtstaaten führte. Unter den Herrschern Sichems sind aus den Amarnabriefen Labaja und seine Söhne bekannt. Dies Staatswesen dürfte nach Alt ziemlich das ganze Gebiet umfasst haben, in dem die Rahelstämme später wohnten, und wahrscheinlich konnte die Niederlassung neuer Völkerschaften in diesem

Gebiet nicht stattfinden, ohne dass man Verbindungen mit der Stadt Sichem aufnahm und im Einverständnis mit ihr lebte.

Die biblischen Texte zeugen auch von ungewöhnlich nahen und offenen Verbindungen zwischen der Stadt und den israelitischen Stämmen; der Landkauf Jakobs, Gen. 33,19 f., ist ein Beispiel territorialer Übereinkünfte; Gen. 34,10 sagt Chamor zu Jakobs Söhnen: „Bleibt bei uns wohnen, das Land steht euch offen; bleibt da, zieht darin umher und setzt euch darin fest." Wie auch Ri. 9 gibt dies Kapitel eine Vorstellung von den engen verwandtschaftlichen Verbindungen, die frühzeitig durch Heirat zwischen der Stadtbevölkerung von Sichem und den Israeliten geknüpft wurden.[11] Dass diese nahen Verbindungen andererseits Anlass zu Konflikten und bitteren Kämpfen geben konnten, bezeugen die beiden Kapitel ebenfalls.

Es ist kaum zu übersehen, dass diese nahen Beziehungen bezeichnende Ähnlichkeiten mit dem Bild des Verhältnisses zwischen Labaja und den *habiru*/SA.GAZ aufweisen, das die Amarnabriefe vermitteln.[12] In einem Brief heisst es, dass Labaja diesen *habiru* sichemitisches Land überlassen habe;[13] in anderen Briefen werfen die kanaanäischen Kleinfürsten Labaja vor, dass er sich mit SA.GAZ, d.h. *habiru*, eingelassen habe.[14] Wie man sich auch den Zusammenhang zwischen den *habiru* der Amarnabriefe und den Israeliten oder ihren Vorfahren vorstellen mag, — es ist nicht zu übersehen, dass sowohl die Briefe als auch die biblischen Texte von einer ungewöhnlich weitgehenden Symbiose zwischen der Stadtbevölkerung und anderen Völkerschaften, die nicht zu ihr gehörten, gerade in Zentralpalästina sprechen. Besonders bemerkenswert ist es, dass Labaja bei seinen Kriegszügen gegen die benachbarten Stadtstaaten oftmals Hilfe von den *habiru* bekommen zu haben scheint. Auch im Buch Josua wird nun die Landnahme der Israeliten als eine Serie von Kriegszügen nach Norden und Süden dargestellt, und zwar von Zentralpalästina aus, wo Josua sich zunächst eine Position geschaffen hatte, ohne dass jedoch von einer kriegerischen Eroberung Sichems und seiner Umgebung die Rede ist. Die Frage erhebt sich nun, ob nicht das Buch Josua Ereignisse spiegelt, die irgendwie eine Fortsetzung jener Expansionspolitik waren, die u.a. Labaja und seine Söhne in Übereinkunft mit den *habiru* von Sichem und Zentralpalästina aus führten.

Trotz der nahen Verbindungen zwischen Sichem und den israelitischen Stämmen muss betont werden, dass die Stadt nie ganz in das israelitische Stämmesystem eingegliedert wurde.[15] Aus Ri. 9 geht hervor, dass sie noch zur Zeit Abimelechs eine nicht-israelitische Stadt war. Daher muss sie während der ganzen Periode der Landnahme dieselbe Bedeutung wie andere kanaanäische Stadtstaaten für die Niederlassung der neuen Gruppen gehabt haben: mit ihrer nächsten Umgebung bildeten sie eine Barriere zwischen den Stämmen, die sich in ihrer Nachbarschaft etablierten.

Nun gehört es vermutlich zu den Ausnahmen, dass die aus der biblischen Tradition bekannten israelitischen Stämme fertig konstituierte Einheiten waren, schon ehe sie sich auf dem Boden Palästinas niedergelassen hatten. Vielmehr ist es wohl für die Entstehung der Stämme entscheidend gewesen, dass die Völkerschaften — oft von ganz heterogenem Ursprung — die in einem bestimmten geographischem Gebiet sesshaft wurden, mit der Zeit miteinander in nähere Verbindung traten, vor allem in verwandtschaftliche Beziehung durch Heiraten. So entstanden allmählich organisierte Stämme, deren Zusammenhalt sich hauptsächlich auf wirkliche oder vermutete Verwandtschaft gründete. Wesentlich für die Organisation des Stammes ist die Annahme der Abstammung von gemeinsamen Vorfahren,[16] während jedoch geographische und territoriale Voraussetzungen die Faktoren waren, die in erster Linie den Umfang der Stammeseinheiten bestimmt haben. Besonders deutlich wird diese Tatsache, wenn der Name des Stammes, sowie der des eponymen Stammvaters ursprünglich geographische Namen oder Namen mit geographischer Anknüpfung sind, wie Juda, Ephraim oder Benjamin.[17] Aber natürlich können auch Stämme, die ursprüngliche Personennamen tragen, Resultat derselben Entwicklung sein. Man darf wohl annehmen, dass die einzelnen Stämme sich oftmals mit anderen Stämmen zu mehr oder weniger festen Stammgruppen zusammengeschlossen haben, während sich ungefähr gleichzeitig und parallel damit ihre eigene innere Organisation festigte. Voraussetzung beider Entwicklungsprozesse ist aber die Sesshaftigkeit.

Aus diesen allgemeinen Gesichtspunkten ist wohl zu folgern, dass man der Annahme, das Haus Joseph sei eine ausserhalb Palästinas entstandene Gruppe oder überhaupt eine einheitliche Einwanderungsschicht gewesen, kritisch begegnen sollte, was dann natürlich entsprechend von analogen Annahmen über die Rahelstämme, Ephraim, Manasse/Machir oder Benjamin gilt. Im Kulturland ergaben sich im allgemeinen ganz andere Gruppierungen als die, die unter nomadischen oder halbnomadischen Verhältnissen herrschten, und wir wissen im Grunde nichts darüber, welche völkischen Elemente anfangs zu den in Palästina sich bildenden Stämmen gehörten: manche mögen relativ neu eingewandert gewesen sein, andere können seit alter Zeit im Lande gewohnt haben. Wir können daher kaum voraussetzten, dass das Haus Joseph oder die einzelnen Stämme Ephraim, Manasse und Machir als bestehende Gruppen eine Vorgeschichte ausserhalb Palästinas gehabt haben, man wird vermutlich vergebens in den biblischen Texten Traditionen suchen, die ihre Einwanderung als Stämme widerspiegeln.[18] Die Geschichte der Stämme beginnt im Kulturland Palästina, und ungefähr gleichzeitig mit dieser beginnt vermutlich auch die Geschichte der weiteren Stammesgemeinschaft.

Vermutlich hat sich das Haus Joseph anfangs gerade um das kanaanäische Sichem als eine aus zwei Stämmen bestehende Einheit gebildet: die Stadt und ihr nächstes Territorium war einerseits eine Grenzscheide zwischen den Stämmen, andererseits stand sie aber in reger Verbindung mit diesen, sodass sie dadurch auch als Bindeglied zwischen ihnen dienen konnte; in unmittelbarer Stadtnähe lag das gemeinsame Kultzentrum der Stämme, hier entstand auch die Tradition von dem gemeinsamen Ahnherrn Joseph. Zu einem Teil kann es aber auch das Erbe der politischen Bestrebungen des vorisraelitischen Sichem gewesen sein, die das Zentrum der Josephstämme von Anfang an zu einem Zentrum der gesamtisraelitischen Bestrebungen machte. Jedenfalls können wir feststellen, dass sich die zwölf Stämme Israels in konzentrischen Ringen um Sichem zu gruppieren scheinen: die zwölf Stämme bildeten den weitesten Kreis, in dessen Mitte, auch rein geographisch, die vereinten Rahelstämme eine Sonderstellung einnahmen. Unter den Rahelstämmen hatte das Haus Joseph die führende Stellung, und mitten zwischen den beiden Josephstämmen, dazu im geographischen Mittelpunkt des Landes, lag Sichem. Gerade dort muss man zum ersten Mal von Josephs Träumen erzählt haben, in denen sich die Garben der Brüder vor Josephs Garbe neigen, wo sich Sonne, Mond und elf Sterne vor ihm verbeugen, Gen. 37,5—11. Sie sind der Ausgangspunkt der gesamten Josephgeschichte, in der erzählt wird, wie es zuging, dass diese Träume Wirklichkeit wurden. Zugleich bringen sie aber die Josephideologie klar zum Ausdruck, welche die Einigung der zwölf Stämme unter der Leitung Josephs forderte. Die Begründung des Hauses Joseph selbst in Sichem muss von Anfang an mit dieser Ideologie verbunden gewesen sein.

Anmerkungen zu Kap. III A

[1] Sh. Nielsen, *Shechem*, S. 123 ff, 225.

[2] *Stämme*, S. 80 f, *Geschichte*, S. 60—62. Früher u.a. Meyer, *Die Israeliten und ihre Nachbarstämme*, S. 291, Alt, *Kl. Schr.* I, S. 127 ff, 162 ff.

[3] *Biblische Studien*, S. 176—203. An Täubler knüpft u.a. in grossen Zügen de Vaux, *Histoire*, S. 589—598, an.

[4] *Shechem*, S. 126—134, 226—234.

[5] *Shechem*, S. 129, im Anschluss an B. Reicke, *Analogier mellan Josefberättelsen i Genesis och Ras Shamra-texterna.*

[6] Die Annahme, dass Benjamin in einer früheren Version gefehlt habe und Joseph der jüngste unter den Söhnen Jakobs gewesen sei, gründet sich teils auf die Tatsache, dass am Ende von Gen. 30 Benjamin nicht im Anschluss an die anderen Brüder genannt wird, teils auf die Darstellung Josephs als des Lieblingssohnes von Jakob in der Josephgeschichte, ein Motiv, dessen Voraussetzung es an sich wäre, dass er der Jüngste war, vgl. Gunkel, *Die Komposition der Josephgeschichte*, Gressmann, *Ursprung und Entwicklung der Joseph-Saga*. Keins der beiden Argumente dürfte stichhaltig sein, vgl. z.B. Noth, ÜP, S. 228: „Der Jüngste, den das Erzählungsmotiv von dem vom Vater besonders geliebten und darum von den älteren Brüdern gehassten ‚Kleinen‘ verlangt haben könnte, war Joseph nicht und ist er niemals gewesen, denn das System der zwölf Stämme ist älter als die Verknüpfung ihrer Ahnherren mit Jakob, und so hat Jakob stets nur die Gesamtreihe der zwölf Söhne von Ruben bis Benjamin gehabt.‟ Völlig unbeweisbar ist z.B. die Annahme von H. Schulte, *Geschichtsschreibung*, S. 18 f, dass eine vorliterarische Brüdergeschichte von fünf Brüdern gehandelt habe.

[7] Vor allem verschiedene Versuche mythologischer Deutungen und vermutlich auch die Versuche, eine historische Wirklichkeit hinter der Gestalt Josephs zu entdecken; nicht einmal die Versuche, einen stammesgeschichtlichen Hintergrund zur Josephgeschichte in ihrer Gesamtheit oder auch nur in Details zu finden, erscheinen stichhaltig, obwohl gerade Joseph wahrscheinlich dem Wesen und Ursprung nach ein Stammeponym war; vgl. im Gegensatz hierzu z.B. O. Kaiser, *Stammesgeschichtliche Hintergründe der Josephsgeschichte*, der annimmt, in dem Aufenthalt Josephs in Ägypten spiegele sich die historische Vergangenheit einer Josephgruppe. Die glaubwürdigste Beurteilung findet man wohl bei de Vaux, *Histoire*, S. 283: „On n'échappe pas à l'impression que l'histoire de Joseph a voulu exalter son héros et en faire le principal personnage après le Pharaon — ce que le vizir était — et elle a aditionné des traits qui peuvent correspondre chacun à une réalité égyptienne mais dont l'ensemble compose une figure irréelle‟.

[8] De Vaux, *Histoire*, S. 590, vergleicht den Namen „Haus Joseph‟ mit dem entsprechenden, „Haus Juda‟, 2. Sam. **2**, 7, 10f: „Ce nom /. . ./ désigne l'ensemble des groupes intégrés dans la tribu de Juda ou assimilés par elle.‟ Dieser Vergleich ist an sich einleuchtend und zeigt, dass die Bezeichnung Haus Joseph die Aufteilung in Manasse und Ephraim voraussetzt, indessen begründet er den Schluss de Vaux', ibid., im Anschluss an Täubler, nicht ausreichend, dass das Haus Joseph erst in frühmonarchischer Zeit begründet worden sei.

[9] Zu den wichtigeren Argumenten gehört die Deutung von Jos. **16—17**: das den Grenzbeschreibungen dieser Kap. zugrundeliegende Dokument habe gemäss Noth, *Das Buch Josua*, S. 100, „ursprünglich nur mit einem geschlossenen Gesamtgebiet (‚Joseph‘) gerechnet, dann aber in einem Nachtrag innerhalb dieses Gebietes ein besonderes Stück für Ephraim abgegrenzt und dem verbleibenden Rest anscheinend den Namen ‚Machir‘ gegeben; für letzteren hat der Bearbeiter das später geläufige ‚Manasse‘ eingesetzt.‟ Diese Deutung bezweifelt J. Simons, *The Structure and Interpretation of Josh. XVI—XVII*. Er fasst die beiden Kap. richtiger als normale Grenzbeschreibungen für die beiden Stämme Ephraim und Manasse im Rahmen des zunächst ins Auge gefassten Gesamtgebiets von ‚Joseph‘ auf.

[10] *Die Landnahme der Israeliten in Palästina; Erwägungen über die Landnahme*. Vgl. auch M. Weippert, *Die Landnahme der israelitischen Stämme*, S. 14—28.

[11] Wahrscheinlich spiegelt Gen. **34** bis zu einem gewissen Grade dieselben Ereignisse wider, die in Ri. **9** geschildert werden, vgl. oben, Kap. II, Anm. 18. Der allgemeine zeitgeschichtliche Hintergrund der Patriarchengeschichten dürfte wohl nicht weiter zurückliegend als in der Zeit von El Amarna zu suchen sein.

[12] Wir können hier nicht im Detail auf das umfassende *ḫab/piru*-Problem eingehen. Material-

sammlungen mit einem Überblick über die Entwicklung der Forschung finden sich bei Bottéro, *Le Problème des Ḫabiru* und Greenberg, *The Ḫab/piru*. Unter den zahlreichen Übersichten seien genannt: Weippert, *Die Landnahme der israelitischen Stämme*, S. 66—102, und de Vaux, *Histoire*, S. 106—112 und 202—208. Zwischen dem *ḫab/piru* der Keilschrift (das dem häufig vorkommenden, und in den Amarnabriefen fast durchweg gebrauchten Ideogramm SA.GAZ entspricht), dem ägyptischen *'pr.w*, dem in Ras Shamra belegten *'prm* und dem hebräischen *'ibri* besteht wahrscheinlich eine rein philologische Entsprechung. Die ursprüngliche Form war mit Sicherheit *'apiru*, und das Vorkommen von *'ain* deutet auf den westsemitischen Ursprung des Wortes. Mit seinen verschiedenen Varianten kommt es während der Hauptspanne des zweiten Jahrtausends vor Chr. von Mesopotamien über Kleinasien, Syrien und Palästina bis Ägypten als Bezeichnung sehr verschiedener menschlicher Gruppen und Individuen vor. Es ist wohl kaum möglich, die Hebräer der Bibel mit den *ḫab/piru* -SA.GAZ der Amarnabriefe und den in ägyptischen Dokumenten vor allem der Ramessidenzeit vorkommenden *'apiru* einfach zu identifizieren, andererseits ist aber die Annahme nicht von der Hand zu weisen, dass nicht nur ein philologischer, sondern auch ein realer Zusammenhang vorgelegen haben muss. Die Hauptschwierigkeit besteht darin, dass die Hebräer in der Bibel als ethnische Gruppe aufgefasst zu werden scheinen, die entweder mit dem frühen Israel identisch ist oder mehrere verwandte Völker, Abkommen des Eponyms Eber, Gen. **10**,21 ff, **11**,14 ff, umfasste. In den Amarnabriefen dagegen, ebenso wie in sonstigen ägyptischen und anderen Dokumenten, bezeichnet *ḫab/piru* - *'apiru* nach der Meinung vieler Forscher eher eine soziale Kategorie. So hat z.B. Alt behauptet, dass sowohl die Hebräer der Bibel als auch ihre ausserbiblischen Entsprechungen eigentlich „wirtschaftlich Gescheiterte und Entrechtete" waren, *Kl. Schr.* I, S. 170 f, vgl. 292 f Die konkrete Anwendung des Wortes deutet jedoch darauf, dass es ursprünglich eine umfassendere Bedeutung als die ethnische oder die rein soziale gehabt hat. Vielleicht lässt sich seine Bedeutung auf Grund der in vieler Hinsicht gleichartigen bevölkerungsgeographischen und territorialpolitischen Verhältnisse vor allem in Syrien — Palästina während des zweiten Jahrtausends erklären: mit der Bezeichnung *'apiru* mag man ganz einfach und allgemein Gruppen und Individuen gemeint haben, die ausserhalb der politischen und sozialen Gemeinschaft der Stadtstaaten lebten; sie konnten immer dann und überall dort auftreten, wo im Wesentlichen autonome Stadtstaaten kleine, sie umgebende Territorien beherrschten, wo aber mehr oder weniger grosse Randgebiete ausserhalb ihrer realen Machtsphäre lagen. *'Apiru* haben im Prinzip keine eigenen Städte besessen, ausser denen, die sie in Ausnahmefällen erobert hatten, aber der Name war dennoch nicht gleichbedeutend mit Landbevölkerung im Gegensatz zu Stadtbevölkerung, da es auch von den Städten beherrschte Landgebiete gab. *'Apiru* konnten sich von Kleinviehzucht ernähren, viele von ihnen waren wohl auch nicht völlig sesshaft, sondern folgten den Herden auf dem jährlichen Weidewechsel, andere waren aber auch sesshafte Ackerbauern. Dagegen sind sie kein von den Städten unterdrücktes Landarbeiterproletariat oder revoltierende Bauern gewesen, ihre Unabhängigkeit beruhte meistens nicht auf einem Ausschluss aus der Gemeinschaft der Städte oder darauf, dass sie selber aus derselben ausgetreten wären (im Gegensatz zu Mendenhall, *The Hebrew Conquest of Palestine*). Man muss vielmehr voraussetzen, dass sie im Prinzip von den Städten immer unabhängig waren. Manche scheinen auch wohlhabend gewesen zu sein und konnten mit den Städten als Ebenbürtige verhandeln. Viele waren aber natürlich arm und lebten vom Plündern oder liessen sich zu den Armeen der Stadtstaaten anwerben oder gerieten in Sklaverei. Vermutlich wurde das Wort *'apiru* ursprünglich von der Stadtbevölkerung gebraucht, um die unabhängig Lebenden zu bezeichnen, aber diese haben es auch von sich selber gebrauchen können, und zwar vor allem in ihrer Beziehung zu den Stadtstaaten. Da die Existenz einer *'apiru*-Bevölkerung im Grunde das Korrelat des Stadtstaatensystems ist, darf man voraussetzen, dass es in Syrien und Palästina von alters her autochtone *'apiru* gegeben hat, man muss aber in der Zeit zwischen 1400 und 1200 mit einer bedeutenden Einwanderung neuer Völkerschaften rechnen, die wahrscheinlich für die Entstehung Israels entscheidend war. Die neu eingewanderten Gruppen wurden dann natürlich auch *'apiru* genannt. Sobald sich diese *'apiru*-Bevölkerung verschiedenen Ursprungs zu Stämmen und Gruppen von Stämmen zusammengeschlossen hatte, konnte der Begriff sekundär — aber schon in einem frühen Stadium — im ethnischen Sinne gebraucht werden.

[13] Knudtzon, *Die El-Amarna-Tafeln*, n. 289, Zeile 22—24, hier nach Bottéro, n. 145 zitiert:
(I)La-ab-a-ia
ù mat Ša-ak-mi i-din-nu
a-na (LÚ. MEŠ) ḫa-bi-ri (KI)

Bottéro übersetzt: "Labaia a donné même le pays de Šakmi aux ḫabiru". E.F. Campbell, Jr. (in Wright, *Shechem,* Appendix II, *Shechem in the Amarna Archive,* S. 191—207) schlägt eine andere Übersetzung vor: „But it is at least as possible that the reading be understood 'to make Shechem into 'Apiru territory' /. . ./ that is to make it rebellious to the king (of Egypt)". Diese Übersetzung legt dem Begriff 'apiru nur die allgemeine Bedeutung „Rebell" bei, ohne primären Bezug auf eine bestimmte Bevölkerungsgruppe des Landes, eine Bedeutung, die er kaum in allen vorkommenden Zusammenhängen gehabt haben kann und die auch hier nicht wahrscheinlich sein dürfte, weil dem Wort ja auch ein Determinativ für Völker beigegeben ist.

[14] Texte und Deutungen bei Campbell, Jr., *Shechem in the Amarna Archive,* sh. die vorige Anm.

[15] Im Gegensatz zu Alt, *Kl. Schr. I,* S. 127, der von Sichem und Thirza, wohl ohne zureichende Begründung, behauptet, dass Manasse „diese Städte mit Land und Leuten in seinem Verband völlig eingegliedert hatte."

[16] Vgl. z.B. de Vaux, *Institutions* I, S. 17, der die allgemein anerkannte und wohl grundlegend richtige Definition gibt: "La tribu est un groupe autonome de familles qui considèrent qu'elles descendent d'un ancêtre unique." Die Definition Mendenhalls, *The Hebrew Conquest,* S. 70, die von der grundlegenden Bedeutung der ethnischen Verwandtschaft für den Begriff des Stammes absieht, ist kaum überzeugend, vgl. Weippert, *Die Landnahme der israelitischen Stämme,* S. 61.

[17] Zu Benjamin sh. das nächste Kap. Den Namen Ephraim leitet J. Heller, VT 12 (1962), 339ff, von einem Stamm '*pr* Gebiet, Territorium ab. Wenn diese Ableitung richtig ist, fällt damit die Hypothese, dass Ephraim ursprünglich ein Ort gewesen sei, vgl. u.a. Albright, AASOR 4 (1924) 124—133. Dann erlaubt die Bedeutung des Namens auch nicht den Schluss, das ursprüngliche Ephraim sei ein eng begrenztes Gebiet gewesen, und die Anwendung der Bezeichnung für das gesamte zentralpalästinensische Hochland sei als eine sekundäre Erweiterung der ursprünglichen Bedeutung des Namens entstanden (im Gegensatz zu Schunck, *Benjamin,* S. 15). Der umfassendere Gebrauch des Wortes ist der häufigste, vgl. Jos. **17**,15, **20**,7, **21**,21, Ri. 7,24, 1. Sam. **1**,1, 1. Kön. **4**,8, er kann sehr wohl der ursprüngliche gewesen sein, was u.a. auch Aharoni, *The Land of the Bible,* S. 193, Anm. 55, annimmt. Den Namen Juda leitet E. Lipinski, VT 23 (1973), 380, von einem in dem arab. *wahda,* „Ravine" belegten Stamm *whd* ab, nordwestsem. *yhd,* in der Form des Partizips: *'ereṣ yĕhudah* vgl. Am. 7,12. Zu den Stammesnamen sh. ferner Noth, *Geschichte,* S. 54—67, *Aufsätze I,* S. 361—363.

[18] Dass eine bedeutende Einwanderung neuer Völkerschaften in der Übergangszeit vom späten Bronzealter zur frühen Eisenzeit stattgefunden hat, ist kaum zu bezweifeln, und nur vor diesem Hintergrund lassen sich wohl die Traditionen der Wüstenwanderung und der Landnahme vollauf erklären. Insofern ist also die Kritik Weipperts, *Die Landnahme,* S. 102—123, und de Vaux', *Histoire,* S. 452 f berechtigt, die sie an Mendenhalls Theorie in *The Hebrew Conquest* üben. Diese Feststellung berührt aber die Frage nach dem Ursprung der eigentlichen Stammesorganisation nicht unmittelbar. Dass diese hauptsächlich im Kulturland Palästinas entstanden ist, behauptet nicht nur Mendenhall, sondern auch Alt und Noth, vgl. Weippert, *Die Landnahme,* S. 61, Anm. 1. Die letzteren rechnen aber trotzdem mit einer gewissen Kontinuität der Gruppenbildungen ausserhalb Palästinas und den später im Kulturland begründeten israelitischen Stämmen.

B. Die Rahelstämme

Gemäss A. Alt liegt den Kap. 2—9 des Josuabuches eine Sammlung ursprünglich freistehender „ätiologischer Lokalsagen" zugrunde, die alle mit dem Stammgebiet Benjamins verbunden sind.[1] Demnach würden diese Kapitel auf benjaminitische Sondertraditionen zurückgehen, die erst sekundär in einen weiteren erzählerischen Zusammenhang eingefügt und zur Darstellung der gemeinsamen Landnahme der Israeliten ausgebildet worden wären. Diese Hypothesen Alts hat vor allem M. Noth übernommen und näher entwickelt.[2] Er kam zu der Annahme, dass Benjamin eine besondere Einwanderergruppe mit eigenen Landnahmetraditionen gewesen sei. Der Stamm sei frühzeitig eingewandert und habe sich erst auf dem Boden Palästinas mit dem später einwandernden Haus Joseph zusammengeschlossen.[3]

Gegen die Theorie Alts und Noths von der benjaminitischen Sondertradition in Jos. 2—9 hat K.D. Schunck mehrere überzeugende Einwände erhoben.[4] Er weist vor allem auf die Schwierigkeit hin, den „Ephraimiten" Josua aus dem ursprünglichen Traditionsbestand dieser Kapitel herauszulösen. Gemäss Schunck liegt den ersten elf Kapiteln des Josuabuchs vielmehr eine den Stämmen Benjamin und Ephraim gemeinsame Landnahmetradition zugrunde: benjaminitische und ephraimitische Sippengruppen hätten sich schon vor dem Übergang über den Jordan zusammengeschlossen und wären unter der Führung Josuas ins Land eingedrungen. Schuncks Einwände gegen die Theorien Alts und Noths sind an sich zweifellos berechtigt. Die Hypothese Täublers vom ausserpalästinischen Ursprung des Stammes Ephraim, an die Schunck anknüpft, ist aber, wie gesagt, sehr unwahrscheinlich, ebenso wie seine eigenen analogen Annahmen über Benjamin schwach begründet sind: eines seiner Hauptargumente ist es, dass Rahel, die nach der Lage ihres Grabes auf benjaminitischem Boden zu urteilen, ursprünglich zur Tradition des Stammes Benjamin gehört habe, „eine Führergestalt jener halbnomadischen Sippen, die später den Stamm Benjamin bilden" gewesen sei.[5] Er betont allerdings, dass diese Annahme hypothetisch ist.

Betrachtet man nun Jos. 2—9 nicht mit Alt und Noth als benjaminitische Sondertradition, so bestehen wohl tatsächlich keine positiven Gründe mehr zu der Annahme, dass der Stamm Benjamin aus einer besonderen, einheitlichen Einwanderergruppe hervorgegangen sei. Der Name Benjamin an sich, dessen Bedeutung klar ist, deutet vielmehr eher darauf, dass man den Ursprung dieses Stammes nicht vor der Ansiedlung im Kulturland Palästina suchen darf. Der Name ist ethnisch-geographisch: aus einer älteren Form בן-‏ bzw. בני-ימיני ‚Sohn', bzw. ‚Söhne des Südens', hat sich der Stammesname בנימין entwickelt, der danach als Personenname auf den heros eponymos des Stammes übertragen wurde.[6] Natürlich besteht theoretisch die Möglichkeit, dass eine von aussen kommende Gruppe diesen Namen nach Palästina mitgebracht hat,[7] aber am wahrscheinlichsten ist es dennoch, dass er auf die

Verhältnisse im Kulturland zurückgeht, was auch Schunck und Noth einräumen.[8] Will man mit diesen beiden Forschern dennoch annehmen, dass die „Sippen, die sich unter diesem Namen zusammenschlossen, bereits eine längere, vor die Landnahme zurückgehende Geschichte hinter sich hatten, und zwar als eigenständige Gruppe"[9], so muss sich eine solche Annahme auf relativ starke Indizien gründen, die jedoch zu fehlen scheinen.

Von entscheidender Bedeutung ist es nun aber, dass der Name Benjamin, wenn er seinen Ursprung in Palästina hat — wofür die Wahrscheinlichkeit spricht — den Wohnplatz dieses Stammes im Verhältnis zu den beiden nördlichen Rahelstämmen, Ephraim und Manasse, angibt. Diese wurden also auch aus der Perspektive Benjamins von Anfang an als Hauptstämme aufgefasst, auf die sich der Name Benjamin bezieht. Daraus ist auch als wahrscheinlich zu folgern, dass Benjamin nie eine völlig eigenständige Gruppe war, sondern als organisierte Stammeseinheit im Rahmen der grösseren Gemeinschaft der Rahelstämme entstanden ist, was auf dem Boden Palästinas geschehen sein muss: Benjamin war vom Anfang seiner Existenz an der südliche der drei Rahelstämme.

Aber nicht nur die Bedeutung des Namens Benjamin spricht für die Richtigkeit dieser Annahme, sondern auch die Tradition von Rahels Grab, die der Erzählung von Benjamins Geburt und Rahels Tod, Gen. 35, 16—20, zugrunde liegt.[10] Es wird erzählt, dass Rahel kurz nach dem Aufbruch Jakobs von Bethel bei der Geburt Benjamins starb und begraben wurde. Demzufolge muss ihr Grab in der Nähe von Bethel gelegen haben: nach den Versen 16 und 19 ist es vermutlich an einem heute unbekannten Ort, Ephrat(a) zu lokalisieren;[11] Jer. 31,15 nennt Rahel im Zusammenhang mit Rama (Er-Ram), — irgendwo zwischen Bethel und Rama dürfte also ein Platz als Rahels Grab bezeichnet worden sein. Es ist unwahrscheinlich, dass man sich hier bereits auf benjaminitischem Boden befindet, weshalb Schuncks Annahme, die Rahelgestalt habe ursprünglich zur Sondertradition des Stammes Benjamin gehört, wahrscheinlich unbegründet ist. Bedeutsam ist es dagegen, dass das Grab in unmittelbarer Nähe der *Grenze* zwischen Joseph und Benjamin lag, was auch in 1. Sam. 10,2 ausdrücklich gesagt wird. Eine auffällige Analogie also zur Lage der Grabstätte Josephs an der Grenze zwischen den beiden Josephstämmen, und es ist naheliegend anzunehmen, dass Bethel, das vorisraelitische Luz, dieselbe Bedeutung bei der Grenzziehung zwischen Benjamin und den Josephstämmen hatte, wie es das kanaanäische Sichem vermutlich bei der Grenzziehung zwischen Ephraim und Manasse gehabt hat:[12] die Städte Kanaans mit ihrer nächsten Umgebung wirkten als Grenzbarrieren zwischen den Gebieten, in denen sich die neuen Stammeseinheiten bildeten, aber sobald sich die Einzelstämme miteinander zusammenschlossen, verlegte man die Zentren, in denen sich der Zusammenhalt und die Gemeinschaft der Stämme entwickelte, in die Nähe dieser Städte. Und da das Bewusstsein der Zusammengehörigkeit in der Einführung einer gemeinsamen Genealogie zum Ausdruck kam, verlegte man in die Nähe der gemeinsamen Zentren die Gräber jener Stammväter, durch welche die Verwandtschaft der betreffenden Stämme begründet war: das Grab Josephs zwischen Ephraim und Manasse, und das Grab Rahels zwischen Joseph und Benjamin in der Nähe von Luz-Bethel. Die Gleichförmigkeit dieser Grabtraditionen deutet darauf, dass sie gleichzeitig und im Zusammenhang mit der Konstituierung der Rahelstämme in Zentralpalästina und der Festlegung der Grenzen zwischen ihnen entstanden sind. Der wirkliche Hintergrund der Erzählung von Rahels Tod bei der Geburt Benjamins ist also vermutlich der ursprüngliche Zusammenhang, der zwischen der Entstehung des Stammes Benjamin und der Festlegung von Rahels Grab an der Grenze zwischen Benjamin und Joseph bestanden hat.

Wahrscheinlich dürfen wir daraus folgern, dass die Tradition von Rahel, wie die von Joseph, im Wesentlichen ihren Ursprung in der Aufstellung der Genealogie der zwölf Stämme hat, was übrigens mit grosser Sicherheit auch von den übrigen Stammüttern der Söhne Jakob-Israels gilt. Mit Recht betont Noth, ,,dass in der alttestamentlichen Überlieferung diese vier Frauen überhaupt nicht als ein selbständiges Traditionselement hervortreten; sie sind ausschliesslich um ihrer Söhne willen da.''[13] Sowohl der Vermutung Mowinckels, Rahel sei eine kanaanäische Fruchtbarkeitsgöttin gewesen,[14] als auch der schon erwähnten Hypothese Schuncks, sie sei eine ,,Führerin halbnomadischer Sippen'' gewesen, fehlt also der feste Grund. Schon der Name Rahel, ,,Mutterschaf'', mag darauf deuten, dass ihre Rolle als Stammutter vielmehr die ursprüngliche ist; Noth findet den Namen ,,für kindergebärende Frauen schlechthin nicht eben unpassend''; was man auch von dem Namen Lea, ,,Kuh'', sagen könnte.[15]

In der Geschichte von Rahels Tod und Begräbnis findet man wahrscheinlich noch eine nähere Andeutung dessen, was der Grabtradition zugrunde lag. Gemäss Gen. 35,20 errichtete Jakob eine *maṣṣēbah* auf dem Grab seiner Ehefrau, und der Erzähler setzt hinzu: ,,Das ist die *maṣṣēbah* von Rahels Grab bis auf diesen Tag.'' Eine solche Formulierung ist für ätiologische Aussagen typisch: der Erzähler bezieht sich auf einen zu seiner Zeit allgemein bekannten Gegenstand; seine Angabe, dass es an dem betreffenden Platz eine *maṣṣēbah* gab, ist also vermutlich durchaus zuverlässig. Dagegen ist seine Erklärung, diese *maṣṣēbah* sei ursprünglich ein Grabmal gewesen, wohl eher eine Konstruktion. Eine *maṣṣēbah* konnte zu sehr verschiedenen Zwecken errichtet werden: in Gen. 31,45, 51 f. ist von einer *maṣṣēbah* als Grenzstein die Rede; da Rahels Grab ursprünglich gerade mit der Grenze zwischen Joseph und Benjamin zu tun hatte, liegt die Annahme nahe, dass auch die in 35,20 erwähnte *maṣṣēbah* zunächst gerade ein Grenzstein war, die dann auch als Rahels Grab gedeutet wurde.

Wahrscheinlich hat es auch auf dem heiligen Platz bei Sichem eine *maṣṣēbah* gegeben. Sie wurde wahrscheinlich in dem ursprünglichen Text, Gen.

33,20 genannt, nach dem Joakob eine *maṣṣēbah* (und keinen Altar) errichtet und ihm den Namen אל אלהי ישראל gegeben hätte. Nach der Meinung Nielsens wäre es denkbar dass der Ausdruck אבן ישראל in der Segnung Josephs Gen. **49**,24, eine Anspielung auf diese *maṣṣēbah* in Sichem enthält.[16] Jedenfalls wird in Jos. **24**,26 ausdrücklich gesagt, dass Josua einen grossen Stein, אבן גדולה, unter dem Baum auf dem heiligen Platz bei Sichem aufrichtete. Natürlich können mehrere Traditionen und Deutungen mit einer und derselben *maṣṣēbah* verknüpft gewesen sein, und wahrscheinlich konnte diese wohl auch als ein Gedenkstein über Josephs Grab und zugleich als ein Grenzstein zwischen den beiden Josephstämmen interpretiert werden, was Nielsen vermutlich durchaus richtig annimmt.[17] Aus Jos. **24**,32 geht auf alle Fälle hervor, dass Josephs Grab in Sichem als eine förmliche Bestätigung dessen betrachtet wurde, dass den Josephstämmen gemeinsam ein Besitzrecht auf diesen heiligen Bezirk zukam. Das Grab und die *maṣṣēbah*, die als sein Kennzeichen galt, hatten also wie das Grab Rahels mit seiner *maṣṣēbah* eine territorialrechtliche Bedeutung.

Bei der Beurteilung der historischen und religiösen Traditionen Israels ist es zweifellos von Bedeutung, dass die meisten seiner frühsten Kult- und Traditionszentren nicht im Zentrum der einzelnen Stammesterritorien lagen, sondern nahe der Grenze zwischen denselben. Es waren also keine Heiligtümer der Einzelstämme, und die hier geschaffenen und entwickelten Traditionen berührten nicht in erster Linie die einzelnen Stämme, sondern ihre Gemeinschaft und ihre Verbindungen miteinander. Die besten Beispiele hierfür sind wohl Sichem und Bethel. In ihrer Eigenschaft als Hauptzentren der vereinigten Rahelstämme waren sie von Anfang an unauflöslich miteinander verbunden, und die ältesten israelitischen Traditionen, die hier entstanden, waren gemeinsame Traditionen der Rahelstämme, die aber offenbar von Anfang an auch gesamtisraelitisch ausgerichtet waren. Die Annahme, auf die z.B. Nielsen seine Argumentation weitgehend gründet, dass Sichem anfänglich ein spezifisches Kult- und Traditionszentrum Manasses und Bethel ephraimitisch gewesen sei, dürfte kaum begründet sein.

In unserem Zusammenhang ist noch ein dritter Ort bedeutungsvoll: Gilgal am Jordan. Vor allem Schunck hat die Bedeutung seiner geographischen Lage nachdrücklich hervorgehoben: der Ort liegt an dem Punkt, wo das Gebiet aller drei Rahelstämme zusammenstösst.[18] Was von Sichem und Bethel gilt, trifft also im höchsten Grade auch für Gilgal zu: seine Lage an der Grenze zwischen den Stämmen war signifikant. Schunck hat daraus auch mit Recht gefolgert, dass Gilgal niemals, wie es Alt und Noth behauptet haben, ein spezielles Heiligtum des Stammes Benjamin gewesen ist; die mit dem Ort verknüpften Traditionen waren vielmehr von Anfang an den drei Rahelstämmen gemeinsam. Nun ist Gilgal vor allem mit der Erzählung der Landnahme im Buch Josua verbunden: die „Israeliten" sollen dort nach dem Übergang über den Jordan ihren ersten Lagerplatz gehabt haben. Der Name Gilgal bezieht sich wahrscheinlich auf den Steinkreis, den es an diesem Ort gegeben hat. Nach der Erzählung liess Josua ihn aus Steinen errichten, die man aus dem trockenen Flussbett des Jordans geholt hatte, — einen Stein für jeden der zwölf Stämme, Jos. 3.[19] Dass die Angabe über die Herkunft der Steine kaum der historischen Wirklichkeit entspricht, braucht wohl kaum gesagt zu werden. Dagegen ist es glaubhaft, dass der Steinkreis zu Lebzeiten des Erzählers allgemein bekannt war, dass er also tatsächlich aus zwölf Steinen bestanden haben dürfte, wie es im Text heisst,[20] und dass er das Hauptmerkmal des Ortes war, nach seinem Namen zu urteilen.

Sonst weiss man nichts von dem ursprünglichen Gilgal. man hat keine Spuren gefunden und nicht einmal die genaue Lage des Ortes feststellen können.[21] Die Annahme, der Ort sei ein vorisraelitischer Kultplatz gewesen, lässt sich also kaum anders als durch die allgemeine Voraussetzung begründen, dass die Israeliten immer oder oftmals kanaanäische Kultplätze übernahmen, was man an sich in Frage stellen kann.[22] Andererseits ist es bemerkenswert, dass Gilgal in der ältesten literarischen Schicht der Landnahmeerzählung überhaupt nicht als Kultplatz, sondern nur als der erste Lagerplatz Josuas und der Israeliten im Westjordanland dargestellt wird.[23] Erst zu Zeiten Samuels, Sauls und Davids diente Gilgal mit Sicherheit als Kultplatz, was die Texte in 1. Sam. 7,16, **11**,15, **13**,7—15, **15**,12—23 und 2. Sam. 19,16,41 belegen. Es ist keineswegs undenkbar, dass Gilgal diese Funktion erst sekundär, auf Grund seiner ursprünglichen Bedeutung in den Traditionen von Josua und der Landnahme erhielt.

Diese Ausführungen mögen als Ausgangspunkt einer Überlegung über den wirklichen Ursprung des Steinkreises dienen. An sich ist es natürlich nicht undenkbar, dass er anfangs keinerlei Zusammenhang mit den zwölf Stämmen Israels hatte und erst durch eine sekundäre Ätiologie mit diesen in Verbindung gebracht wurde. Andererseits kann man aber darauf hinweisen, dass die Zahl der Steine wahrscheinlich gerade zwölf war, und ferner darauf, dass der Hinweis auf die Stämme Israels ein so wesentlicher Punkt für die Ätiologie der Steine ist, dass er aus dieser nicht ausgeschieden werden kann. Die Tatsache, dass die frühste erhaltene Tradition vom Ursprung Gilgals gesamtisraelitisch ist, und weder Spuren einer früheren benjamitischen Lokaltradition trägt, noch eine Andeutung enthält, dass der Ort in vorisraelitischer Zeit existiert hat, deutet darauf, dass das Heiligtum selbst erst zu einem Zeitpunkt angelegt wurde, als die Tradition von den zwölf Stämmen schon vorlag: die zwölf Steine, die es vermutlich an diesem Ort gegeben hat, können also wirklich von Anfang an auf die zwölf Stämme Israels bezogen gewesen sein. Natürlich liess Josuea sie nicht selber errichten, aber sie wurden sehr wahrscheinlich zu einem Zeitpunkt aufgestellt, als man begonnen hatte, von dem Übergang über den Jordan unter Josuas Führung zu erzählen. Der Steinkreis ist demnach von Anfang an ein Monument jenes Ereignisses gewesen, das der Tradition zufolge der Anfang der Existenz „Israels" auf dem Boden Palästinas war. Damit war auch die Voraussetzung zu Gilgals späterer Funktion als Kultplatz gegeben. Seine Lage am Treffpunkt der Territorien der drei Rahelstämme deutet darauf, dass zwischen der Grenzziehung der Rahelstämme und der Anlage des Steinkreises ein Zusammenhang besteht, analog dem zwischen der Grenzziehung und der Ortswahl für die Gräber Rahels und Josephs. So scheinen Sichem, Bethel und Gilgal ein einheitliches System von Orten dargestellt zu haben, mit denen die Rahelstämme ihre Traditionen verknüpften, Orte, die gewissermassen als Zeugnisse der den Stämmen gemeinsamen Traditionsentwicklung angelegt wurden. Unter diesen Voraussetzungen zeigt der Steinkreis von Gilgal, dass die ursprünglichen Traditionen der Rahelstämme von Anfang an auch Traditionen von den zwölf Stämmen Israels waren.

Besonders interessant ist es indessen, dass dieser Steinkreis einen Ort kennzeichnete, dem die Tradition eine entscheidende Bedeutung für die Existenz der Stämme im Westjordanland beimass. Dies hat sicher einen authentischen historischen Hintergrund: Gilgal ist ursprünglich mit der Einwanderung der Mose-Josuagruppe verknüpft gewesen, und man darf vermuten, dass diese Gruppe eine entscheidende Rolle bei der Organisation der Rahelstämme gespielt hat, wie auch für die Entstehung der gesamtisraelitischen Ideologie, nach der sich die Gemeinschaft der zwölf Stämme um die zentralen Rahelstämme gruppiert. Daraus ergibt sich wohl auch, dass die Landnahmeerzählung im Buch Josua, deren ersten Abschnitt, Kap. **1—8**, vom Weg der „Israeliten" in das Land hinein, *von Gilgal nach Sichem* handelt, die von der Tradition bedingte, organische Fortsetzung der Geschichte der Mosebücher und ihr Abschluss ist.

Anmerkungen zu Kap. III B

[1] *Josua.*

[2] Vor allem in *Das Buch Josua.*

[3] In *Stämme,* S. 37, Anm. 2, nahm Noth an, dass Benjamin schon im 15. Jahrhundert eingewandert sei. Diese Meinung hat er später zwar geändert, PJb 31 (1935), S. 15, aber an der allgemeinen Annahme, dass es sich bei Benjamin um eine besondere Einwanderergruppe gehandelt habe, hat er festgehalten, vgl. *Geschichte,* S. 72.

[4] *Benjamin,* vor allem S. 24—39. An Schunck knüpft hier u.a. de Vaux an, *Histoire,* S. 588, 617 f.

[5] *Benjamin,* S. 12; zur Lage von Rahels Grab im Stammgebiet von Benjamin vgl. auch S. 43 und Anm. 150.

[6] Sh. hierzu Schunck, *Benjamin,* S. 4 ff. Die in Texten aus Mari genannten Gruppen, deren Namen wahrscheinlich *banu-jamina* und *banu-sim'al,* söhne des Südens' bzw. ,Söhne des Nordens', zu lesen sind, haben nach der heutigen Auffassung keinerlei Zusammenhang mit dem israelitischen Stamm Benjamin, vgl. de Vaux, *Histoire,* S. 587 f.

[7] So J. Bright, *Early Israel,* S. 116.

[8] Schunck, *Benjamin,* S. 8, Noth, *Geschichte,* S. 62.

[9] Schunck, *ibid.,* vgl. Noth, *Geschichte,* S. 73, Anm. 2.

[10] Vgl. J. Muilenburg, *The Birth of Benjamin,* J.A. Soggin, *Die Geburt Benjamins.*

[11] De Vaux, *Histoire,* S. 588, hält die im heutigen Text vorliegende Gleichsetzung von Ephrata und Bethlehem für authentisch, was bedeuten würde, dass Jakob auf dem Weg nach Bethlehem war. Gegebenenfalls wäre dies das einzige Mal, dass ein Patriarch in der Genesis mit einem Ort im eigentlichen Juda in Verbindung gebracht wird, — schon aus diesem Grunde dürfte die Annahme unwahrscheinlich sein.

[12] Aufschlussreich ist die Beobachtung Alts, *Kl. Schr.* I, S. 134: „Lus lag genau so am äussersten Rand des Stammesgebiets von Ephraim wie Jerusalem im Verhältnis zu Juda und kann nur den nächstangrenzenden Teil von ihm beherrscht haben; es wäre daher durchaus vorstellbar und darf nach der Analogie von Juda wohl sogar als wahrscheinlicher bezeichnet werden, dass das Haus Joseph und speziell Ephraim seine ersten Sitze nördlich abseits von Lus gewann und erst später im Verlauf seiner Expansion so stark in den Bereich der Stadt übergriff, dass es zu Feindseligkeiten kam, die mit der Eroberung endeten."

[13] *Stämme,* S. 6.

[14] *Festschrift Eissfeldt II,* S. 133 f.

[15] *ÜP,* S. 103; vgl. *Stämme,* S. 28.

[16] Nielsen, *Shechem,* S. 130.

[17] *Shechem,* S. 126; Nielsen meint, der Stein könne als „a large-scale *kudurru*" gedient haben.

[18] Vgl. *Benjamin,* S. 44: „Gilgal und sein Heiligtum hätten somit in einer Dreistämme-Ecke gelegen, zwischen Benjamin, Ephraim und Manasse."

[19] Jos. 5,9 gibt zwar eine andere Erklärung für den Namen, wodurch er mit 5,3: הערלות גבעת in Verbindung gebracht wird. Täubler, *Bibl. St.,* S. 27, hebt im Anschluss an andere Forscher hervor, dass der Name Gilgal eher einen ,Steinhaufen' oder ,Geröll' bezeichnet, und dass in Jos. 4,19 f. vorausgesetzt wird, dass Gilgal schon existierte, als die Israeliten über den Jordan zogen. An Täubler schliesst sich Schunck an, *Benjamin,* S. 46, Anm. 165. Es ist jedoch nicht sicher, dass Jos. 5,1—9 zu dem ursprünglichen literarischen Bestand gehört, und Jos. 4,19 braucht nicht so gedeutet zu werden, dass der Ort schon vor dem Übergang der Israeliten über den Jordan unter dem Namen Gilgal bekannt war, der Text kann ebenso gut so verstanden werden, dass der Erzähler auf einen Platz, der seinen Zeitgenossen bekannt war, hinweist. Dass *gal/gilgal* ,Steinhaufen' bedeuten kann, ist zwar richtig, schliesst aber wohl kaum aus, dass das Wort auch von einem solchen Steinring gebraucht werden konnte, wie es Gilgal am Jordan gewesen sein dürfte, sh. z.B. de Vaux, *Histoire,* S. 556, sh. auch unten, Anm. 21.

[20] Wegen des ätiologischen Charakters der Aussage wird es natürlich nicht unmittelbar klar, ob der Zusammenhang der zwölf Steine mit den Stämmen Israels wirklich der ursprünglichen Bedeutung der Steine entspricht, eine Tatsache erscheint aber recht eindeutig: die Anzahl der Steine in Gilgal war wirklich zwölf; wäre das nicht der Fall gewesen, so würde die Ätiologie der Erzählung ganz undenkbar sein, sie hätte gar nicht entstehen können. Daher ist es unmöglich, z.B. mit Schunck, *Benjamin,* S. 46, Anm. 165, anzunehmen: „selbst die Zwölfzahl der Steine kann

spätere Ausweitung sein." Vgl. Noth, *Das Buch Josua*, S. 33, der die Zwölfzahl der Steine ebenfalls nicht für bewiesen hält, aber zugleich betont, dass die Tradition der zwölf Stämme eng und früh mit Gilgal verknüpft ist. J. Maier, *Das altisraelitische Ladeheiligtum*, S. 24, betont richtig, dass die Zwölfzahl der Steine in der Erzählung „durch die tatsächliche Anzahl der Steine von Gilgal" bedingt ist, während seine Annahme, *ibid.*, Anm. 159, dass die Zwölfzahl „wahrscheinlich auf astralen Vorstellungen beruhte", völlig unbegründet ist.

[21] Vgl. de Vaux, *Histoire*, S. 556: „Tous les efforts faits pour aboutir à une détermination plus précise n'ont abouti à rien et il est probablement vain de chercher les traces de ce Gilgal qui a certainement été à l'origine, et qui est probablement toujours resté, un sanctuaire à ciel ouvert: un cercle de pierres dressées, comme son nom l'indique."

[22] Fohrer, *Geschichte der israelitischen Religion*, S. 52, nimmt auf Grund von Ri. 3,19 an, dass Gilgal ein vorisraelitisches Stelenheiligtum war, das sekundär mit Josua und den zwölf Stämmen in Verbindung gebracht wurde. Die Begründung dieser Annahme ist kaum zureichend.

[23] Vgl. z.B. Nielsen, *Shechem*, S. 299: "Gilgal appears first and foremost as the 'camp' of Joshua." F. Langlamet, *Gilgal et les récits de la traversée du Jourdain*, unterscheidet (im Anschluss an E. Vogt, *Die Erzählung vom Jordanübergang*) eine älteste literarische Schicht als Glied eines grösseren erzählerishcen Zusammenhangs, die literarische Übereinstimmungen mit dem J des Pentateuchs aufweist: in dieser Erzählung steht Gilgal nicht als ein heiliger Ort da, sondern nur als das Lager der Israeliten an der Grenze des Gebiets von Jericho. Hier kommt auch die Bundeslade nicht vor. — Wie man auch den Versuch von H.-C. Kraus, die Erzählung vom Jordanübergang als eine Kultlegende zu deuten, sonst beurteilen mag, VT 1 (1951), 181—199, *Gottesdienst in Israel*, S. 179—187, so kann ein grundlegender Einwand gegen seine Theorie erhoben werden, und zwar der, dass sie sich auf eine ungenügende literarkritische Analyse von Jos. 3—5 gründet. Vgl. hierzu de Vaux, *Histoire*, S. 552—559, mit ausführlicher Bibliographie.

C. Die zwölf Stämme

1. Noths Theorie einer altisraelitischen „Amphiktyonie"

Für die neuere Diskussion der Vorstellung von den zwölf Stämmen Israels war Noths Theorie, dass die Stämme in vormonarchischer Zeit einen sakralen Bund mit Sichem und der dort wenigstens eine Zeitlang aufgestellten Bundeslade als zentralem Heiligtum gebildet hätten, von entscheidender Bedeutung.[1] Während man diese Theorie anfangs allgemein akzeptierte, wurde sie in späterer Zeit scharf kritisiert und von vielen Forschern ganz aufgegeben.[2] Einige ihrer Hauptpunkte müssen hier erneut geprüft werden.

Noth analysiert in erster Linie die Texte, in denen die israelitischen Stämme aufgezählt werden (S. 3—28). Die Zwölfzahl betrachtet er als Resultat einer bewussten Systematisierung, und also als ein fest geprägtes Element der Tradition. Die Texte lassen das Streben erkennen, die Zwölfzahl und in ihrem Rahmen die Sechszahl der Lea-Stämme konstant beizubehalten, trotz gewisser Variationen bei der Aufzählung der Stämme. Noth zieht auch Texte der Genesis heran, die auf das Vorkommen analoger Systeme von zwölf Stämmen bei mehreren Nachbarvölkern Israels deuten: Gen. **22**,20—24, **25**,13—16, **36**,10—14, — oder von sechs Stämmen: Gen. **25**,2 und vielleicht **36**,20—28 (S. 39 ff.). Auf Grund seiner Datierung der betreffenden Texte glaubt Noth feststellen zu können, dass das israelitische Zwölfstämmesystem *nach* der Ansiedlung der Stämme in Palästina, aber *vor* der Einführung der Monarchie entstanden sei (S. 28—39). Der nächste Schritt seiner Beweisführung besteht im Vergleich vor allem mit griechischen und italischen *Amphiktyonien,* deren Mitglieder relativ oft auch zwölf oder sechs Stämme gewesen zu sein scheinen (S. 39—60). Die Zahl zwölf oder sechs liesse sich vielleicht so erklären, dass die Stämme sich im Verlauf der zwölf Monate des Jahres beim Unterhalt des zentralen Heiligtums abgelöst haben (S. 85). Auf diesen Vergleich vor allem gründet er die Annahme, das vormonarchische Israel sei ebenfalls eine Amphiktyonie mit analog arbeitenden Institutionen gewesen (S. 59 f.).[3] Erst nach der Aufstellung seiner These, hauptsächlich auf Grund des vorgelegten Vergleichsmaterials, geht Noth dazu über, sie mit Hilfe der biblischen Texte, aber unter ständiger Heranziehung der ausserbiblischen Parallelen zu beleuchten (S. 60—121).

Die Entstehung der Amphiktyonie (S. 65—86) hätte sich so vollzogen, dass Josua als Führer des Hauses Joseph die im Lande bereits wohnhaften Leastämme zum Jahwekult verpflichtet hätte. Damit wäre der Bund vom Sinai, der ursprünglich nur das Haus Joseph oder Teile desselben umfasst hätte, auf alle zwölf Stämme Israels ausgedehnt worden; dies Ereignis sei der historische Hintergrund von Jos. **24**. Vor der Begründung des Zwölfstämmebundes wären jedoch die sechs Lea-Stämme schon in einer Amphiktyonie mit Sichem als Zentrum organisiert gewesen, welche Annahme sich vor allem auf die feste Tradition ihrer Sechszahl gründet (S. 74 f). Noth glaubt ferner, Indizien für eine südliche Amphiktyonie mit dem Zentrum in Mamre bei Hebron gefunden zu haben (S. 107 f).

In seinem Kapitel vom Leben der Amphiktyonie (S. 86—108) hebt Noth mit zahlreichen Hinweisen auf ausserbiblische Parallelen den sakralen Charakter des Stämmebundes hervor: es ist wesentlich, dass die Stämme um ein gemeinsames Zentralheiligtum organisiert waren, in dem man sich zu gemeinsamen kultischen Feiern versammelte. Bei der Gründung des alttestamentlichen Zwölfstämmebundes übernahm man den früher mit den sechs Lea-Stämmen verknüpften Namen Israel, und damit wurde Jahwe Israels Gott. Das eigentliche religiöse Zentrum dieses Israels wäre die mit der Wüstenwanderung verknüpfte Bundeslade gewesen, und obwohl diese in älteren Traditionen nie mit Sichem verknüpft wird, soll sie sich nach Noth dort befunden haben, ehe sie später nach Silo überführt worden sei. Bei dem jährlichen Hauptfest der Amphiktyonie wären die zwölf Stämme von einem Kollegium von zwölf Mitgliedern vertreten gewesen, die man als נשיאים bezeichnet hätte.[4] Im „Bundesbuch", Ex. 21—23, oder Teilen desselben, findet Noth ein „Amphiktyonenrecht".[5] Ausserdem ordneten sich die Stämme einem ungeschriebenen Gewohnheitsrecht unter. Wegen einer Übertretung der Rechtsnormen der Amphiktyonie kam es bei einer Gelegenheit zu einem heiligen Krieg der Stämme gegen Benjamin, Ri. 19—21; diese Kapitel schildern die Amphiktyonie in Aktion.[6]

Natürlich hat keiner der Kritiker Noths leugnen können, dass die Vorstellung von Israels zwölf Stämmen ein fest geprägtes Element der Tradition ist. Auch gibt es kaum stichhaltige Gründe zu bezweifeln, dass die Belege in der Genesis für analoge Systeme unter den Nachbarvölkern auf authentische, vom Zwölfstämmesystem Israels unabhängige Traditionen zurückgehen; da das Gegenteil nicht zu beweisen ist, sind sie als zuverlässig zu betrachten. Dagegen ist der Einwand wohl berechtigt, dass der Vergleich mit den Amphiktyonien der klassischen Antike eine allzu wichtige Rolle in der Beweisführung Noths spielt, und dass dieser Vergleich die Annahme ungenügend unterbaut, dass für das israelitische Zwölfstämmesystem eine tatsächlich vorhandene und gemeinsam handelnde Organisation vorauszusetzen ist. Die Vorstellung von Israel als einer festgefügten Einheit aus zwölf Stämmen kann sehr wohl eine rein theoretische Konstruktion ohne Wirklichkeitsunterlage in der sog. Richterzeit gewesen sein; man hat die Amphiktyoniehypothese im Hinblick darauf als unrealistisch betrachtet, dass die Stammesterritorien vor der Einführung der Monarchie durch die dazwischenliegenden Stadtstaaten voneinander getrennt und isoliert waren; man hat auch darauf hingewiesen, dass das Richterbuch hauptsächlich das Handeln der einzelnen Stämme auf eigene Faust oder in begrenzten Gruppen darstellt; man hat geltend gemacht, dass jene alttestamentlichen Texte, aus denen Noth seine Belege für die Institutionen, Ämter und das gemeinsame Handeln der Amphiktyonie bezieht, bei voraussetzungsloser Untersuchung keine zwingenden Beweise liefern; man hat an der Existenz eines allen Stämmen gemeinsamen, fungierenden Zentrums in vormonarchischer Zeit gezweifelt; schliesslich und vor allem hat man auch Noths Deutung des problematischen Kapitels Jos. 24 in Frage gestellt.

2. Der sichemitische Zwölfstämmekanon

Die Einwände gegen Noths Hypothese dürfen nicht ausser Acht gelassen werden. Historische Schlussfolgerungen über Israel hauptsächlich auf Grund von ausserbiblischem Vergleichsmaterial aus einer anderen Zeit und aus einem anderen Kulturkreis zu ziehen, ist natürlich an sich schon unbefugt. Ausserdem haben wir vielleicht so unsichere Kenntnisse von den Amphiktyonien der klassischen Antike, dass sich schon aus diesem Grunde schwerlich signifikante Parallelen nachweisen lassen.[7] Die Frage, ob in vormonarchischer Zeit eine fest organisierte Gemeinschaft der israelitischen Stämme bestanden hat oder wenigstens irgendwo bewusst angestrebt worden ist, muss also in erster Linie auf Grund des biblischen Materials entschieden werden, und man sollte wohl vorsichtshalber das Wort Amphiktyonie im Zusammenhang mit Israel vermeiden.

Will man diese Frage nun von neuen Ausgangspunkten aus angreifen, so tritt wiederum das Zwölfstämmesystem als solches in den Vordergrund. Noths grundlegende Beobachtung, dass dies ein fest geprägtes Element der Tradition ist, behält ihre Richtigkeit, wie man auch seine genaueren Analysen der verschiedenen Aufzählungen der Stämme und die daraus gezogenen Schlussfolgerungen beurteilen mag. Wir können daher die Probleme der Traditionsgeschichte des Zwölfstämmesystems nicht umgehen: wann und wo ist die *Vorstellung* eines geeinten, aus zwölf Stämmen bestehenden Israel entstanden, was sind die historischen Voraussetzungen und die Auswirkungen dieser Vorstellung? Die Forscher, die Noths Theorie ablehnen, haben kaum glaubwürdigere Alternativen zur Beantwortung dieser Fragen vorlegen können.[8] Gleichwohl gehören sie zu den Grundfragen der Geschichte Israels, die beantwortet werden müssen, ehe man weitere Vermutungen über die israelitischen Stämme in vormonarchischer Zeit anstellt.

Wir müssen also nochmals die Belege der Bibel über das Zwölfstämmesystem studieren, vor allem die verschiedenen Aufzählungen der Stämme Israels, bzw. ihrer Stammväter. Dabei kann man aber kaum umhin, auch jene Texte heranzuziehen, die eindeutig das Zwölfstämmesystem voraussetzen: in erster Linie die Josephsgeschichte, Gen. 37—50, die wir schon berührt haben, und den Abschnitt des Buches Josua über die Verteilung des Landes, Jos. 13—21. Im Pentateuch und im Josuabuch spielt aber die Vorstellung von den zwölf Stämmen Israels durchgehend eine so zentrale Rolle, und sie wird dort so programmatisch hervorgehoben, wie sonst nirgends in der biblischen Literatur. Sie ist also eines der Bänder, die den Hexateuch als Einheit zusammenhalten, weshalb die Annahme nahe liegt, dass die Tradition der zwölf

Stämme denselben lokalen Ursprung hat wie die Grunderzählung des Hexateuchs. Da viele Indizien darauf deuten, dass dies Erzählungswerk in Sichem entstanden ist, gehört die Tradition von den zwölf Stämmen wahrscheinlich auch hierher. Sie dürfte dann in einer Zeit entstanden sein, als Sichem Zentrum gesamtisraelitischer Bestrebungen, wenn wir es so ausdrücken dürfen, war, d.h. also wohl, ehe Jerusalem die Hauptstadt des Königreichs Davids wurde.

Es scheint, als liesse sich diese Annahme auf Grund einer erneuten Analyse der verschiedenen Aufzählungen der Stämme, von denen Noth ausging, verifizieren. Noth teilte diese in zwei Gruppen ein: in der einen steht Levi an dritter Stelle unter den Stämmen, in der anderen fehlt Levi, und man erhält die Zahl zwölf dadurch, dass man Ephraim und Manasse als zwei Stämme zählt. In der letzteren Gruppe tritt mehrfach Gad statt Levis an die dritte Stelle.

Aus diesen Beobachtungen zieht Noth weitgehende historische Folgerungen. Da Levi, Gen. **29**,34, nach Simeon als Sohn Leas genannt wird und er ausserdem in Gen. **34**,25f, 30 und in **49**,5—7 wie die übrigen Stämme als ein profaner Stamm auftritt, nimmt Noth an, dass Levi ursprünglich sowohl zum Sechsstämmesystem der Leasöhne als auch zum gesamtisraelitischen Zwölfstämmesystem gehört hat. Die ältesten Texte wären demnach die, welche Levi an dritter Stelle unter den Stämmen aufführen. Da Simeon und Levi gemeinsam eine Rolle in der Geschichte von Dina und Sichem, Gen. **34**, spielen, nimmt Noth im Anschluss an frühere Forscher ferner an, dass diese beiden Stämme ursprünglich in Zentralpalästina beheimatet waren, woraus ferner hervorginge, dass die Leastämme ursprünglich ein zusammenhängendes Gebiet von Ruben und Juda im Süden bis Issachar und Sebulon im Norden bewohnt hätten; als das Haus Joseph nach Zentralpalästina eindrang, hätte dieser Stamm das ehemalige Gebiet Simeons und Levis in diesem Landesteil besetzt und damit die Leastämme in eine nördliche und eine südliche Gruppe getrennt.

Die Auslassung Levis in der zweiten Gruppe der Aufzählungen erklärt Noth historisch, und zwar mit dem vollständigen Untergang des „weltlichen" Stammes Levi zu einem frühen Zeitpunkt, da schon die Traditionen des Richterbuches diesen Stamm nicht mehr zu kennen scheinen. Das Verschwinden Levis hätte zwei weitere historische Folgen gehabt: die Teilung des Hauses Joseph in zwei Stämme, um die Zwölfzahl zu bewahren, und die Einführung von Gad an Stelle von Levi, um die Zahl der sechs Leastämme beizubehalten. Dies alles sei in einer frühen Periode der vormonarchischen Zeit eingetroffen, und Noth meint auch nachweisen zu können, dass die Texte, die Levi auslassen, auf alte Tradition zurückgehen, obwohl sie literarisch zur P-Schicht gehören.[9]

Diese Schlussfolgerungen lassen sich kaum genügend mit Hilfe der herangezogenen Texte begründen. Erstens berechtigen sie nicht zu dem Schlusssatz, dass der in Gen. **34** und **49**,5—7, genannte weltliche Stamm Levi früh untergegangen sei und keinerlei Verbindung mit den aus den späteren Traditionen bekannten Leviten habe. Vielmehr ist es wahrscheinlich, dass es zur Zeit der Zusammenstellung des Zwölfstämmesystems Sippen und Familien gab, die sich als Abkömmlinge des Eponyms Levi betrachteten, und dass es auch Mitglieder dieser Sippen und Familien waren, welche die priesterlichen und sakralen Funktionen ausübten, wie sie vor allem aus späterer Zeit bekannt sind; dies kann man sagen, ohne zum historischen Ursprung des Stammes Levi Stellung zu nehmen: ob er zunächst ein profaner Stamm war, dessen Mitglieder allmählich das ausschliessliche Anrecht auf sakrale Funktionen erlangt hätten, oder ob die Leviten ursprünglich Kultdiener waren, und sich sekundär als Stamm auffassten, der in das israelitische Stammessystem eingeordnet wurde. Eine Auseinandersetzung mit dieser Frage würde hier zu weit führen;[10] dagegen werden wir später auf die Frage zurückkommen, warum Levi in manchen Aufzählungen der zwölf Stämme ausgelassen wird. Schon hier sei aber gesagt, dass Noths Folgerungen aus dieser Auslassung zweifelhaft erscheinen. Nichts deutet darauf, dass die Ursachen des Fehlens Levis auf seinem angestammten Platz in diesen Aufzählungen weiter zurückliegen als die literarische Gestaltung der Texte oder vielleicht ihre Bearbeitung; offenbar hängt es mit der Absicht des P-Verfassers zusammen, die Sonderstellung Levis unter den Stämmen bei der Aufzählung hervorzuheben. Um unter Ausschluss Levis, aber *mit Levi im Zentrum* die Zahl zwölf zu erhalten, hat er Ephraim und Manasse als zwei Stämme gezählt, was ausschliesslich seiner eigenen, rein spekulativen Systematisierung entspricht. Unter dieser Voraussetzung gibt es keinerlei Belege dafür, dass Levi im eigentlichen Zwölfstämmesystem gefehlt hätte, vielmehr ergibt sich aus allen Texten, dass Levi immer und unveränderlich als einer der zwölf Stämme Israels gezählt wurde, ganz abgesehen von seiner besonderen Geschichte und seiner Sonderstellung in verschiedener Hinsicht. Daraus folgt auch, dass es nie ein reales Bedürfnis gab, Levi im Zwölfstämmesystem zu ersetzen, und dass die Einteilung des Hauses Joseph in Ephraim und Manasse ganz andere historische Ursachen als das angebliche Verschwinden Levis hatte, was übrigens schon aus unseren Darlegungen über die Josephstämme hervorgegangen sein dürfte.

Die älteste und eigentlich einzige Form des israelitischen Stämmesystems führt also Levi an dritter Stelle auf. Als die beiden ältesten Texte, in denen die Namen der zwölf Stämme aufgezählt werden, betrachtet man allgemein die Erzählung von der Geburt der Söhne Jakobs, Gen. **29**,31—**30**,24, ergänzt in **35**,16—20, und Jakobs Segnung seiner Söhne, Gen. **49**,2—27. Die Reihenfolge der beiden Texte ist etwas verschieden, Noth glaubt, dass Gen. **49** einer ursprünglicheren Ordnung folgt, da dieser Text von Anfang an freistehend war, während die Ordnung der Erzählung von der Geburt der Söhne Jakobs ganz vom Zusammenhang der Erzählung abhängig ist, weshalb man annehmen kann, dass sie eine aus der literarischen Gestaltung des Textes sich ergebende künstliche Reihenfolge darstellt. Die Zusammenstellung der Segnungen Jakobs datiert Noth wahrscheinlich richtig auf die Zeit Davids oder Salomos, aber die Reihenfolge der Söhne war hier nach Noth schon früher festgelegt worden.

Natürlich ist es eine bedeutsame Beobachtung, dass Gen. 29,31—30,24 ganz vom literarischen Zusammenhang abhängig ist, doch ist die Folgerung, dass der Text aus diesem Grunde keinen selbständigen Informationswert habe, übereilt. Noth hat dem Ordnungsprinzip, das der Erzählung von der Geburt der Söhne Jakobs zugrunde liegt, nicht genug Gewicht beigemessen. Dies ist ganz im Gegenteil äusserst aufschlussreich und muss zu dem Schluss führen, dass dieser Text das ursprüngliche System der zwölf Stämme enthält. Die folgende Aufstellung der Namen der zwölf Stämme in der Reihenfolge von Gen. 29—30 bzw. Gen. 49 dürfte den Vergleich erleichtern:

Form A (Gen. 29,31–30,24)				Form B (Gen. 49,2–27)		
Süd-gruppe	Ruben Simeon Levi	Osten Westen	Peripherie	Lea	Ruben Simeon Levi Juda Sebulon Issachar	
	Juda		an die zentr. Gruppe grenzend			
Nord-gruppe	Dan Naphtail Gad Asser	Norden Osten Western	Peripherie	Mägde	Dan Gad Asser Naphthali	Bilha Silpa Bilha
	Issachar Sebulon	Osten Westen	an d. zentr. Gr. grenzend	Rahel	Joseph Benjamin	
Zentrale Gruppe	Josef Benjamin (Gen. 35,16–20)					

Zunächst einige Bemerkungen zu Gen. 29—30. Der Text enthält gewisse literarkritische Probleme, die jedoch mit der Reihenfolge der Geburt der Söhne nichts zu tun haben, sodass wir sie in diesem Zusammenhang nicht zu beachten brauchen. Leas Tochter Dina, Gen. 30,21, wurde natürlich nicht als Stammeseponym aufgefasst;[11] sie wird hier nur in Vorbereitung der Geschichte von Gen. 34 erwähnt. Nach der Geburt Josephs wird von Benjamin in Kap. 30 nichts gesagt, von ihm ist in Gen. 35, 16—20 die Rede, und dass diese Disposition der Erzählung von der Geburt der Söhne die einzige ist, die je bestanden hat, lässt sich aus unseren obigen Ausführungen über den Grund erschliessen, weshalb Benjamins Geburt und Rahels Tod mit Jakobs Ankunft an der Grenze zwischen Joseph und Benjamin in Zusammenhang gebracht werden.[12] Es besteht also kein Grund zu der Annahme, dass Benjamin in irgendeiner Fassung direkt im Anschluss an Josephs Geburt genannt worden wäre, ebensowenig wie das Fehlen Benjamins am Ende von Kap. **30** ein Indiz dafür ist, dass Joseph in einer älteren Tradition der jüngste Sohn Jakobs gewesen wäre; übrigens gibt auch die Josephsgeschichte keinen wirklichen Anhaltspunkt für eine solche Annahme.[13]

Es erweist sich nun, dass die ,,chronologische'' Ordnung, in der die Geburt der Söhne genannt wird, sich auf ein *stammesgeographisches* Prinzip gründet, das von der zentralen Lage der Rahelstämme ausgeht. Im Verhältnis zu diesen werden die übrigen Stämme in eine nördliche und eine südliche Gruppe eingeteilt. Diesen werden auch die beiden Ostjordanstämme, Ruben und Gad — vielleicht nicht ganz folgerichtig — zugeordnet, der südlichere der Südgruppe, der nördlichere der Nordgruppe. Dass Levi, der zu Zeiten sowohl im Norden als auch im Süden verbreitet war, der Südgruppe zugeordnet wird, ist sicher darin begründet, dass dieser Stamm, wie Simeon, ursprünglich im südlichsten Palästina ansässig war.[14] Die Annahme, dass die beiden Stämme ursprünglich nach Zentralpalästina gehören, gründet sich nur auf ihre kurze Erwähnung in Gen. **34**, von der man nachgewiesen hat, dass sie in diesem Zusammenhang sekundär ist.[15] Wahrscheinlich darf man daraus schliessen, dass ihr auch der Rückhalt in der historischen Wirklichkeit fehlt, womit das einzige Textargument wegfällt, das man für die Verknüpfung von Simeon und Levi mit Zentralpalästina hat anführen können.[16]

Sowohl in der südlichen als auch in der nördlichen Gruppe sind die Stämme so geordnet, dass die in der Peripherie wohnenden zuerst genannt werden und danach die zentraler siedelnden, die zugleich als die vornehmsten Stämme ihrer Gruppe aufgefasst zu werden scheinen: dem Stamm Juda im Süden entsprechen im Norden Issachar und Sebulon, die hier die einzigen Leastämme sind. Dass die zentraleren Stämme zuletzt genannt werden und damit zugleich einen höheren Rangplatz erhalten, entspricht der Gesamtdisposition, in der die Rahelstämme am Ende stehen; dass diese Stämme, deren Stammväter also die jüngsten unter den Brüdern sind, zugleich als die vornehmsten betrachtet werden, geht sowohl aus der Geschichte Jakobs, in der Rahel als Lieblingsfrau dargestellt wird, als auch aus der Josephsgeschichte hervor, deren Hauptthema die Erhöhung Josephs ist und in der auch Benjamin eine Sonderstellung zukommt. Im übrigen sei darauf hingewiesen, dass die Aufzählung der Stämme sich nach Möglichkeit von Osten nach Westen bewegt.

Indem die Aufzählung in erster Linie von der Peripherie zum Zentrum geht, ist sie also auf die Rahelstämme, und damit auch auf ihr gemeinsames Hauptzentrum im Mittelpunkt des Landes: Sichem ausgerichtet. Mit grösster Wahrscheinlichkeit ist dies die ursprüngliche Reihenfolge, von der alle

Varianten mehr oder weniger direkt abhängig sind. Es ist wohl kein Zufall, dass diese Reihenfolge in einem Text vorgelegt wird, der eine direkte Funktion des grösseren erzählerischen Zusammenhangs ist, der auch nach dem Ausweis vieler anderer Indizien seine ursprüngliche literarische Gestalt gerade in Sichem erhielt. Die Erzählung von der Geburt der Söhne Jakobs folgt einer Ordnung, die man mit gutem Grund als *den sichemitischen oder klassischen Zwölfstämmekanon* bezeichnen kann.

Sichere Spuren von Vorstadien dieses Stämmesystems lassen sich nicht wahrnehmen. Die Sechszahl der Leastämme hat kaum ältere Ahnen als die Zwölfzahl. Die Leastämme sind wohl erst im Rahmen des Zwölfstämmesystems zu einer besonderen Gruppe zusammengefasst worden. Noth selber nimmt an, dass ihre Zusammenfassung als Leasöhne gleichzeitig mit der Formulierung der Genealogie der zwölf Stämme geschehen sei. Da nichts darauf deutet, dass Simeon und Levi ursprünglich mit Zentralpalästina verknüpft waren, können die in eine nördliche und eine südliche Gruppe aufgeteilten Leastämme kaum einen eigenen Stämmebund gebildet haben: die einzig logische Erklärung ihrer Aufteilung auf den Norden und den Süden ist viel mehr die, dass *die Leastämme von Anfang an eine auf die zentralen Rahelstämme ausgerichtete Gruppe des Zwölfstämmesystems dargestellt haben.* Wenn um Hebron ein Bund südpalästinischer Stämme bestanden hat, kann dieser kaum als ein Vorgänger des zentralpalästinischen Zwölfstämmebundes betrachtet werden.

3. Das Zwölfstämmesystem in Josua 13—21

Unter den übrigen Texten, die für die Probleme des Ursprungs des Zwölfstämmesystems und seiner eventuellen sekundären Veränderungen von Bedeutung sind, kommt dem Abschnitt von der Landverteilung im Buch Josua, Kap. 13—21, ein wichtiger Platz zu.[17]

In seiner heutigen Gestalt baut dieser Abschnitt offensichtlich auf die Vorstellung eines geeinten, aus zwölf Stämmen bestehenden Israel, das im Prinzip Besitzrecht auf das ganze Land Kanaan hat. Da es sich um *ein* Volk handelt, erhebt es auch Anspruch auf ein einheitliches, zusammenhängendes Territorium: die äusseren Grenzen desselben werden ziemlich klar definiert und es wird lückenlos verteilt, sodass alle Stämme zu ihrem Recht kommen. Indessen fragt es sich nun, wann die Beschreibung der Ansiedlung der Stämme von dieser Vorstellung geprägt worden ist und ob sie sich eventuell auf ältere schriftliche Dokumente gründet, die nicht an das Zwölfstämmesystem gebunden waren.

Alt[18] nimmt an, dass Jos. 13—19 erst durch eine späte Bearbeitung dem Zwölfstämmesystem angepasst worden sei, und dass der Abschnitt sich hauptsächlich auf zwei ältere Dokumente gründe, die nicht an die Zwölfzahl der Stämme gebunden waren: das eine beschreibe ein System der Stammesgrenzen, das sachlich aus der späten vormonarchischen Zeit stamme und in dem ausser den Ostjordanstämmen und Levi auch Simeon, Dan und Issachar gefehlt hätten; das andere sei ein Verzeichnis von Orten im Reiche Juda, das die Einteilung des Reiches in Gaue unter Josia zur Voraussetzung habe. Noth schliesst sich mit gewissen Abweichungen an Alt an.[19] Er nimmt an, dass das älteste Dokument eine einfache Liste von Grenzfixpunkten gewesen sei, die erst sekundär durch die Einfügung verbindender Verben zu einem beschreibenden Text erweitert und die zugleich durch die Ortsliste Josias ergänzt worden sei, aus der u.a. der Stoff zur Ausfüllung der traditionellen Zwölfzahl der Stämme stamme. Alt und Noth setzen jedoch beide voraus, dass das Zwölfstämmesystem aus einer früheren Epoche als aus der stammt, die das angenommene älteste Stammgrenzendokument widerspiegelt: in diesem wird also kein Vorstadium des Zwölfstämmesystems beschrieben, sondern eine spätere Phase, in der man mit einer Anzahl von Stämmen, die ursprünglich dazugehört hatten, praktisch nicht mehr rechnete.

Nun lässt der Stoff der Kap. **13—21** zwar mit grosser Wahrscheinlichkeit darauf schliessen, dass er in einem frühen Stadium niedergeschrieben worden ist; dass das hier beschriebene Grenzsystem im Wesentlichen in vormonarchischer Zeit fixiert worden war und sich nicht auf die Einteilung der frühmonarchischen Verwaltung zurückführen lässt, hat Alt mit einer Reihe von Argumenten gezeigt, die der bisherigen Kritik letzten Endes standgehalten haben. Es ist aber fraglich, ob der vorliegende Text der betreffenden Kapitel Anhaltspunkte für eine so bestimmte Identifikation und genaue Beschreibung der diesem zugrundeliegenden Quellenschriften gibt, wie Alt und Noth geltend gemacht haben.[20] Ihrer Annahme liegt die Beobachtung zugrunde, dass manche Stämme in Textabschnitten behandelt werden, die literarisch und sachlich von einem sonst ziemlich gleichartigen Schema abweichen: die Grenzbeschreibungen sind in diesen Abschnitten summarisch und ungenau, oder sie werden teilweise oder vollständig durch eine Aufzählung von Orten ersetzt. Nach Alt werden diese Abweichungen ,,besser verständlich, wenn es sich dabei um redaktionelle Operationen an einer gegebenen Vorlage handelt, als unter der Voraussetzung, dass er [=der Redaktor] hier in der Gestaltung eines erst von ihm selbst geschaffenen Werkes plötzlich anders verfahre als zuvor." (S. 194.)

Nun fragt es sich allerdings, ob die wahrgenommenen Variationen in den vorliegenden Texten durch die Annahme eines früher vorliegenden Dokuments wirklich erklärt werden: eigentlich verschiebt man das Problem nur, denn jetzt erhebt sich die Frage, weshalb in dem ,,Dokument" gewisse Stämme fehlen, die man in ihm zu finden erwartet hätte. Darauf muss man höchstwahrscheinlich antworten, dass dies auf den tatsächlichen Verhältnissen beruht, die zur Zeit der Niederschrift herrschten. Solche führt Alt auch an, z.B. ,,das Zurücksinken Simeons in den äussersten Süden, die Verhinderung Dans am Sesshaftwerden in der Gegend zwischen Ajalon und Beth-Semes, die Beugung Issachars unter die Herren der Stadtstaaten an der Ebene von Megiddo." (S. 198) Dann muss man aber im Prinzip ebenfalls annehmen dürfen, dass der Verfasser "eines erst von ihm selbst geschaffenen Werkes" bei der Beschreibung der Ansiedlung gewisser Stämme plötzlich anders verfährt als zuvor, wenn nämlich die tatsächlichen Verhältnisse hierzu Anlass geben. Die Variation in der Darstellung kann durch viele Umstände verursacht worden sein: gewisse Stammgrenzen können lange fliessend oder umstritten gewesen sein, was eine ungenaue oder summarische Beschreibung zur Folge hatte; andere Grenzen können sich geändert haben, was nachträgliche Veränderungen der Grenzbeschreibung veranlasst hat; wieder andere Grenzen mögen den Schreiber mehr interessiert haben als andere, wenn er z.B. bei mehr oder weniger aktuellen Grenzstreitigkeiten Partei ergriff, weshalb er sie extra genau beschrieben hat; einige Stämme hatten ganz einfach kein zusammenhängendes Territorium, sondern bewohnten nur gewisse verstreute Orte wie Simeon und Levi, vielleicht zu einer Zeit auch Ruben. Stammgrenzen und Siedlungsgebiete liessen sich also niemals völlig gleichartig für alle Gebiete beschreiben.

Aufschlussreich ist in dieser Hinsicht der Abschnitt über Simeon, Jos. **19**,2—8, wo es heisst, dass der Stamm sein Erbe „inmitten des Erbteils von Juda" erhielt und hernach einige Orte aufgezählt werden. Eine teilweise parallele Aufzählung enthält Jos. **15**,21—32, die nach Alt und Noth aus der den Gau von Beerseba umfassenden Ortsliste Josias stammen soll. Die beiden Forscher zogen hieraus aber verschiedene Schlüsse: Alt meinte, dass die Gaueinteilung dem alten Stammgrenzensystem gefolgt sei, sodass der Gau von Beer Seba, Jos. **15**,21 ff. im wesentlichen „dem alten Siedlungsgebiet des Stammes Simeon, **19**,2ff." entsprochen habe.[21] Noth meint umgekehrt, dass Jos. **19**,2ff. „nur ein Auszug aus der Ortsliste des ersten josianischen Gaus (**15**,21ff.)" sei, und er folgert daraus: „Eine alte Überlieferung über ein bestimmtes Gebiet des Stammes Simeon lag dem Bearbeiter also überhaupt nicht vor."[22] Beide Annahmen sind tatsächlich ungewiss und stützen sich auf unsichere Prämissen: es ist durchaus nicht sicher, dass Jos. **15**,21 ff. einen Gau von Beer Seba darstellt; die Übereinstimmung dieses Textes mit Jos. **19**,2 ff. ist durchaus nicht vollständig; wenn **19**,2 wirklich eine authentische Tradition über Simeon wiedergibt, wie Alt wohl mit Recht voraussetzt, so besteht kein Grund zu einer anderen Annahme als der, dass der Text auch in literarischer Hinsicht alt ist und dass er von Anfang an zur vollständigen Beschreibung der Siedlung der Stämme gehört hat.

Ähnliche Gesichtspunkte sind zur Liste über die Städte der Leviten anzuführen, Jos. **21**,1—42, obwohl man bei diesem Kapitel vielleicht mehr Grund zu der Annahme hat, dass es eine ursprünglichere Textgestalt als die vorliegende gegeben hat, und dass diese von einer redaktionellen Bearbeitung zeugt. Zunächst ist zu sagen, dass ein Dokument von der Art des Kap. **21** kaum als eine rein theoretische Urkunde zustande gekommen sein kann, wir müssen vielmehr annehmen, dass es weitgehend über tatsächliche Siedlungs-verhältnisse informiert. Daraus folgt die Frage, wann diese entstanden sein können und aktuell waren. In seiner heutigen Gestalt gibt das Kapitel ein Bild von den im Lande verstreuten Leviten und es setzt wahrscheinlich ihre bereits relativ weitgehende Spezialisierung auf sakralem Gebiet voraus.[23] Levis Sonderstellung in diesen beiden Hinsichten führte ausserdem zu der Disposition der Kap. 13—21 mit Levi an letzter Stelle unter den Stämmen. Freilich braucht diese Disposition keinen ursprünglichen Zusammenhang mit den aus späterer Redaktion stammenden Abschnitten zu haben, in denen das Fehlen eines eigenen Territoriums für Levi dadurch motiviert wird, dass diesem Stamm die kultischen Funktionen vorbehalten waren, 13,14,33, 18,7; die Sonderstellung der Leviten, derentwegen sie an die letzte Stelle in Jos. 13—21 traten, ist tatsächlich schon in vormonarchischer Zeit belegt. Wie es konkret bei der Zerstreuung der Leviten im Lande und ihrer damit wohl zu-sammenhängenden sakralen Spezialisierung zugegangen sein mag, davon gibt Ri. 17—18 eine Andeutung: hier wird erzählt, wie ein Levit, der in Beth-lehem inmitten eines der Geschlechter Judas lebt, aufbricht, um einen neuen Wohnort zu finden. Aus welchem Grunde er wegzieht, wird nicht klar, viel-leicht liegt er ganz einfach in seinem Status als Fremdling, denn im judäis-chen Sippengebiet, d.h. im eigentlichen Juda, hatten die Leviten kein an-erkanntes Heimatrecht. Unser Levit wird als Priester in einem Familienhei-ligtum angestellt, um schliesslich als Priester der Daniten hoch im Norden zu landen.

Der Text von Jos. 21 besagt andererseits nicht, dass die dort aufgezählten levitischen Städte ganz oder überwiegend von Leviten bewohnt waren, es geht nur aus ihm hervor, dass grössere oder kleinere Gruppen von Leviten in diesen Städten oder ihrer Umgebung gewohnt haben müssen, und dass sie dort wirklich Heimatrecht erhalten hatten; vermutlich ist es ihnen formell bei einer Versammlung von Vertretern sämtlicher Stämme zuerkannt worden (vgl. V. 1f., in dem jedoch die Erwähnung des Priesters Eleasar und Silos sekundär ist), vielleicht mit Ausnahme von Juda, in dessen zentralem Territo-rium merkwürdigerweise keine Levitenstädte vorkommen.[24] Die Leviten sollten also nicht mehr als Fremdlinge im Lande zu betrachten sein, anderer-seits haben sie wahrscheinlich kein Grundbesitz gehabt, vgl. V. 12, sondern nur das Recht gehabt, ihre Viehherden auf allgemeinem Weideland grasen zu lassen. Insofern haben sich ihre Siedlungsverhältnisse von denen aller übrigen Stämme, auch von denen Simeons unterschieden. Da Kapitel 21 je-doch wahrscheinlich auch Belege für die ursprüngliche Beheimatung Levis im südlichsten Palästina gibt, wofür auch noch mehrere andere Indizien sprechen,[25] darf man annehmen, dass die Leviten dort ursprünglich unter etwa denselben Bedingungen wie die anderen Stämme gelebt haben.

Viele Forscher nehmen an, dass Jos. 21 auf eine literarische Vorlage zurückgeht, die sich auf die Zeit der geeinten Monarchie oder kurz nach der

Reichsteilung datieren lässt, die aber Verhältnisse beschreibt, die in Wirklichkeit früher, also wahrscheinlich in vormonarchischer Zeit entstanden sind.[26] Für unseren Zusammenhang ergibt sich daraus, dass keine entscheidenden Indizien darauf deuten, dass nicht auch der Abschnitt über Levi, wenigstens in einer ursprünglichen literarischen Fassung, von Anfang an seinen Platz in der zusammenfassenden Beschreibung der Ansiedlung der israelitischen Stämme gehabt hat; es gibt keine entscheidenden Einwände gegen die Annahme, dass diese zusammenfassende Beschreibung ihre grundlegende literarische Form sehr früh, schon in vormonarchischer Zeit erhalten hat. Nichts deutet darauf, dass die Beschreibung nicht von Anfang an mit dem Zwölfstämmesystem verbunden war, oder dass sie auf frühere Dokumente zurückgeht, die nicht an dies System gebunden waren: Da niemand in Frage gestellt hat, dass die Idee eines geeinten Israels mit Anspruch auf ein einheitliches Territorium den Kapiteln Josua 13 — 21, — wie schon dem Stammgrenzensystem, das man als die sachliche Grundlage dieser Kapitel betrachtet — zugrunde liegt, und da andererseits Forscher wie Alt und Noth vorausgesetzt haben, dass die Idee eines geeinten Israels in ältester Zeit mit der Vorstellung von der Zwölfzahl der Stämme verbunden war, ist als wahrscheinlich anzunehmen, dass die Beschreibung der Stammgrenzen und der Ansiedlung der Stämme schon von Anfang an unter Berücksichtigung des Zwölfstämmesystems gestaltet worden ist, in der Substanz also gerade so, wie sie in Jos. 13—21 vorliegt.

Zuletzt erhebt sich die Frage, wo diese Kapitel ihren literarischen Ursprung haben. Hierbei ist es wichtig zu beachten, dass die galiläischen und ostjordanischen Stammgrenzen in der Regel weniger detailliert angegeben werden, und dass die Form der Beschreibung hier oft durch eine einfache Aufzählung von Orten ersetzt wird. Auch die Beschreibung der Grenzen Judas wirkt auffallend theoretisch, da die hier gezogenen Grenzen weitgehend mit den äusseren Grenzen des Landes Kanaan zusammenfallen. Nur die Nordgrenze, die mit der Südgrenze Benjamins zusammenfällt, geht ins Detail.[27] Im übrigen werden vor allem die Grenzen der zentralpalästinischen Stämme eingehend beschrieben, Kap. 16—18, besonders auffällig sind gerade die genauen Angaben über die Südgrenze Benjamins. Sie verläuft so, dass Jerusalem zu Benjamin gehört, 15,8 und 18,16. Die Stadt wird mit ihrem vorisraelitischen Namen, Jebus, genannt, der an zwei Stellen erläutert wird, 15,8 und 18,28. In 18,28 wird sie unter den Städten Benjamins aufgezählt. Diese Textstellen enthalten einen deutlichen territorialen Anspruch des zentralpalästinischen Stammes Benjamin, der selbstverständlich aus vordavidischer Zeit stammt.[28] In einer ausdrücklichen Bemerkung, 15,63, dass die Bevölkerung von Jebus nicht vertrieben worden sei, sondern „bis auf diesen Tag" in Jerusalem wohne, wird freilich der Anspruch Judas auf die Stadt vorausgesetzt, und die Notiz wird im Anschluss an die Aufzählung der Städte Judas eingefügt, in der Jerusalem jedoch vorher nicht genannt worden ist. An ihrem jetzigen Platz ist diese Notiz eindeutig ein sekundärer Einschub; höchstwahrscheinlich ist sie eine sekundäre Nachbildung von Ri. 1,21, aus der hervorgeht, dass der ursprüngliche Wortlaut den Anspruch Benjamins auf Jerusalem vorausgesetzt hatte. Aber Jos. 15,63 und die Erläuterungen in 15,8 und 18,27 lassen erkennen, dass der ursprüngliche Text zur Zeit Davids und später schwer zu akzeptieren war und kommentiert werden musste.

Diese Beobachtungen führen zu folgenden Schlüssen über den literarischen Ursprung des Textes: die Beschreibung der Stammgrenzen und der Ansiedlung der Stämme, Jos. 13—21, hat ihre ursprüngliche literarische Gestalt in Zentralpalästina vor der Zeit der Könige erhalten. Wenn dieser Schlussatz richtig ist, so haben wir also ein weiteres Argument für die Annahme gefunden, dass auch die Grundidee des gesamten Abschnitts, der Anspruch des geeinten Israels — d.h. der zwölf Stämme — auf das ganze Land Kanaan, seinen Ursprung im Zentralpalästina der vormonarchischen Zeit hatte.

4. Das Zwölfstämmesystem im Buch der Richter

In der Diskussion des vormonarchischen Israels und des Zwölfstämmesystems haben ausser den oben behandelten Textstellen natürlich die Erzählungen im Buch der Richter eine bedeutende Rolle gespielt. Wenn wir sie hier auch nicht eingehend analysieren können, dürfen wir sie gleichwohl nicht ganz ausser Acht lassen. Vor allem die Kritiker von Noths Hypothese haben im Richterbuch Argumente für die Annahme gefunden, dass es in vormonarchischer Zeit keine umfassendere, organisierte Gemeinschaft der Stämme gegeben habe. Die Erzählungen dieses Buchs schildern, wie die einzelnen Stämme auf eigene Faust oder in kleineren Gruppen in lokal begrenzten Konflikten handeln. Erst durch den sekundären Rahmen sind die anfänglich freistehenden Kurzgeschichten in eine gesamtisraelitische Geschichtsperspektive eingefügt und nach einem künstlichen chronologischen Schema geordnet worden, sodass sie nun als Etappen in der Geschichte des geeinten Volkes erscheinen.

Wir müssen zugeben, dass diese Beobachtungen im grossen Ganzen richtig und wohlbegründet erscheinen. Im Buch der Richter ist fast nie von einem Gesamtaufgebot der zwölf Stämme die Rede — allerdings mit Ausnahme der Kapitel 19—21;[29] es wird auch nirgends Sichem als das Zentrum der vereinigten Stämme genannt (doch wird das mit Sichem eng verbundene Bethel in Kap. 19—21 erwähnt, und ausserhalb des Richterbuchs wird Sichem diese Rolle in Jos. 24 wie auch in dem äusserst wichtigen Kapitel 1. Kön. 12 zugeteilt). Das Bild von der weitgehenden Autonomie der Stämme, das die meisten Erzählungen vermitteln, entspricht wohl der tatsächlichen Wirklichkeit der Richterzeit am nächsten. Dennoch ist damit wahrscheinlich nicht alles darüber gesagt, wie die Stämme sich selbst und ihre Verbindung miteinander in dieser Zeit aufgefasst haben. Aus einer genaueren Untersuchung der vorliegenden Erzählungen ergibt es sich, dass die einzelnen Stämme oder Gruppen von Stämmen und ihre Anführer gerade in ihrem selbständigen Handeln als Mitglieder und Vertreter der israelitischen Stämmegemeinschaft dargestellt werden: es ist kaum denkbar, dass dieser charakteristische Zug völlig auf sekundäre, redaktionelle Bearbeitung zurückzuführen wäre. Dies passt ausserdem genau zu dem oben skizzierten Bild vom Ursprung der Stämme: die festere Organisation der einzelnen Stämme und die engere Verbindung der Stämme miteinander haben sich etwa gleichzeitig und in Wechselwirkung entwickelt. Wir dürfen also annehmen, dass die Vorstellung eines geeinten Israels, in dessen Rahmen die einzelnen Stämme auftreten und handeln, die Voraussetzung der ursprünglichen literarischen Gestaltung des Richterbuches war, und darüber hinaus die Voraussetzung der ihr zugrundeliegenden bewussten Traditionsbildung, deren Produkte diese Erzählungen gewesen sein dürften.

Nur einige Texte geben Ereignisse und Verhältnisse wieder, die zeitlich offenbar vor der endgültigen Festlegung des sichemitischen Stämmekanons liegen. Ri. **17—18** berichtet vom Zug der Daniten vom westlichen Hügelland nach Nordgaliläa; die Erzählung von Simson, Ri. **13—16**, setzt die Zeit vor dieser Wanderung voraus; der sichemitische Stämmekanon dagegen verlegt Dans Gebiet in die Nachbarschaft Naphthalis an die nördliche Peripherie. Andererseits wird in Ri. **17—18** vorausgesetzt (wie wahrscheinlich schon in der mündlichen Tradition, auf die sich diese Erzählung gegründet haben mag), dass es einer der zwölf Stämme Israels war, der diese Wanderung unternahm: wahrscheinlich war das auch der Hauptgrund dafür, dass der Zug Dans überhaupt in der Überlieferung erhalten blieb. In Ri. **11,1—12,6** wird der Stamm Jephthahs als Gilead bezeichnet, ein Name, der auch in Ri. **5,17** vorkommt. Im sichemitischen Kanon entspricht diesem Namen wahrscheinlich Gad.

Vor allem aber im Deboralied, Ri. **5**, hat man Abweichungen vom klassischen Zwölfstämmesystem gefunden. In diesem sehr alten Kriegsgesang werden die Stämme gerühmt, die an der Schlacht gegen Sisera teilgenommen haben, während die Stämme getadelt werden, die sich abseits gehalten haben.[30] Insgesamt werden zehn Stämme genannt, das Haus Joseph wird auf zwei Stämme verteilt, aber der eine heisst Machir statt Manasse; statt Gad wird Gilead genannt. Simeon, Levi und Juda fehlen ganz. Gelobt werden ausser den direkt betroffenen Stämmen, Sebulon, Naphthali und Issachar, nur die drei Rahelstämme. Aus verschiedenen Gründen hat man angenommen, dass der Text sämtliche Stämme der Gemeinschaft aufgezählt haben müsse, und hat folglich nur auf Grund des Deboraliedes die Existenz eines Zehnstämmebundes angenommen, zu dem weder Simeon, Levi, Juda, noch Gad oder Manasse gehört hätten.[31] Damit zieht man sicher zu weitgehende Schlüsse aus dem Text. Betrachtet man ihn aber nicht als gültigen Beweis für die Existenz eines Zehnstämmebundes, so ist es klar, dass man aus dem Text selbst auch nicht herauslesen kann, weshalb er an gewissen Punkten vom klassischen Zwölfstämmesystem abweicht. Daher sollte man wohl den Wert des Deboraliedes als Informationsquelle über verschiedene Entwicklungsstadien des israelitischen Stämmesystems nicht allzu hoch veranschlagen.

Immerhin können wir feststellen, dass nicht weniger als acht Stämme des klassischen Zwölfstämmesystems im Deboralied genannt werden und dass hier auch das Prinzip der Solidarität der Stämme im Krieg vorausgesetzt wird. Dass es sich um ein grundlegendes Prinzip handelt, ist recht deutlich, denn nur so kann man z.B. die Forderung des Liedes erklären, dass der weit entfernte Ruben am Kampfe hätte teilnehmen müssen, eine Forderung, die aus der konkreten Situation kaum zu erklären ist. Es wird also eine Verbindung der Stämme von einer dauerhafteren und prinzipielleren Art vorausgesetzt. Diese Feststellung dürfte gegen die Behauptung sprechen, dass unter den territorialen Verhältnissen der Richterzeit der Gedanke einer umfassenderen, organisierten Stämmegemeinschaft unmöglich gewesen wäre.

Die Abweichungen des Deboraliedes von dem sichemitischen Stämmekanon lassen sich vielleicht daraus erklären, dass das Lied aus dem Kreis der nordisraelitischen Stämme stammt. Derart kann der Name Machir in V. 14 eine nordisraelitische Variante für denselben Stamm sein, der im sichemitischen Kanon unter dem Namen Manasse geht: der Stamm kann aus zwei Hauptgruppen bestanden haben, die um den Vorrang wetteiferten, sodass er in seiner Gesamtheit bald nach dem einen, bald nach dem anderen Geschlecht benannt werden konnte. Eine dominierende Tradition, die wahrscheinlich auf das sichemitische Stämmesystem zurückgeht, betrachtet Machir als den Sohn Manasses, welch letzterem damit der Vorrang zuerkannt wird, Gen. 50, 23, Num. 32, 39f. (Vgl. Num. 26,29; 27,1; 36,1; Jos. 17,1ff.) - Folglich bezeichnete man auch jenen Teil des Ostjordanlandes, in dem Machir seinen Hauptsitz hatte, als Manasse, was man wohl als Ausdruck der sichemitischen Ideologie erklären kann. Ob man sich das genealogische Verhältnis in Machir aber ebenso gedacht hat, ist durchaus nicht sicher, wir dürfen die Möglichkeit nicht ausschliessen, dass man in verschiedenen Stämmen und Sippen die gesamtisraelitische Ideologie mit Hilfe verschiedener genealogischer Konstruktionen variiert hat. Wenn also das Deboralied auch ahnen lässt, dass Machir zeitweilig im Westjordanland ansässig war, darf man deshalb nicht mit Sicherheit annehmen, dass hier eine Periode vorauszusetzen ist, in der Manasse in der israelitischen Stämmegemeinschaft überhaupt nicht existierte.

Eine ähnliche Erklärung lässt sich zu Gilead, V. 17, anführen. Aus dem Zusammenhang geht hervor, dass es sich um den Eigennamen eines Stammes im Ostjordanland handelt (vgl. auch Ri. 11—12!). Er wird unmittelbar nach Ruben genannt, also an einem Ort, wo man Gad hätte erwarten können. Gewöhnlich, und wohl ursprünglich, ist Gilead nun ein geographischer Name für ein Landgebiet, dessen Umfang in den Texten verschieden beschrieben werden kann. Zuweilen dient er als Sammelname des gesamten Ostjordanlandes, aber die Möglichkeit ist nicht völlig von der Hand zu weisen, dass der Name ursprünglich besonders mit dem Bergland südlich vom Jabboq, der heutigen Landschaft el-Belqa, verknüpft war.[32] hauptsächlich also mit Gads Stammesgebiet. Nach diesem Gilead kann auch der dort ansässige Stamm benannt worden sein. Im Deboralied kann also Gilead sehr wohl als eine Variante des Namens Gad aufgefasst werden, was man auch früher angenommen hat.[33] Vielleicht war Gilead der ältere Name, und Gad mag sich gleichzeitig damit durchgesetzt haben, dass Gilead eine erweiterte Bedeutung erhielt. Hier kommen wir natürlich nicht über Hypothesen hinaus, — wichtig ist es, dass die Namen Gad und Gilead lange, wenn auch vielleicht in verschiedenen Lokaltraditionen, als Bezeichnungen ein und desselben Stammes gleichzeitig im Gebrauch gewesen sein können. Man kann also nicht mit Sicherheit sagen, dass das Deboralied eine Zeit voraussetzt, zu der Gad noch nicht im Rahmen der israelitischen Stämmegemeinschaft existierte.

Besonders naheliegend ist es aber, das Fehlen Judas und der anderen Südstämme westlich des Jordans damit zu erklären, dass das Deboralied unter den galiläischen Stämmen beheimatet ist. Das Schweigen über diese Stämme dürfte den Schluss erlauben, dass man hier im nördlichsten Israel keinerlei Erwartungen an sie knüpfte. Dagegen darf man wohl kaum daraus schliessen, dass das Deboralied aus einer Zeit stammt, in der Simeon, Levi und Juda überhaupt noch nicht zur israelitischen Stämmegemeinschaft gerechnet wurden. Während man im nördlichsten Palästina von diesen Stämmen absah, kann man sehr wohl in anderen Landesteilen mit ihnen gerechnet haben, und es deutet alles darauf, dass sie in Zentralpalästina, in Sichem, von Anfang an zu den zwölf Stämmen Israels gerechnet wurden. Das war hier umso natürlicher, als Juda der südliche Nachbar der Rahelstämme war. Ein wesentlicher Zug des sichemitischen Systems war ausserdem der Anspruch der Josephstämme auf die Führerschaft, den man prinzipiell auch gegenüber Juda behauptete. Wie man sich in Juda zu diesem Anspruch und damit zu dem sichemitischen Stämmesystem stellte, davon wissen wir nichts, da die erhaltenen Überlieferungen aus vordavidischer Zeit grösstenteils zentralpalästinische Traditionen über Juda sind, selten dagegen judäische Traditionen. Vermutlich hat Juda jedoch in vormonarchischer Zeit sehr wenig an den gesamtisraelitischen Bestrebungen, die in Sichem entstanden, Anteil genommen.

Das Deboralied gibt also keine Auskunft über die gesamtisraelitische Gemeinschaft als solche, sondern nur darüber, wie eine begrenzte Gruppe von Stämmen Nordpalästinas in einer dramatischen Situation ihr Verhältnis zu dieser Gemeinschaft aufgefasst hat. Umso bemerkenswerter ist es aber, dass man schon in der frühen Periode, die das Deboralied offenbar voraussetzt, so stark mit dieser Gemeinschaft rechnen konnte. Andererseits ist es auch bezeichnend, dass ausser den drei betroffenen Stämmen, Sebulon, Naphthali und Issachar nur die drei Rahelstämme aktiv am Kampf gegen Sisera teilgenommen haben sollen. Diese drei Stämme waren wohl kaum selber direkt bedroht, jedenfalls nicht mehr als Dan und Asser, die wegen ihres Ausbleibens getadelt werden. Man möchte vermuten, dass die Rahelstämme als eigentliche Träger der gesamtisraelitischen Ideologie sich besonders zu diesem Einsatz verpflichtet fühlten.

5. Das Zwölfstämmesystem in späteren Texten

Wenn das Zwölfstämmesystem, wie es scheint, schon in der allerfrühsten altisraelitischen Traditionsbildung auf dem Boden Palästinas als Voraussetzung gegeben war, so dürfte die Überlieferung von den zwölf Stämmen in allen wesentlichen Zügen auch in der folgenden historischen Entwicklung weiterbestanden haben, wenn man ihr auch zu verschiedenen Zeiten und an verschiedenen Orten verschiedene Bedeutung beigemessen hat.

Von der oben aufgestellten *Form A* gemäss Gen. **29—30** sind wohl nur wenige Texte mehr oder weniger direkt abhängig. So werden in Deut. **27**,12 f. die Stämme in zwei Gruppen zu je sechs Stämmen eingeteilt. Ein Hauptprinzip scheint die Rücksicht auf ihren Rangplatz gewesen zu sein: die vornehmsten Stämme erhalten ihren Platz auf dem Garizim, und zwar ausser den zuletzt genannten Rahelstämmen drei südliche Leastämme von der Westseite des Jordans (Simeon, Levi und Juda) sowie ein nördlicher Leastamm, Issachar. Der Berg Ebal wird den Stämmen der Mägde, sowie Ruben und dem nördlichen Leastamm Sebulon zugewiesen. Ein später Text, der wahrscheinlich zur P-Schicht gehört, Num. **34**,16—29, kann der Form A eigentlich kaum zugeordnet werden. Aber wie in Gen. **29—30** gründet sich die Aufzählung auf das Prinzip der Stämmegeographie: die Westjordanstämme werden hier in der Reihenfolge von Süden nach Norden genannt, wobei Dan gemäss seinem früheren Siedlungsgebiet eingeordnet wird. Im übrigen wird in dem Text der vorhergehende literarische Zusammenhang vorausgesetzt, wo die Ostjordanstämme schon früher genannt worden waren; den Stamm Levi repräsentiert der Priester Eleasar, V. 17. Hier merkt man übrigens nichts mehr von einer besonderen Betonung des Vorranges der Rahelstämme. Einer ähnlichen, hauptsächlich geographischen Ordnung scheint auch Deut. **33** zu folgen: hier kommen die Südstämme zuerst, dann folgen die zentralpalästinischen und schliesslich die nördlichen Stämme. Simeon wird jedoch nicht genannt und Levi wird als ganz sakral erwähnt. Juda wird erstaunlich kurz an zweiter Stelle, auf dem Platz Simeons genannt.

Als man das stammesgeographische Prinzip nicht mehr verstand, das der *Form A* zugrundelag, oder es nicht mehr für relevant hielt, führte man statt dessen die *Form B* (nach dem Typ von Gen. **49**) ein, die vielleicht als eine judäische Variante aus der Zeit David — Salomos zu betrachten ist. Hier werden die Stämme ganz einfach nach ihren Stammüttern gruppiert, wobei die Leastämme an erster Stelle stehen, dann folgen die Stämme der Mägde und schliesslich die Rahelstämme. Diese Aufstellung ist offenbar von der Form A abhängig, es fehlt ihr aber die logische Konsequenz derselben. Das ursprüngliche Prinzip, die vornehmsten Stämme zuletzt zu nennen, wird also durchbrochen: die Leastämme kommen vor den Stämmen der Mägde, und der vornehmste Leastamm, Juda, wird vor Sebulon und Issachar genannt. Zugleich behält man aber die ursprüngliche Tradition bei, gemäss der die Rahelstämme am Ende stehen. Diese Form entstand durch eine geringfügige Änderung der Form A, wobei die wichtigste Abweichung in der Einfügung von Issachar und Sebulon nach Juda besteht.

Eine weiter entwickelte Variante der *Form B* finden wir in der Aufzählung der *Stammeseponyme,* Gen. **35**,23—26 und Ex. **1**,2—4, die der P-Schicht angehören. Auch hier werden die Söhne nach den Müttern gruppiert, aber man strebt nach einer konsequenten Rangordnung: zuerst kommen die Söhne Leas, dann die Rahels und zuletzt die der Mägde. Eine andere Variante der *Form B* finden wir in Gen. **46**,8—25, wo die Reihenfolge Lea — Leas Magd, Rahel — Rahels Magd ist. Die P-Schicht schliesst sich also bei der Aufzählung der Stammeseponyme an die *Form B* an, wobei auch Levi durchgehend an seinem traditionellen Platz genannt wird.

Auch den Aufzählungen *der Stämme oder ihrer individuellen Vertreter* liegt die *Form B* zugrunde, doch wird hier die Reihenfolge von P's Vorstellung von der theokratischen Organisation des Volkes beeinflusst, in der der Stamm Levi eine zentrale und führende Stellung einnimmt. Er wird hier an seinem traditionellen Platz unter den Stämmen ausgelassen und an anderer Stelle gesondert genannt.

In den Listen von individuellen *Repräsentanten der Stämme* wird Levi nicht von Gad ersetzt. Das wichtigste Beispiel dieser Reihenfolge ist Num. **1**,5—15, wo die Stammesrepräsentanten aufgezählt werden, die Mose und Aaron bei der Musterung der Stämme in der Wüste helfen sollen. Im grossen Ganzen entspricht die Reihenfolge der in der P-Schicht bei der Aufzählung der Stammeseponyme verwendeten: zuerst die Leastämme, dann die Rahelstämme und zum Schluss die Stämme der Mägde. Der einzige entscheidende Unterschied besteht in der Auslassung Levis in der Aufzählung, während Ephraim und Manasse je einen Repräsentanten erhalten. Hier wird Levi aber natürlich deshalb ausgelassen, weil er nach der Auffassung des Verfassers der P-Schicht von Mose und Aaron, V. 3, vertreten wird. Eine nahezu identische Reihenfolge ist für Num. **13**,5—16 vorauszusetzen, wo die Namen der zwölf Vertreter der Stämme aufgezählt werden, die Mose von Kadesh als Späher in das gelobte Land entsendet. Hier ist jedoch der ursprüngliche Text wahrscheinlich in Unordnung geraten. Wenn man V. 11 und 12 nach V. 8 einschiebt, erhält man die normale Ordnung:

V. 8 Issachar
   11 Sebulon
   12 Joseph: Manasse
    9 Ephraim
   10 Benjamin

Der Tatsache, dass in dem einen Text Ephraim vor Manasse genannt wird, während der andere die umgekehrte Reihenfolge hat, braucht kaum eine Bedeutung beigemessen zu werden, da beide Aufstellungen durch Gen. **48**, bzw. **49**,50 f. literarisch begründet sein dürften. Auch dass die Stämme der Mägde etwas verschieden aufgezählt werden können, hat wohl keine entscheidende Bedeutung.

In der Hauptsache tritt Gad an Levis traditionellen dritten Platz nur in jenen P-Texten, in denen *die Stämme* als solche aufgezählt werden. Dieser Reihenfolge begegnen wir in zwei Texten, die eng miteinander verwandt sind und Protokolle von der Zählung der Israeliten enthalten; die erste soll in der Wüste vor dem Aufbruch vom Sinai stattgefunden haben, Num. **1**,7—46, die zweite vor Beginn der Landnahme, Num. **26**,1—51. Der letztere Text gibt eine genaue Übersicht über die Aufteilung der Stämme in Sippen und Familien, er enthält Eigennamen, die nach Noths Auffassung auf alte Traditionen zurückgehen. Aus diesem Grunde betrachtete er die diesem Text zugrundeliegende Sippenliste als die älteste Liste, in der Levi ausgelassen und von Gad ersetzt wird.[34] Gegen dies Argument lässt sich einwenden, dass das Alter der in diesem Text überlieferten Namen eine Sache für sich ist: es gibt uns keine Anweisung dafür, wie wir die Reihenfolge der Stämme im vorliegenden Text aufzufassen haben. Dass *Levi* in den beiden Texten bei der Aufzählung der übrigen Stämme ausgelassen wird, ist eindeutig in den literarischen Dispositionen des P-Verfassers begründet, die ausdrücklich in dem anschliessenden Abschnitt, der zu den ursprünglichen literarischen Teilen gehört, erklärt wird: gemäss Num. **1**,47—54 werden den Leviten besondere Aufgaben beim Tabernakel aufgetragen und gemäss Num. **26**,57—62 werden die Leviten für sich gemustert, weil ihnen kein eigenes Landgebiet zugeteilt wird, vgl. V. 62.

Die Erklärung dafür, dass *Gad* in diesen Texten den ursprünglichen Platz Levis einnimmt, gibt uns wahrscheinlich ein anderer Text, Num. **2**, wo der P-Verfasser darlegt, wie er sich die Marschordnung der Israeliten durch die Wüste und die Verteilung ihrer Lagerplätze denkt. Hier werden die Stämme in vier Heeresgruppen zu je drei Stämmen eingeteilt, denen ihr Lagerplatz in den vier Himmelsrichtungen, mit den Leviten und dem Tabernakel in der Mitte zugewiesen wird. Die Heeresgruppen werden nach einem Hauptstamm in jeder Abteilung benannt:

Juda
Issachar
Sebulon

Lagerplatz im Osten zu-
vorderst in der Marsch-
ordnung

Dan
Asser
Naphtali

Lagerplatz im Norden zu-
letzt in der Marschordnung

Levi

Tabernakel
Lagerplatz in der Mitte
in der Mitte der Marsch-
ordnung

Ephraim
Manasse
Benjamin

Lagerplatz im Westen
3. Platz in der Marsch-
ordnung

Ruben
Simeon
Gad

Lagerplatz im Süden
2. Platz in der Marsch-
ordnung

Der P-Verfasser, der in den Traditionen von Jerusalem wurzelt, stellt Juda an die Spitze und teilt ihm die wichtigste Himmelsrichtung zu. Zu Judas Abteilung gehören die beiden nördlichen Leastämme Issachar und Sebulon, die in Gen. **49** und danach durchgehend in *Form B* gleich nach Juda genannt werden. In der zweiten Heeresgruppe folgen dann die beiden übrigen Leastämme, da aber zu jeder Gruppe drei Stämme gehören sollen, musste diese ergänzt werden. Da die Rahelstämme bereits eine Einheit von drei Stämmen bilden, wenn man Manasse und Ephraim für sich rechnet, bleiben nur noch die Stämme der Mägde übrig, von denen Gad am nächsten mit Ruben zusammengehört, während Dan, Asser und Naphthali alle nach Nordpalästina gehören, sodass sie gut als nördliche Heeresgruppe zusammenpassen. In dieser Ordnung wird dann der Aufbruch der Stämme vom Sinai, Num. **10**,11—28, geschildert, wo Juda, Issachar und Sebulon wiederum an der Spitze stehen. Dieselbe Ordnung gilt für Num. **7**,12—23, ebenso wie sie die Aufzählung der Stämme in den beiden Texten beeinflusst, die von der Zählung der Israeliten handeln, Num. **1**,7—46 und Num. **26**,1—51. Hier beginnt die Aufzählung zwar traditionell mit Ruben und Simeon, aber an dritter Stelle folgt Gad, was sich aus der Einteilung der Stämme in Heeresgruppen durch den P-Verfasser ergibt, und was also nichts mit einer in alter Zeit entstandenen Notwendigkeit, die Zahl der Leastämme auf sechs zu ergänzen, zu tun hat.

Diese Übersicht über so gut wie alle Texte, in denen die zwölf Stämme aufgezählt werden, zeigt, dass das sichemitische Zwölfstämmesystem allen

Varianten zugrundeliegt und dass dies System nach Ausweis der Texte nie grundlegend verändert worden ist.[35]

6. Der Volksname Israel

Zur den Fragen von den zwölf Stämmen gehört endlich auch die Frage nach dem Volksnamen Israel. Von seinem wirklichen Ursprung und seiner Vorgeschichte wissen wir nicht viel.[36] Die nichtjahwistische Namensform *könnte* darauf deuten, dass der Name als solcher älter ist als das Zwölfstämmesystem, da in diesem der Jahwekult als verknüpfendes Band zwischen den Stämmen wahrscheinlich von Anfang an vorauszusetzen ist. Andererseits *muss* der Name nicht älter sein. Einigermassen klar ist es auf alle Fälle, dass die Einheit, als die man die zwölf Stämme betrachtete, nie einen anderen Namen als den Israels getragen hat. Der Name kann sehr wohl gleichzeitig mit der Begründung der Zwölfstämmeorganisation entstanden sein: da die Majorität der Völkerschaften, die in die Stämmeorganisation einbezogen wurden, mit grösster Wahrscheinlichkeit ursprünglich keine Jahweverehrer waren, dürfte es wichtig gewesen sein, von Anfang an die grundlegende Identität von El — Jahwe zu betonen. Der älteste Beleg für den Namen findet sich in ausserbiblischen Quellen, und zwar auf der ägyptischen Merneptahstele vom Ende des 13. Jahrhunderts vor Chr., wo man mit ihm eine Volksgruppe in Palästina bezeichnet.[37] Es ist ungewiss, ob diese schon mit der Gesamtheit der in der Bibel bekannten zwölf Stämme identisch ist, aber die Möglichkeit ist wohl nicht auszuschliessen. Anderenfalls wäre anzunehmen, dass sich der Name auf eine kleinere Gruppe bezieht, deren Name ziemlich bald auf die ganze israelitische Stämmegemeinschaft übertragen wurde. Die biblischen Texte selbst geben jedenfalls nirgends einen festen Anhaltspunkt, der auf die Existenz einer solchen Gruppe schliessen liesse.

Dagegen können wir eine Tatsache eindeutig feststellen: im Hexateuch, wo wir in seinem ursprünglichen literarischen Bestand auch die Mehrzahl der ältesten biblischen Belege des Namens Israel finden, bezieht er sich ausschliesslich und eindeutig auf die Totalität der zwölf Stämme oder — was eigentlich dasselbe ist — auf ihren *heros eponymos,* Jakob-Israel. Man kann nicht nachweisen, dass sich der Name früher irgendwo auf eine andere, kleinere Gruppe bezogen hätte; nur in vereinzelten, und gegenüber dem ursprünglichen Zusammenhang sekundären Texten kommt er bei Anspielungen auf Davids Königreich vor;[38] nirgends besteht Grund zu der Annahme, dass er sich auf die nach dem Zerfall desselben begründete nördliche Monarchie Israel bezieht. Im Hexateuch wird der Name auffallend einheitlich nur im Hinblick auf die zwölf Stämme gebraucht.

Besonders interessant ist es daher, was im Hexateuch vom Ursprung des Namens Israel erzählt wird. Nach Genesis 32,23—33 erhält Jakob diesen neuen Namen von jenem „Mann'', mit dem er in der Nacht gerungen hat, nachdem er sich von Laban getrennt hat und sich auf die Begegnung mit Esau vorbereitet, kurz vor seiner Rückkehr ins Westjordanland. Der Name wird auch etymologisch aus Jakobs Kampf erklärt, woraus sich u.a. ergibt, dass sein Gegner mit dem Gott Israels zu identifizieren ist, der es freilich vermeidet, seinen Eigennamen zu nennen, V. 30. Im vorliegenden Zusammenhang der Erzählung bedeutet die Verleihung des neuen Namens die göttliche Erwählung Jakobs, und damit ist sie ein entscheidender Wendepunkt im Konflikt mit Esau, dessen Lösung nahe bevorsteht: Jakob ist nun definitiv zum Stammvater von Israels Volk erwählt und folglich wird sich primär durch ihn und nicht durch Esau die Verheissung an Abraham verwirklichen, dass seine Nachkommenschaft ein grosses Volk werden soll, das das Land Kanaan erben soll. Gen. **12**,2,7. Der erste Ort, zu dem Jakob nach der Überschreitung des Jordans und nach dem Betreten des diesem Volke verheissenen Landes in seiner Eigenschaft als *heros eponymos* des Volkes Israel gelangt, ist Sichem. Von Hamor, Sichems Vater, kauft er ein Stück Land vor der Stadt und errichtet dort einen Altar oder wahrscheinlicher: eine *maṣṣēbah,* die er אל אלהי ישראל Gen. **33**,18—20, benennt. Gleichgültig, wie man die oben referierten Texte literarkritisch und überlieferungsgeschichtlich beurteilt hat, so besteht an ihrer Bedeutung im vorliegenden literarischen Zusammenhang, d.h. also an ihrer eigentlichen Bedeutung, nicht der geringste Zweifel: Laut **33**,18—20 stiftet Jakob einen Kult oder errichtet jenem Gott einen Gedenkstein, der ihm nach der Erzählung in **32**,23—33 den Namen Israel gegeben und ihn damit zum Ahnherrn des Volkes ausersehen hat. Es erweist sich also, dass der vorliegenden literarischen Komposition das Bestreben zugrunde liegt, den Ursprung des Volksnamens Israel mit Sichem zu verknüpfen. Nirgends, weder im Hexateuch noch anderswo in der ganzen Bibel, ist der Name so klar und prägnant mit irgendeinem anderen Ort verknüpft.[39]

Aus unseren bisherigen Untersuchungen ergibt sich ein einheitliches Bild: wir haben feststellen können, dass das ursprüngliche Erzählungswerk, das den Grundstock des heutigen Hexateuchs darstellte und durchgehend von den zwölf Stämmen Israels handelte, diese zwölf Stämme bewusst in konzentrischen Kreisen um Sichem geordnet hatte, Gen. **29—30,** vgl. oben S. 70. Dieser Gruppierung entspricht nun auch in der ursprünglichen literarischen Komposition die Verknüpfung des Namens Israel, in dem die Stämmegemeinschaft zusammengefasst wird, mit Sichem. Diese Tatsache schliesst sich an die Reihe der Indizien an, die darauf deuten, dass das erzählerische Werk ursprünglich in Sichem geschaffen worden ist; sie ist eine weitere Stütze der Annahme, dass die eigentliche Idee eines geeinten, aus zwölf Stämmen bestehenden Israels dort entstanden ist. Die Vorstellung, die man sich in Sichem von der Gemeinschaft der zwölf Stämme gemacht hat, dürfte letzten Endes dem Begriff der Amphiktyonie gar nicht einmal so fern stehen, wenn man nämlich von der wahrscheinlich ursprünglichen Bedeutung des Wortes ausgeht: „Gemeinschaft der Umwohnenden".

Wir können nun auch feststellen, dass die Kritiker der Amphiktyoniehypothese im Grunde keine entscheidenden Einwände gegen die an sich wohlbegründete Annahme haben erheben können, dass Sichem zu Anfang das Hauptzentrum jener Gemeinschaft war, die, wie man glaubt, die zwölf Stämme darstellten. Dass die alttestamentliche Literatur diesen Ort mehr oder weniger mit Stillschweigen zu übergehen scheint, dürfte teilweise nur scheinbar sein, teilweise erklärt es sich daraus, dass seine rein politische Bedeutung in gewisser Hinsicht beschränkt war. Der Einwand, dass sich die Bundeslade nie in Sichem befunden hat, ist an sich zwar richtig, er führt aber nur zu dem Schluss, dass die Lade gar nicht die Bedeutung gehabt hat, die Noth ihr hat zuschreiben wollen, sodass sie für die Beurteilung der Rolle Sichems belanglos ist. Dagegen ist es wesentlich, dass niemand mit guten Gründen die frühe und auffallend starke Verknüpfung der *Bundestradition* mit Sichem hat in Frage stellen können.

7. Die historische Bedeutung der Überlieferung von den zwölf Stämmen.
Unsere Untersuchungen gingen von der Frage aus: wann und wo ist die *Vorstellung* eines geeinten, aus zwölf Stämmen bestehenden Israels entstanden? Wie sich aus den Darlegungen ergeben hat, kann diese Frage mit so gut wie endgültiger Sicherheit beantwortet werden: in Sichem in vormonarchischer Zeit. Hier und zu dieser Zeit wurde sie zur Grundlage des ältesten Klassikers der biblischen Literatur, der sichemitischen Israelssage. Damit ist freilich die Frage, welche die Kritiker von Noths Hypothese aktualisiert haben, noch nicht definitiv beantwortet: hat es tatsächlich eine dieser Vorstellung entsprechende, handlungsfähige Organisation gegeben, oder war sie eine rein theoretische Konstruktion? Diese Frage gehört wohl nur begrenzt in den Rahmen einer literaturgeschichtlichen Studie, um aber das bisher Gesagte von anderen Seiten zu beleuchten, sei hier dennoch versucht, einige historische Entwicklungslinien anzudeuten.

Zunächst ist es klar, dass die Vorstellung von der Einheit der zwölf Stämme an sich mindestens bewusste gesamtisraelitische Bestrebungen voraussetzt. Allein die Feststellung, dass Sichem in vormonarchischer Zeit das Zentrum solcher Bestrebungen war, ist von einiger Bedeutung. Dass diese wenigstens bei einigen Gelegenheiten starken Widerhall bei anderen israelitischen Stämmen gefunden haben, vielleicht bis zu einem gewissen Grade mit Ausnahme von Juda, ist auch einigermassen gesichert. Eine solche Gelegenheit wird im Deboralied gefeiert, eine andere, frühere, war mit Sicherheit das in Jos. **24** geschilderte Ereignis: wir haben allen Grund zu der Annahme, dass auf der in diesem Kapitel geschilderten Versammlung „aller Stämme Israels" in Sichem um Josua und sein „Haus" die Organisation der zwölf Stämme gewissermassen konstituiert wurde. Bei dieser Gelegenheit trat vielleicht auch das „Haus Joseph" zum ersten Male als eine klar konstituierte Einheit und zugleich als die führende Gruppe des Stämmebundes hervor, dessen gemeinsamer Name Israel hier vielleicht zum ersten Male gebraucht wurde.[40] Indem man die si-chemitische Zwölfstämmegenealogie als Ausdruck einer ethnischen Zusam-mengehörigkeit anerkannte, akzeptierte man die Voraussetzung, dass die Stämme eine gemeinsame Vorgeschichte von der Zeit der Patriarchen an gehabt hatten; indem man den Jahwekult annahm, wurde auch die Exodus-tradition als ein Glied in diese gemeinsame Vorgeschichte eingebaut. Es ist nicht unmöglich, dass eine Urform der Israelsage schon auf dem „Landtag von Sichem" vorgetragen und gutgeheissen wurde, so wie es in Jos. **24**,2—13, angedeutet wird. Auf alle Fälle kann man diese Sage als den ersten und grundlegenden Ausdruck der Selbstidentifikation des israelitischen Zwölf-stämmebundes betrachten.

Wie aber diese Organisation der Stämme dann gearbeitet hat, ob sie über-haupt einigermassen funktionstauglich war, verbleibt unsicher, Es ist wohl glaubhaft, dass irgendeine Form von repräsentativen Versammlungen, die bei besonderen Gelegenheiten zusammengerufen werden konnten, gemein-same Fragen beriet. Solche gemeinsamen Angelegenheiten waren z.B. höchstwahrscheinlich Probleme der Stammgrenzen. Das in Jos. **13**—21 beschriebene Grenzensystem ist wahrscheinlich bei Versammlungen von Vertretern der Stämme ausgearbeitet und beschlossen worden. Die Anerken-nung des Heimatrechtes der Leviten in den von ihnen bewohnten Städten muss auch von der Organisation aller Stämme beschlossen worden sein. Fer-ner ist es wahrscheinlich, dass die Einrichtung von Asylstädten, Jos. **20**, schon aus vormonarchischer Zeit stammt und zu den Institutionen des Zwölfstäm-mebundes gehörte.[41] Diese Indizien deuten darauf, dass es schon in vorstaat-licher Zeit Ansätze zu einer gemeinsamen Rechtsorganisation gegeben hat.

Das religiöse Hauptfest des Stämmebundes ist mit Sicherheit das Passah-fest gewesen, das man in Sichem seit ältster Zeit zur Erinnerung an die Stif-tung des Jahwekultes beim Auszug aus Ägypten gefeiert hatte. Indizien, die auf die Existenz einer mit dem jährlichen Hauptfest verknüpften kultischen Bundeserneuerung deuten, dürften unzulänglich sein; vielleicht hat eine Er-neuerung des Bundes im Rahmen des Passahfestes stattgefunden.

Vieles spricht dafür, dass die Versammlung von „ganz Israel", d.h. der Ver-treter der zwölf Stämme, die nach Salomos Tod in Sichem stattfand, 1. Kön. **12**,1ff., weder ein Phantasiegebilde des deuteronomistischen Geschichts-schreibers, noch eine bei dieser Gelegenheit improvisierte Versammlung war. Ihre Voraussetzung muss eine alte Institution gewesen sein, die zum Sammelpunkt der Unzufriedenheit mit den Königen in Jerusalem wurde. Aber im übrigen ist es nicht völlig ausgeschlossen, dass die Vorstellung von Israel als einer Einheit der zwölf Stämme weitgehend eine vor allem in den Rahelstämmen genährte Utopie verblieben ist. Dass die Forderung der Soli-darität im Kriege meistens rein theoretisch blieb, zeigt gerade das Debora-lied. Insofern ist also wohl die Kritik an der Amphiktyoniehypothese Noths berechtigt, als sie vor übereilten Schlüssen hinsichtlich der festen und effektiven Organisation der Stämme in vormonarchischer Zeit warnt.

Wenn es nun auch unsicher sein mag, inwieweit der Tradition von den zwölf Stämmen Israels im Anfang eine effektiv arbeitende Organisation entsprochen hat, so ist es umso leichter festzustellen, dass diese Tradition für die spätere historische und religiöse Entwicklung Israels eine Bedeutung erlangt hat, die kaum zu überschätzen ist. Vor allem an einem Punkt des geschichtlichen Verlaufs lässt sich seine Bedeutung ermessen: bei der Spaltung in die Reiche Israel und Juda nach dem Tode Salomos. In 1. Kön. **11**,26—40 wird geschildert, wie Jerobeam, ein Ephraimit, der die Zwangsarbeiten des „Hauses Joseph" in Jerusalem zu überwachen hatte, zum Führer der Opposition gegen das Königtum wird, weshalb er nach Ägypten fliehen muss, wo er bis zu Salomos Tod bleibt. Dass er von Anfang an von der führenden Schicht der alten Zwölfstämmeorganisation unterstützt wurde, geht teils daraus hervor, dass er selber zum Hause Joseph gehörte, teils aus der Information in 1. Kön. **12**,20: als die Spaltung Tatsache geworden war, berief „ganz Israel", das sind die Vertreter des Zwölfstämmebundes, Jerobeam zur Versammlung nach Sichem und wählte ihn zum König über „ganz Israel".

Es müssen aber schon bald Gegensätze zwischen dem neugewählten König und den Führern der Stämmeorganisation entstanden sein, als es sich zeigte, dass Jerobeam plante, eine Königsmacht nach dem Vorbild Jerusalems zu schaffen. Dass er bewusst auf dies Ziel hinarbeitete, kann man aus den kultpolitischen Vorkehrungen erschliessen, von denen der Geschichtsschreiber in 1. Kön. **12**,26—32 berichtet: Jerobeam wählt einerseits bewusst die Traditionen Jerusalems zum Vorbild, andererseits ist es höchst bemerkenswert, wie konsequent er Sichem zu meiden scheint, wo er doch zunächst seine Residenz hatte. V. 25 sagt ausdrücklich, dass er die Stadt verliess. Warum? Die einzig glaubwürdige Erklärung ist die, dass er mit jenen Kreisen in Sichem in Konflikt geraten war, die ihm zur Macht verholfen hatten. Nachdem sie sich jüngst vom Joch der Könige in Jerusalem befreit hatten, waren sie wohl kaum bereit, sich einer neuen Königsmacht vom gleichen Schnitt zu beugen. Von Jerobeams Standpunkt aus muss Sichem allzu sehr von den altisraelitischen Traditionen und Institutionen belastet gewesen sein, um als Hauptstadt seiner neugegründeten Monarchie in Frage zu kommen. Jene Kluft zwischen der Monarchie, die in Zentralpalästina an keine Traditionen anknüpfen konnte, und den hier noch lebendigen Traditionen und Institutionen des Zwölfstämmebundes, muss schon zur Zeit Jerobeams entstanden sein und sie hat wahrscheinlich während der ganzen Dauer des Nordreichs bestanden; vermutlich war sie der eigentliche Grund der Unversöhnlichkeit des deuteronomistischen Geschichtswerks gegenüber den „Sünden Jerobeams, des Sohnes Nebats", die in der Folge sämtlichen Königen des Nordreichs nachgesagt werden. Vermutlich erklärt sich hieraus auch weitgehend, dass die nördliche Monarchie eine so auffällig labile Institution verblieb.

So gesehen erscheint die Politik Jerobeams in einem neuen Licht. Wenn der Widerstand gegen seine Bestrebungen im alten Hauptzentrum des Stämmebundes sich als zu massiv erwies, so scheinen ihm die peripheren Hauptstädte desselben doch zugänglich gewesen zu sein, und es ist auch verständlich, dass er versuchte, wenigstens einen gewissen Anschluss an altisraelitische Tradition zu gewinnen: er wählt Bethel und Dan als religiöse Zentren des Königreiches, auch Gilgal erhält grosse Bedeutung. Das Heiligtum von Bethel, das den ersten Platz einnimmt, wird in Amos 7, 13 als מקדש-מלך und בית ממלכה bezeichnet; die damit angedeutete Stellung muss der des Tempels in Jerusalem entsprochen haben, die dieser im Reiche Salomos und später im Königreich Juda einnahm. Dass Jerobeams „Zentren" am Rande seines Reiches lagen, deutet aber darauf, dass er einen besonderen Grund hatte, die zentralen Teile des Landes zu meiden.

Andererseits hat Jerobeam höchstwahrscheinlich wirklich versucht, den von ihm in Bethel und Dan gestifteten Kult mit der altisraelitischen Exodustradition zu verknüpfen. Das deutet der Vers 1. Kön. **12**,28 an, der wahrscheinlich sachliche Information vermittelt und nicht ausschliesslich als Ausdruck der Ironie des Geschichtsschreibers aufgefasst werden darf. In diesem Versuch des Königs, seinen Kult mit altisraelitischer Tradition zu verknüpfen, haben wir dann wahrscheinlich auch den Hintergrund der Erzählung vom goldenen Kalb, Ex. **24**,12—18 und **32**—**34**, zu sehen, die man ja allgemein gerade für eine Anspielung auf Jerobeams Kultstiftung in Bethel und Dan gehalten hat. Ebenso wie 1. Kön. **12**,28 die wirklichen Bestrebungen des Königs zu ironisieren scheint, so darf man vermuten, dass die Erzählung vom goldenen Kalb eine Umdeutung jenes Anspruchs ins Negative ist, den man ursprünglich im positiven Sinne zur Legitimation des Kultes in Bethel und Dan erhoben hatte, nämlich dass dieser ursprünglich von Aaron gestiftet worden sei.[42] Was hier dahinter liegt, ist die sicher richtige Information, dass es Jerobeam tatsächlich nicht gelang, Leviten als Priester für seine Heiligtümer zu gewinnen.[43] Der Grund dafür ist ziemlich klar: die aaronitischen Leviten wohnten ausschliesslich im Reiche Juda und waren wohl weitgehend mit dem Tempel in Jerusalem verbunden. Die Gruppe der nördlichen Leviten, unter denen später die deuteronomistische Schule entstand, war mit Sichem verbunden und pflegte die Traditionen des Zwölfstämmebundes; sie waren von Anfang an Gegner von Jerobeams Kultpolitik. Wenn der König nun behauptete, dass der Kult in Bethel und Dan dennoch letztlich auf Aaron zurückgehe, so war dies wahrscheinlich ein Versuch, das Dilemma in einer konfliktreichen Situation zu lösen, indem er den königlichen Kult mit der altisraelitischen Tradition verknüpfte. Dass er dabei auf eine spezifisch südpalästinische Entwicklung dieser Tradition zurückgriff, steht in vollständiger Übereinstimmung mit dem, was wir sonst von seiner bewussten Anknüpfung an Jerusalem wissen.

Diese seine Abhängigkeit von Jerusalem beleuchtet vielleicht vor allem der Vorwurf, den man ihm in 1. Kön. **12**,32 daraus macht, dass er ein Fest im achten Monat „wie das Fest in Juda" eingeführt hat. Wahrscheinlich handelt es sich hier um das Laubhüttenfest, das Jerusalem ursprünglich von Silo übernommen hatte,[44] das aber vermutlich in Sichem und Bethel keine Wurzeln hatte. Das Herbstfest war in Jerusalem stark von der Königsideologie geprägt worden und eignete sich deshalb wohl besser für Jerobeams Zwecke als das alte Hauptfest Sichems. Der Geschichtsschreiber notiert auch missbilligend, dass Jerobeam selbst bei dem von ihm gestifteten Fest in Bethel an den Altar trat.

Nachdem der König Sichem verlassen hat, ist die kurze politische Hauptrolle der Stadt ausgespielt und sie taucht in der Darstellung der politischen Geschichte der Königszeit kaum noch auf. Dass Sichem nicht die Residenz des Königs und das Zentrum der Zivilverwaltung wurde, ist in der Tat ebenso eigentümlich und signifikant wie die Tatsache, dass das königliche Reichsheiligtum nicht hierher verlegt wurde. Noch als Omri seine neue Hauptstadt gründete, verwarf er das altisraelitische Hauptzentrum zugunsten des völlig traditionslosen Samaria, das doch ziemlich in der Nähe Sichems lag.

Obwohl die Stadt also nicht lange im Zentrum der politischen Ereignisse gestanden hat, haben aber die hierhergehörigen Träger der Tradition nicht aufgehört, ihrer Stimme Gehör zu verschaffen: sie kritisieren die Könige, sie verurteilen sogar das Königtum prinzipiell, wobei sie allerdings in erster Linie von der nördlichen Monarchie Abstand nehmen. Die Geschichte von Abimelech, Ri. **9**, erhält nun vorbildlichen Sinn, sie zeigt, dass man in Sichem schon früh bittere Erfahrungen mit dem Königtum gemacht hatte. Die Apologie Jothams, V. 7—15, enthält eine deutliche Spitze gegen die von Jerobeam begründete Monarchie: König der Bäume wird der Dornbusch, da keiner der nützlichen Bäume auf seine Frucht verzichten will und hingehen „über den Bäumen zu schweben". — Das ist die Königsideologie der Kreise von Sichem!

Höchstwahrscheinlich war auch die nordisraelitische Prophetenbewegung eng mit Sichem verbunden.[45] Vor allem Hoseas genaue Kenntnis der altisraelitischen Überlieferungen ist ein Indizium hierfür. Wenn Hosea, **13**,11, das Königtum ausdrücklich als eine Strafe Jahwes darstellt, so liegt darin eine königsfeindliche Einstellung, die wahrscheinlich von Sichem inspiriert ist. Hosea und Amos verurteilen beide mehrfach die königlichen Kultplätze des Nordreichs, vor allem Bethel, Hos. **4**,15, **10**,5,8,15, Am. **3**,14, **4**,4, **5**,5f, **7**,10ff, aber auch Gilgal: Hos. **4**,15, **9**,15, **12**,11, Am. **4**,4 **5**,5, ferner Dan: Am. **8**,14, Mispa und Tabor: Am. **5**,1. Auffällig ist es dagegen, dass von Sichem nichts Negatives gesagt wird. Das Schweigen als solches ist signifikant. Die Stadt wird überhaupt nur einmal genannt, Hos. **6**,8f., parallel mit „Gilead", wahrscheinlich Ramot in Gilead. Sie gehören beide zu den Asylstädten, Jos. **20**,7 f., und es ist nicht unmöglich, dass Hosea hierauf anspielt: Menschen, die der Verfolgung zu entgehen versuchen, indem sie nach Sichem fliehen, werden auf dem Wege dorthin von den Rotten der Priester, die die Heiligkeit der Stadt nicht respektieren, ermordet. Vermutlich sind die Priester der königlichen Heiligtümer gemeint, sodass der Abschnitt als eine Anspielung auf die Feindschaft zwischen ihnen und den Sichem-treuen Kreisen gedeutet werden kann.

Mit Sichem und seinen Traditionen war auch die deuteronomistische Schule anfangs verbunden. Für den Ursprung der Deuteronomisten im Nordreich haben bereits viele Forscher tragfähige Argumente vorgelegt.[46] Vor allem bei H.W. Wolff finden wir entscheidende Gesichtspunkte, aus denen er folgert, dass die Deuteronomisten Leviten waren, die den im Nordreich wirkenden Propheten nahestanden.[47] Wie wir oben sahen, ist die Nennung Sichems unter den Levitenstädten in Jos. **21,21** als authentisch zu betrachten, es gibt keine stichhaltigen Gründe, daran zu zweifeln.

Die Herstammung der Deuteronomisten aus Sichem ist nun auch die beste Erklärung dafür, dass sie die Könige des Nordreichs energisch und ausnahmslos verurteilen. Es sei hier betont, dass diese Verurteilung sich nur sehr unbefriedigend erklären lässt, wenn man voraussetzt, dass die Deuteronomisten in Jerusalem beheimatet sind: dann hätten sie die Könige des Nordreichs im Lichte der Forderung einer Kultzentralisation beurteilt, die erst im Zusammenhang mit Josias Reform durchgesetzt wurde. Viele Fragen bleiben bei dieser Hypothese unbeantwortet, vor allem gibt sie keine befriedigende Erklärung dafür, dass die Verurteilung der Kultpolitik Jerobeams, die ja als die Ursache der „Sünde" auch der folgenden Könige gilt, sehr nahe Parallelen bei Hosea und Amos hat. Diese beiden Propheten greifen sowohl die Könige des Nordreichs, das nördliche Königtum überhaupt, als auch die königlichen Heiligtümer und ihren Kult — vor allem Bethel und sein „Kalb" — leidenschaftlich an. Diese Angriffe lassen sich schwerlich aus einer entsprechenden Leidenschaft für Jerusalem und seinen Tempel erklären. Vielmehr ist anzunehmen, dass ihrer Stellungnahme die tiefen Gegensätze *innerhalb* des Nordreichs zugrundeliegen: die Deuteronomisten haben ebenso wie Hosea und Amos mit Sicherheit das Schisma zwischen Sichem und Bethel-Samaria als viel bedeutungsvoller aufgefasst als die Spaltung zwischen Israel und Juda. Die letztere war ja kaum etwas anderes als die Fortsetzung von Verhältnissen, die man seit alter Zeit gewohnt war: Juda hatte immer schon mehr in der Theorie als in der Praxis zum sichemitischen Zwölfstämmebund gehört.

Wenn wir die älteste deuteronomistische Literatur in diesen zeitgeschichtlichen Rahmen und dies Ursprungsmilieu einfügen, erscheint sie in einem Licht, das viele ihrer Eigentümlichkeiten erklärt. Eine solche Eigentümlichkeit, auf die wir in diesem Zusammenhang nicht näher eingehen können, da sie genaue Analysen voraussetzt, ist ihre literarische Abhängigkeit von der älteren literarischen Schicht des Hexateuchs. Diese Abhängigkeit ist so unmittelbar, dass man oft, vor allem im Buch Josua, unmöglich unterscheiden kann, was hinsichtlich des Sprachgebrauchs, der Phraseologie und der Vorstellungen deuteronomistisch, was vordeuteronomistisch ist; die deuteronomistische Schule ist eine direkte Fortsetzung der altisraelitischen literarischen Tradition von Sichem.

Das geht auch aus verschiedenen anderen charakteristischen Zügen hervor, von denen wir hier nur zwei hervorheben. Erstens: die Deuteronomisten, ebenso wie eigentlich auch die Propheten, vor allem Hosea, gehen von der grundlegenden Vorstellung aus, dass Jahwes Volk eine unteilbare Einheit ist;[48] ferner, dass dies Volk mit *den zwölf Stämmen Israels* identisch ist und dass für dies Israel die Monarchie keine grundlegende Bedeutung hat, wenn man sie auch vielleicht mit allerlei Vorbehalten ertragen kann. Sollte dies Volk in zwei Königreiche zerfallen sein, so ist seine Einheit also damit nicht verloren: eine Darstellung der Geschichte „ganz Israels" muss unter diesen Umständen die Geschicke der beiden Königreiche parallel schildern. Dieser übergeordnete Begriff Israel, der also potentiell eine Relativierung der Monarchie als Institution enthalten hat, kann unmöglich unter den besonderen Voraussetzungen entstanden sein, die sich aus der Einführung der Monarchie ergaben. Der Begriff kann auch kaum in einer der königlichen Hauptstädte formuliert worden sein.

Zweitens: mehrere ausdrückliche Belege deuten nun darauf, dass die Deuteronomisten Sichem als das eigentliche Zentrum des Zwölfstämmevolkes betrachteten. Den Vorschriften über die Zentralisierung des Kultes, Deut. **12**, geht im heutigen Text die Nennung von Ebal und Garizim, **11,29**, direkt voraus, und auf die Gesetzsammlung im Deuteronomium folgen unmittelbar genaue Anweisungen zu einem Segens- und Fluchritual, das auf diesen beiden Bergen ausgeführt werden soll, Dt. **27**. Die Gesetzsammlung als solche wird also von diesen ausdrücklichen Ortsangaben umrahmt, den einzigen für das Westjordanland, die im ganzen Deuteronomium vorkommen.

Ganz abgesehen davon, wie man sich zu den Gründen stellt, die, wie man gemeint hat, dafür sprechen, dass die geprägte Formel המקום אשר-יבחר יהוה und ihre Varianten ursprünglich Jerusalem gegolten haben, oder zu den Argumenten dafür, dass sie sich überhaupt nicht auf ein Zentralheiligtum beziehen, so ist der Schlusssatz unumgänglich, dass diese Formel in Deut. **12,5**, etc. sich auf Grund des hier aktuellen Zusammenhangs auf den israelitischen Kultplatz bei Sichem bezieht.[49] Mag man auch andererseits annehmen, dass dieser Zusammenhang durch sekundäre Redaktion hergestellt worden ist — eine Annahme, die an sich berechtigt sein kann — so ist es doch vollkommen eindeutig, dass er keinesfalls zufällig entstanden ist. Im vorliegenden Textzusammenhang wird also die Zentralisationsformel *absichtlich* auf Sichem bezogen. Dann muss man aber auch mit der Möglichkeit rechnen, dass dieser Bezug auf eine ursprüngliche Tradition zurückgeht. Es gibt nun noch einen weiteren Text, wo die Formel mit *demselben* Bezug verwendet wird, nämlich in Jos. **9,27**. Bei der folgenden Analyse der Landnahmeerzählung werden wir u.a. genauer zeigen, dass der in diesem Vers genannte Jahwealtar nicht das Heiligtum in Gilgal ist, wie u.a. Noth vermutet hat,[50] und auch nicht das von Gibeon, sondern der unmittelbar vorher, in Kap. 8,30, erwähnte. Wenngleich also die deuteronomistische Zentralisationsformel oder bestimmte Komponenten derselben mit vorkommenden Varianten ausdrücklich von Jerusalem gebraucht werden, 1. Kön. 8,44,48, 9,3,.11,13,32,36, 14,21, 2. Kön. 21,4,7 23,27, so ist es doch vollständig klar, dass dieser Gebrauch nicht exklusiv ist, sondern dass die Formel auch auf Sichem bezogen vorkommen kann. In Anbetracht unserer bisherigen Ausführungen ist daraus als wahrscheinlich zu folgern, dass die Beziehung auf Sichem die ursprüngliche ist, und dass die Formel erst sekundär auf Jerusalem übertragen worden ist. Sichems Anspruch auf den Rang des Zentralheiligtums der zwölf Stämme wird zwar schon in der ursprünglichen Hexateucherzählung erhoben, (Jos. 22!) aber die Forderung der Deuteronomisten auf die alleinige Zentralisierung nach Sichem dürfte sich gegen die königlichen Heiligtümer des Nordreichs richten und das positive Gegenstück ihrer Verurteilung des Kultes in denselben sein. In den paränetischen Abschnitten des Deuteronomiums, vor allem in den Kapiteln 4—11, hat sich vieles sehr wahrscheinlich ursprünglich auf konkrete Verhältnisse im Nordreich zur Zeit von Hosea und Amos bezogen und ist erst später auf die Verhältnisse im späten Reiche Juda anwendbar geworden.

Anmerkungen zu Kap. III C Die zwölf Stämme

[1] *Das System der zwölf Stämme Israels.* Die Seitenangaben im folgenden Text beziehen sich auf dies Buch.

[2] Völlig oder teilweise kritisch sind u.a. H.M. Orlinsky, *The Tribal System of Israel and Related Groups in the Period of the Judges;* S. Herrmann, *Das Werden Israels;* idem, *Autonome Entwicklungen in den Königreichen Israel und Juda;* idem, *Geschichte,* S. 160 ff.; W.H. Irwin, *Le sanctuaire central israélite avant l'établissement de la monarchie;* G. Fohrer, *Altes Testament — "Amphiktyonie" und "Bund"?;* R. de Vaux, *La thèse de l'amphictyonie israélite;* N.P. Lemche, *Israel i dommertiden;* A.D.H. Mayes, *Israel in the Pre-Monarchy Period;* idem, *Israel in the Period of the Judges.*

[3] Vgl. S. 59: „Anknüpfend an die soeben angeführten Tatbestände stellen wir nun also die These auf, dass das alttestamentliche Zwölfstämmesystem aus der Institution einer in vorstaatlicher Zeit bestehenden altisraelitischen 'Amphiktyonie' hervorgegangen ist und dass es nichts anderes als die Liste der zwölf Glieder dieser Amphiktyonie darstellt."

[4] Der hebräische Ausdruck sollte nach Noth, S. 97, dem *hieromnemon* der Griechen entsprechen. Eine ausführlichere Studie hierüber enthält des Exkurs 3, *Gebrauch und Bedeutung des Wortes* נשיא.

[5] Diese These entwickelt Noth in einer späteren Untersuchung genauer, *Die Gesetze im Pentateuch.* In *Das Amt des Richters Israels* behauptet Noth, dass man bei der Tradition über die kleinen Richter, Ri. **10**,1—5, **12**,7—5, ein mit der Amphiktyonie verbundenes Amt annehmen kann; der Richter hatte über Rechtsstreitigkeiten gemäss Deut. **17**,8—13 zu entscheiden. Ausserdem verbindet Noth mit dem Amt des Richters die Aufgabe, das Gottesrecht beim Hauptfest der Amphiktyonie öffentlich zu rezitieren, *Geschichte,* S. 99, Anm. 2.

[6] Vgl. hierzu Noths Exkurs 4, *Literarische Analyse von Ri. 19—21.* Seine Deutung hat Eissfeldt kritisiert in *Der geschichtliche Hintergrund von Gibeas Schandtat;* nach ihm bestände der historische Hintergrund dieser Erzählung, wie auch der übrigen Geschichten im Buch der Richter, in Ereignissen von nur lokal begrenzter Reichweite; die Überlieferung hätte erst durch spätere Bearbeitung gesamtisraelitische Dimensionen erhalten. Gegen Eissfeldt ist jedoch einzuwenden, dass die gesamtisraelitischen Voraussetzungen in Ri. **19—21** in viel höherem Masse zur Substanz der Erzählung gehören als bei den übrigen Erzählungen im Richterbuch (wo sie jedoch auch nicht völlig fehlen). Es dürfte unmöglich sein, auf Grund von literarischen Kriterien des in Kap. **19—21** vorliegenden Textes den Wortlaut einer oder mehrerer vorliterarischer Episoden zu rekonstruieren, in denen die gesamtisraelitische Perspektive fehlte: also besteht überhaupt kein sicherer Grund für die Annahme, dass solche Geschichten existiert haben. Dass Ri. **19—21** als Ganzes, abgesehen von kleineren Zusätzen von Bearbeitern, auf eine alte Tradition zurückgeht, ist recht sicher, aber damit ist die Frage nach der ihr zugrundeliegenden historischen Wirklichkeit natürlich nicht entschieden. Immerhin zeugt sie davon, dass die *Vorstellung* von Israel als einer Einheit von zwölf Stämmen bereits in vormonarchischer Zeit existiert hat. — Die Hypothese, dass der heilige Krieg, d.h. das gemeinsame Auftreten der Stämme gegen äussere Feinde, eine mit der Amphiktyonie verknüpfte Institution war, hat von Rad genauer entwickelt: *Der heilige Krieg im alten Israel.*

[7] N.P. Lemche, *Israel i dommertiden,* S. 39—44, widmet dem von Noth herangezogenen griechisch-römischen Vergleichsmaterial eine kritische Durchsicht und stellt seine Anwendbarkeit weitgehend in Frage.

[8] Mowinckel, BZAW 77, S. 129 ff., nahm an, dass das Zwölfstämmesystem erst zur Zeit Davids entstanden sei; es sei weitgehend eine Schöpfung des Jahwisten und ein Ausdruck von Davids ideologisch-politischen Bestrebungen, die feste Verbindung Judas mit den Nordstämmen auch in der frühsten Zeit der Geschichte Israels zu behaupten, vgl. vor allem S. 149f. — An Mowinckel knüpft u.a. S. Herrmann an: *Autonome Entwicklungen,* S. 150. Nach ihm dürfte „das Zwölfstämmesystem erst auf dem Höhepunkt politischer Entwicklung unter David als eine spezifisch jerusalemitisch-judäische Idee erfolgt sein." Ähnlich, aber nuancierter in *Geschichte,* S. 137. — Die dieser Annahme zugrundeliegenden Argumente sind nicht tragfähig. Es ist unwahrscheinlich, dass man in Juda und Jerusalem zur Behauptung der eigenen politischen und ideologischen Interessen den Vorrang der Joseph- und Rahelstämme vertreten hätte, so wie es in den Texten geschieht.

[9] Noth betrachtet die Num. **26**,5—51 zugrundeliegende Tradition als die älteste. Diesen Text analysiert er genauer in *Exkurs 1.*

[10] Die Frage wird in zwei neueren Arbeiten untersucht. A.H.J. Gunneweg, *Leviten und Priester,* meint, dass die Leviten als Eiferer für die Jahwereligion und gegen synkretistische Tendenzen von Anfang an besonders mit der Jahwe-Amphiktyonie verknüpft waren. Auf Grund dieser Eigenschaft hätten sie sich aus der Stämmegemeinschaft abgesondert und eine besondere Gruppe gebildet. — A. Cody, *A History of Old Testament Priesthood,* meint, die Leviten seien von Anfang an die von Mose für das Ladeheiligtum eingesetzten Priester gewesen. Nähere Literaturhinweise sh. Weippert, *Die Landnahme,* S. 48, Anm. 8. — Die Auffassung vom Ursprung und der Geschichte des Stammes Levi, die wohl die wahrscheinlichste verbleibt, vertritt de Vaux, *Institutions,* II, S. 213—231, vgl. S. 227: "Il y a eu une tribu profane de Lévi et son ancêtre porte un nom personnel qui est attesté, sous sa forme pleine, par des textes cunéiformes et égyptiens." Dieser Stamm hatte wie Simeon seine Wurzeln im südlichsten Palästina und wurde wie dieser frühzeitig geschwächt. Für den Stamm Levi war dies einer der Gründe seiner Spezialisierung auf den Kult, vgl. S. 229: "L'ethnologie et l'histoire fournissent d'autres exemples de la spécialisation fonctionelle, voire cultuelle, d'une minorité ethnique." Die Argumente, die für die Beheimatung Simeons und Levis im südlichsten Palästina sprechen, wohin sie vom Süden kamen, hat de Vaux überzeugend in *Histoire,* S. 490—496 zusammengestellt. Sh. auch unten, Anm. 15, 16, 23 und 24.

[11] Gegen Fohrer, BZAW 115, S. 100, der eine älteste Form des Zwölfstämmeschemas annimmt, in der Dina an Stelle von Benjamin vorkommt.

[12] Vgl. Oben B, S. 59 ff.

[13] Vgl. oben A, S. 49, Anm. 6.

[14] Vgl. oben Anm. 10.

[15] Simeon und Levi werden nur an zwei Stellen kurz erwähnt, V. 25 und V. 30 f., sie spielen in dem Zusammenhang keine wesentliche Rolle. Die Hauptagierenden werden sonst durchgehend als „Jakobs Söhne" bezeichnet, und wahrscheinlich hat die Geschichte anfangs nur von ihnen gehandelt. Vgl. S. Lehming, *Zur Überlieferungsgeschichte von Gen. 34;* A. de Pury, *Genèse XXXIV et l'histoire.*

[16] De Vaux, *Histoire,* S. 495, akzeptiert diese Ausscheidung von Simeon und Levi, scheint aber doch zu der Annahme zu neigen, dass ihre Erwähnung in Gen. 34 einen historischen Hintergrund hat und dass die beiden Stämme Verbindung mit Zentralpalästina gehabt haben, die er jedoch auf eine sehr frühe Epoche verlegt, vgl. S. 492: "L'épisode est rattachée à la préhistoire d'Israël, bien avant l'exode et la conquête." (Vgl. auch S. 166 ff.) Man muss wohl sagen, dass die Textunterlage zu dieser Annahme schwach ist. Dann bleibt aber zu erklären, warum Simeon und Levi dennoch in Gen. 34 genannt werden. Die Vermutung wäre naheliegend, dass irgend ein Zusammenhang zwischen Gen. 34, 25,30f. und dem Fluch über Simeon und Levi, 49,5—7 besteht. Lehming und de Pury, op.cit. oben Anm. 15, haben zwar betont, dass der letztere Text ursprünglich keine Anspielung auf Gen. 34 gewesen sein kann, was wohl richtig ist. Es kann aber umgekehrt gewesen sein: als der anfangs selbständige Text Gen. 49 in den Rahmen der Hexateucherzählung eingefügt wurde, entstand das Bedürfnis, die beiden Fluchworte dieses Kapitels über Ruben, Simeon und Levi in erzählerischen Zusammenhang irgendwie zu motivieren. Man darf annehmen, dass die Notiz über Ruben, Gen. 35,22 aus diesem Bedürfnis entstanden ist; aus demselben Grunde können Levi und Simeon in Gen. 34 eingeführt worden sein. Die Erzählung vom Überfall der Söhne Jakobs auf Sichem konnte ein passender Zusammenhang sein, um die Gewalttätigkeit Simeons und Levis zu veranschaulichen, von der in Gen. 49,5—7 die Rede ist. Ursprünglich war aber diese Stelle sicher eine Anspielung auf Ereignisse und Umstände in Südpalästina, wo die beiden Stämme ursprünglich ansässig waren. — Zobel, *Stammesspruch,* S. 7—9, hat nachgewiesen, dass in diesem Text ursprünglich Jahwe als der Sprechende vorausgesetzt wird, sodass er den Charakter eines Prophetenwortes hatte, dessen Sinn war, „dass Jahwe um der Verfehlungen Simeons und Levis willen ihnen in Zukunft seine Kampfesunterstützung aufkündigt und sie damit rettungslos ihren Feinden ausliefert." — Nicht ganz unwahrscheinlich wäre die Vermutung, dass den Versen Gen. 49,5—7 ähnliche Ereignisse zugrundelagen wie der Erzählung von dem misslungenen Landeroberungsversuch in Num. 14,39—45. Auch hier heisst es ja, dass Jahwe „den Israeliten" wegen ihres Übermuts seinen Beistand entzog, sodass sie „bis nach Horma" zurückgeschlagen wurden, 14,15. Horma wird unter den Städten Simeons erwähnt, Jos. 19,4, vgl. Ri. 1,17. Auch de Vaux, *Histoire,* S. 490 f., nimmt einen Zusammenhang zwischen Num. 14, 39—45 und Simeons Landnahme an. Wahrscheinlich haben Simeon und Levi von Anfang an eine ziemlich prekäre Existenz im Randgebiet des südpalästinischen Kulturlandes gehabt, die man als Folge von Jahwes fehlender Hilfe gedeutet hat. Dass sie trotzdem zu dem

zentralpalästinischen Zwölfstämmesystem gerechnet wurden — im Unterschied zu anderen südpalästinischen Stämmen, die lebenstüchtiger gewesen zu sein scheinen — beruht mit grosser Wahrscheinlichkeit darauf, dass sie schon in einer frühen Phase in Kadesh Barnea, vielleicht sogar schon in Ägypten, nahe mit der später nach Zentralpalästina eindringenden Mose-Josuagruppe zusammengehört haben. Dafür spricht die sicher authentische Tradition, dass Mose zum Stamm Levi gehört hat, Ex. 2,1, sowie das Vorkommen von Namen wahrscheinlich ägyptischen Ursprungs, vgl. z.B. de Vaux, *Histoire*, S. 495 f. Die Verwandtschaft der Leviten mit Mose hat ihnen vielleicht ein Prestige gegeben, das für ihre spätere sakrale Spezialisierung von Bedeutung war. Vor allem scheinen sich die südpalästinensischen Aaroniten auf diese Verwandtschaft berufen zu haben, woraus sich wohl die Tradition ergab, dass Aaron Moses Bruder war.

[17] Kap. **14**,6—15* und Kap. **22*** haben mit Sicherheit zum ursprünglichen Bestand der Hexateucherzählung gehört. In dieser ist vermutlich auch das Landverteilungsthema angedeutet gewesen, vor allem in Texten wie Num. **32***, spez. V. 18, sowie in Deut. **31**,7, Jos. **1**,5, **11**,23, die nicht unbedingt deuteronomistisch gewesen sein müssen. Sonst haben wohl die genauen Grenzbeschreibungen und Ortsaufzählungen, Kap. **13—21**, kaum zum ursprünglichen erzählerischen Zusammenhang gehört, vielmehr ist anzunehmen, dass sie sekundäre Erweiterungen sind, die vonvornherein zum direkten Anschluss an die ursprüngliche Erzählung und die dort angedeutete Landverteilung ausgearbeitet worden sind. In der Hauptsache sind diese Kapitel vermutlich in einer frühen Periode entstanden, können aber später in mancher Hinsicht verändert und komplettiert worden sein.

[18] *Das System der Stammesgrenzen. (Kl. Schr.* I, S. 193—202. Seitenangaben im Text gehören hierher). *Israels Gaue unter Josia. (Kl. Schr.* II, S. 276—288.)

[19] *Studien zu den historisch-geographischen Dokumenten des Josua-Buches*, ZDPV 58 (1935), 185—255 (= *Aufsätze I*, S. 229—280); *Das Buch Josua*, vor allem S. 13—15.

[20] S. Mowinckel, *Zur Frage nach dokumentarischen Quellen in Jos. 13—19*, hat dies mit Recht in Frage gestellt. Aber seine Annahme, dass die betr. Kapitel nach dem Exil niedergeschrieben worden seien und ihr Inhalt vorher mündlich überliefert worden sei, ist recht unwahrscheinlich. Noth hat sie in *Überlieferungsgeschichtliches zur zweiten Hälfte des Josuabuches* kritisiert.

[21] *Kl. Schr.* II, S. 285.

[22] *Das Buch Josua*, ad loc. Siehe dagegen z.B. S. Talmon, *The Town Lists of Simeon*, der annimmt, dass die Liste der Städte Simeons nicht jünger als aus der Zeit Davids ist. Sh. ferner de Vaux, *Histoire*, S. 492.

[23] Dass die Aaroniten an erster Stelle für sich genannt werden, braucht nicht zu bedeuten, dass sie schon den Vorrang unter den Leviten einnahmen, der ihnen mit dem alleinigen Anrecht auf die Priesterwürde am Tempel von Jerusalem zufiel. Die Betonung ihrer Sonderstellung unter den übrigen Kehathiten braucht auch nicht nachexilisch zu sein, wie Noth annimmt, *Das Buch Josua*, S. 131. Ihr Platz in Jos. **21** erklärt sich wahrscheinlich eher aus der Tatsache, dass die Levitenstädte im Westjordanland in der Hauptsache von Süden nach Norden aufgezählt werden, was vermutlich in etwa dem wirklichen Weg ihrer Verbreitung entspricht. Der Text ist ein Beleg dafür, dass die aaronitischen Sippen in Südpalästina und in Benjamin, mit Ausnahme des eigentlichen Juda, vollständig dominierten, und sich hier zu einem besonders lebenskräftigen Zweig des Stammes Levi entwickelt hatten. Wahrscheinlich erklärt sich aus dieser wohl tatsächlichen geographischen Verbreitung auch, dass gerade die Aaroniter später eine Vorzugsstellung am Tempel von Jerusalem einnahmen.

[24] Das Fehlen der Levitenstädte im eigentlichen Juda hat Alt, *Kl. Schr.* II, S. 294—301, auf Grund von Josias Kultreform zu erklären versucht. Zu dieser gehörte, dass der König „die Priester aus den Städten Judas (nach Jerusalem) hereinbrachte und die Höhenkultorte von Geba bis Beer-Seba beseitigte", 2. Kön. 23,8. An Alt schliesst sich Noth an, vgl. *Das Buch Josua*, S. 131. Die Erklärung ist jedoch unzulänglich, da sie die Frage des Vorkommens von Levitenstädten südlich von Hebron, Jos. **21**, nicht löst. Zugleich mit seiner Hypothese legt Alt Gründe gegen eine frühe Datierung der Liste der Levitenstädte vor, S. 296 f: „Die Annahme, dass sich in der Lückenhaftigkeit der Liste die Situation einer Frühzeit spiegle, in der die Ausbreitung des Stammes Levi über ganz Israel und Juda erst teilweise stattgefunden hatte, bietet keinen gangbaren Ausweg; denn erstens wäre selbst für eine solche wohl noch vor der israelitischen Staatenbildung liegende Früzeit das völlige Fehlen von Alt-Juda und besonders von Ephraim und Manasse kaum wahrscheinlich zu machen, und zweitens finden sich in der Liste /.../ so viele Namen von Orten,

die erst durch David und Salomo den Reichen Israel und Juda einverleibt wurden, dass sich jede frühe Datierung von selbst verbietet." Gegen Alts erstes Argument sind zwei Einwände zu machen: erstens fehlen Ephraim und Manasse in Jos. 21 nicht, und vor allem gibt es keinen Grund zu der Annahme, dass Sichem „sekundär" wäre. Dass relativ wenige Orte genannt werden, wird verständlich, wenn man annimmt, dass die Leviten sich von Süden nach Norden verbreitet haben. Dabei ist besonders zu beachten, dass Zentralpalästina, abgesehen vom judäischen Negev-Gebiet, das Hauptverbreitungsgebiet der Kehathitensippen gewesen ist, und je weiter man nach Norden kommt, desto kleiner wird die Zahl der kehathitischen Städte. (Zur Existenz der Leviten in Ephraim vgl. auch Richt. **19,**1f.). Was zweitens das Fehlen der Levitenstädte im eigentlichen Juda betrifft, so lässt es sich im Gegenteil sehr wohl aus ausgesprochen frühen Verhältnissen erklären: es gibt ja mehrere Belege dafür, dass der Stamm Juda in vieler Hinsicht Abstand zu den übrigen israelitischen Stämmen bewahrt hat; Richt. **17,**7 ff. kann als Beleg dafür gelten, dass die Leviten ganz einfach kein Heimatrecht im eigentlichen Juda erhielten. — Gegen Alts zweites Argument lässt sich einwenden, dass die Tatsache, dass gewisse Levitenstädte erst unter David und Salomo in das Reich einbezogen wurden, kein entscheidendes Kriterium für das Alter der Liste ist. Statt dessen sind zwei Faktoren zu beachten: erstens lagen sämtliche Levitenstädte jedenfalls in dem Gebiet, auf das die israelitischen Stämme schon in vormonarchischer Zeit *theoretischen* Anspruch erhoben, zweitens haben viele Städte, die lange nicht-israelitisch blieben, doch schon früh in enger Verbindung mit den israelitischen Stämmen gestanden, was ganz offenbar gerade von Sichem gilt. Daher konnte ihr Territorium auch levitischen Gruppen zugänglich gemacht werden.

[25] Vgl. oben, Anm. 10.

[26] W.F. Albright, *The List of Levitic Cities,* datiert das ursprüngliche Dokument auf die Zeit Davids; B. Mazar, *The Cities of the Priests and Levites,* nimmt die Zeit Salomos an; de Vaux, *Institutions,* II, S. 224—226, die Zeit gleich nach der Spaltung, wozu er in *Histoire,* S. 493, bemerkt: „Mais les lévites n'ont pas été installés dans ces villes à l'une ou l'autre de ces dates, ils y étaient déjà établis." De Vaux verweist hier auf M. Haran, *Studies in the Account of the Levitical Cities.*

[27] Vgl. die Beobachtungen Y. Aharonis in *The Land of the Bible,* S. 233: „Not only are there no internal Judean boundaries even for the tribes that had become attached to Judah, e.g. Simeon, Caleb, Kenaz, etc., neither are there any external borders. The southern, eastern and western boundaries of Judah are identical with those of the land Canaan, and that on the north corresponds to the southern boundary of Benjamin. The only section that appears nowhere else except in relation to the inheritance of Judah ist the north-western portion from Kiriath-Jearim to the Sea."

[28] Vgl. hierzu Aharoni, *The Land of the Bible,* S. 230: „The detailed description of the Benjamin-Judah boundary in the Jerusalem area requires careful scrutiny. Jerusalem rose to prominence only in the reign of David, and many take this as evidence for dating the list under discussion to that period. But does it really seem likely that a king from the tribe of Judah would stress the capital's belonging to Benjamin?" Auf diese Frage gibt es natürlich nur eine Antwort.

[29] Vgl. oben Anm. 6.

[30] Die Datierungsversuche sind unterschiedlich. Eine späte Datierung, Ende des 11. Jahrh., schlägt A.D.H. Mayes vor, *The Historical Context of the Battle against Sisera,* VT 19 (1969) 353—360. Eine frühe Datierung, um 1200 vor Chr., vertritt A. Globe, *The Literary Structure and Unity of the Song of Deborah,* JBL 93 (1974), 593—612.

[31] So S. Mowinckel, BZAW 77 (1958), 129—150, und aus anderen Gründen A. Weiser, *Das Deboralied,* ZAW 71 (1959), 67—97.

[32] Für diese Auffassung führen u.a. Noth und de Vaux Gründe an. M. Ottosson, *Gilead,* S. 22—29, mit näheren Literaturangaben, stellt sie in Frage. Seine Argumente dafür, dass der Name sich ursprünglich auf das Bergland östlich vom Jordan bezogen habe, sind bedeutsam, aber vielleicht nicht ganz entscheidend.

[33] So C. Steuernagel, *Die Einwanderung der israelitischen Stämme in Kanaan,* S. 20 f., der allerdings meint, dass Gad das Land Gilead im weiteren Sinne bewohnt habe. Es ist auch nicht unmöglich, dass der in Ri. 5,17 genannte Stamm Gilead auch nördlich vom Jabboq verbreitet war, wenn nämlich das Deboralied zugleich voraussetzt, dass Machir noch im Westjordanland wohnte. Diese Lösung schlägt Ottosson, op.cit. S. 136—143, vor; gegebenenfalls wäre es dann denkbar, dass der Name Gad den Stamm bezeichnete, der sich hauptsächlich auf das Gebiet südlich vom Jabboq beschränken musste, als Machir sich im nördlichen Gilead niederliess. Aber auch

dann ist man gezwungen, die grundlegende Identität der Stammesbezeichnungen Gilead und Gad vorauszusetzen.

[34] *Stämme,* Exkurs 1. Sh. auch *Das Buch Numeri,* ad loc.

[35] Auch Hes. **48** und 1. Chron. **2—8** enthalten Aufzählungen der zwölf Stämme, sie haben aber in unserem Zusammenhang keine Bedeutung.

[36] Die Namensform als solche entspricht der Bildung eines frühen Personennamentypus, vgl. M. Noth, *Die israelitischen Personennamen,* S. 207; G.A. Danell, *Studies in the Name of Israel,* S. 22—28. Diese Feststellung ist aber kein zureichender Grund für die Annahme, dass „Israel" wirklich von Anfang an ein Personenname war. Als solcher kommt er eigentlich nirgends im Alten Testament vor, da alles darauf deutet, dass auch das Individuum Jakob-Israel ursprünglich als Volkseponym aufgefasst worden ist. Schon auf der Merneptahstele kommt der Name als Bezeichnung einer Volskgruppe vor, und es gibt keine Belege dafür, dass er je etwas anderes gewesen wäre. Auch Noth, *Personennamen,* S. 207, vermutet, dass Israel ein ursprünglicher Kollektivname ist. Völlig kategorisch äussert er sich in *Geschichte,* S. 50, Anm. 2: „Israel war ja von Hause aus kein Stammesname, sondern eine umfassende Gesamtbezeichnung." Alles spricht dafür, dass diese Ansicht richtig ist. Die Etymologie des Namens ist umstritten. Noth, op.cit., S. 207, möchte das Verbalelement von einem Stamm *s r',* ‚herrschen' ableiten und deutet den Namen als „Gott möge sich als Herrscher beweisen". Dagegen meint Eissfeldt, *Jakobs Begegnung mit El, Kl. Schr.* IV, S. 98, „dass die durch Gen. **32,**29 und Hos. **12,**4 nahegelegte Erklärung als „El kämpft" immer noch die wahrscheinlichste bleibt." — J. Heller, *Ursprung des Namens Israel,* Comm. Viat. 3—4 (1964), 263 f, akzeptiert die Verbbedeutung ‚kämpfen', nimmt aber im Anschluss an Noth an, dass der Name seiner Form nach „ein Wunschname, ein kurzes Gebet" ist, und deutet ihn als „Gott möge streiten": ursprünglich sei der Name ein gemeinsamer Feldruf der in Sichem vereinten Stämme gewesen. Für diese Deutung scheint viel zu sprechen. Nichts deutet dagegen darauf, dass der Name Jakob ursprünglich ein Volks- oder Stammesname gewesen ist; die Erzählungen von den drei Patriarchen Abraham, Isaak und Jakob gehen höchstwahrscheinlich auf ursprüngliche Personentraditionen, vermutlich aus dem südlichsten Palästina, zurück, und sie haben keinen anderen wahrnehmbaren Stammes- oder volksgeschichtlichen Hintergrund als den, welchen man ihnen als den Stammvätern der zwölf Stämme Israels zulegte. Diese Stammvaterrolle dominiert andererseits vollständig in den vorliegenden Erzählungen. In den Texten findet sich also kaum ein stichhaltiger Grund zu der häufig vorkommenden Annahme, dass die Namensänderung Jakob — Israel, Gen. **32,**29 und **35,**10, den Zusammenschluss einer Jakobgruppe und einer Israelgruppe spiegle, vgl. z.B. H. Seebas, *Der Erzvater Israel;* de Vaux, *Histoire,* S. 167, 594 f, so wenig wie für die Annahme, dass die Jakob-Gruppe ihren früheren Namen geändert habe, um ihren Übergang zum Kulte Els zu markieren, vgl. Eissfeldt, *Jakobs Begegnung mit El, Kl. Schr.* IV, S. 92—98, vor allem S. 98.

[37] Text: ANET, 1955², S. 376—378; sh. ferner z.B. de Vaux, *Histoire,* S. 456 f.

[38] Besonders deutlich z.B. in Num. **24,**17—19; aber die Bileamgeschichte als Ganzes ist ein sekundärer Zusatz zur ursprünglichen Hexateucherzählung.

[39] Vgl. Eissfeldt, *Kl. Schr.* IV, S. 96: „Die eng zusammengehörigen Stücke Gen. **32,**24—33 und **33,**18—20* handeln also von einer Jakob zuteil gewordenen Gottesoffenbarung und von der Begründung eines Kultes des El, der soeben Jakob begegnet war. Dabei macht es die Benennung dieses Gottes als ‚El Gott Israels' ganz deutlich, dass es sich hier nicht um das Erleben und Handeln eines Einzelnen handelt, sondern vielmehr um die Anfänge eines ein ganzes Volk oder doch einen ganzen Stamm verpflichtenden Gottesdienstes." Dass der Name Israel und die geprägte Gottesbezeichnung ‚Jahwe/El, der Gott Israels" ihren Ursprung in Sichem haben, hat C. Steuernagel schon nachgewiesen in *Jahwe, der Gott Israels,* BZAW 27 (1914) 329—349. Vgl. Noth, *Stämme,* S. 93 f.; Nielsen, *Shechem,* S. 231 ff. Den Vers Gen. **35,**10, in dem die Namensänderung Jakob-Israels im Anschluss an die Erzählung von Jakobs Aufenthalt in Bethel erwähnt wird, betrachtet man allgemein als zur P-Schicht gehörig.

[40] Für die Datierung des „Landtags in Sichem" gibt in diesem Falle die Merneptahstele einen *terminus ante quem.* Eine so frühe Datierung ist nicht ganz undenkbar; sie muss vor allem unter Berücksichtigung von S. Herrmanns grundlegend richtigen Gesichtspunkten geprüft werden, dass Mose einen ursprünglichen Platz sowohl in den Exodus- als auch in den Wüstenwanderungstraditionen gehabt hat, und dass diese einen einheitlichen Handlungsverlauf widerspiegeln, der sich in einen ziemlich engen Rahmen, nämlich die Lebenszeit Moses, einfügen lässt, vgl. *Geschichte,* S. 109 ff., und vor allem seine Kritik an Noth. S. 111: „Ebensowenig wie man die Patriar-

chentraditionen über grosse geographische Räume und lange Zeitabschnitte verbreiten sollte, dürfte es angehen, die ,Wüstenzeit' in ungezählte Sonderschicksale von unwägbar langer Dauer aufzulösen. Die traditionellen ,40 Jahre' sind gewiss kein zuverlässiger Anhaltspunkt, aber doch der Hinweis auf einen relativ kurzen Zeitraum." Ebensowenig braucht sich die Karriere Josuas im Westjordanland über eine lange Zeitspanne erstreckt zu haben, und wenn der Landtag in Sichem auch wahrscheinlich ihr Höhepunkt war, muss er, trotz der literarischen Darstellung des Buches Josua, nicht ihr absoluter Schlusspunkt gewesen sein. Möglich wäre natürlich auch eine andere Lösung, dass nämlich ein umfassender Stämmebund ,,Israel" — der dann aber nicht mit einem Bund der sechs Leastämme zu identifizieren ist — schon früher um Sichem bestanden hätte, und dass Josuas Einsatz vor allem darin bestanden hätte, diesen Stämmebund zum Jahwekult zu verpflichten und vielleicht bis zu einem gewissen Grade zur endgültigen Strukturierung des Stämmesystems beizutragen. Diese Annahme stünde sich gut mit der Darstellung des Buches Josua in Einklang, nachdem die Errichtung eines Jahwealtars, **8**,30—35 und die Vermittlung des Bundes zwischen Jahwe und dem Volk, **24**,25, Josuas einzige Massnahmen in Sichem waren. Er selber und sein Haus erscheinen jedoch eigentümlich unabhängig vom System der Stämme, er ist ebensowenig in diesem aufgegangen wie Kaleb, sein Genosse von Kadesh Barnea.

[41] Vgl. hierzu ausser den Kommentaren, M. Löhr, *Das Asylwesen im AT*; N.M. Nicolsky, *Das Asylrecht in Israel;* M. David, *Die Bestimmungen über die Asylstädte in Josua 20.* Nicolsky, dem u.a. Noth, *Das Buch Josua,* ad loc., folgt, nimmt an, dass die Verbindung des Asylrechtes mit den Städten statt mit den Heiligtümern von einer angeblich für das Deuteronomium typischen Säkularisierungstendenz zeugt. Für eine Spätdatierung der Asylinstitution ist dies Argument kaum stichhaltig. De Vaux, *Institutions,* I, S. 247—250, gibt haltbare Gründe für die Annahme, dass Jos. **20** die ältesten Texte zum Asylrecht enthält. Er datiert sie auf die Zeit Salomos und lehnt die vormonarchische Zeit ab, hauptsächlich "parce que les villes sont choisies et déterminées selon leur situation géographique et non selon leur appartenance à une tribu; /. . ./ C'est donc une institution indépendante de l'organisation tribale" (S. 250). Dies Argument ist wenig tragfähig. Man kann vielmehr feststellen, dass die Teilung des Landes in drei Teile, ein südliches, ein zentrales und ein nördliches Gebiet, u.a. gerade für den sichemitischen Stämmekanon typisch ist, und dass vor allem zwei der erwähnten Städte, Sichem und Hebron ihre grösste Bedeutung in vordavidischer Zeit hatten, während Jerusalem bezeichnenderweise nicht unter den Asylstädten vorkommt.

[42] Dass Aaron in der Geschichte vom goldenen Kalb ursprünglich eine positive Rolle gehabt hat, nimmt Gunneweg an, *Leviten und Priester*, S. 88. Dagegen ist seine Vermutung, dass Aaron ursprünglich zur Tradition von Bethel und nicht nach Südpalästina und Jerusalem gehört hat, recht unwahrscheinlich.

[43] Eine Ausnahme stellte vielleicht Dan dar, mit dem nach Ri. **18**,30 eine besondere Gruppe von Leviten schon früher verknüpft war.

[44] Vgl. oben, Kap. II, Anm. 10.

[45] Diese Annahme zieht die Konsequenzen und präzisiert die vielen entscheidenden Gesichtspunkte von H. Wolffs Untersuchung, *Hoseas geistige Heimat*. Sein Ausgangspunkt ist die Frage, die er beim Studium Hoseas für unumgänglich hält: ,,Sind im Nordreich des 8. Jahrhunderts abseits von den offiziellen Kreisen am Hof und an den grossen Heiligtümern Gruppen denkbar oder gar nachweisbar, die einerseits altisraelitische Überlieferungen bewahren und pflegen und andererseits im Gegensatz zum gegenwärtigen Staatskult stehen?" (Ges. St., S. 232 f.)

[46] Vgl. oben, Einleitung, Anm. 34.

[47] *Op.cit.* (oben Anm. 45), S. 248—250. Vgl. vor allem S. 250: ,,Wir beginnen, durch Hosea zu begreifen, welch eine mächtige Bewegung das levitisch-prophetische Oppositionsbündnis in den letzten Jahrzehnten des Nordreichs gewesen sein muss, so dass es als amphiktyonisch orientierte Gemeinschaft die Stürme des staatlichen Untergangs überdauert und schliesslich mit Hilfe des Deuteronomiums zu ganz neuen Ansätzen geführt hat, die auch die Katastrophe Judas überbrücken und zu den folgenreichsten in der Geschichte Israels gehören, nicht zuletzt im Blick auf das alttestamentliche Schrifttum."

[48] Sh. hierzu vor allem G. von Rad, *Das Gottesvolk im Deuteronomium,* der auch den engen Zusammenhang zwischen Hosea und dem Deuteronomium betont, S. 78—83.

[49] G. Seitz, *Redaktionsgeschichtliche Studien zum Deuteronomium,* S. 212—222, hat diese Formel kürzlich untersucht.

[50] *Das Buch Josua,* S. 53.

IV. Das literarische Hauptthema: Die Verheissungen an die Väter

In den Kapiteln II und III haben wir eine Auswahl von solchen Textphänomenen untersucht, die das ursprüngliche Erzählungswerk als eine Einheit kennzeichnen, sofern sie nämlich Schlüsse auf die zeitgeschichtlichen Voraussetzungen des Werkes erlauben und auf ein und denselben Ort als Ursprungsmilieu deuten. So erhielten die beiden Kapitel streckenweise den Charakter von Studien der Geschichte und der historischen Geographie.

Im vorliegenden Kapitel befassen wir uns in erster Linie mit einer rein literarischen Analyse der Komposition, womit wir also wieder an Kapitel I anknüpfen, in dem wir feststellen konnten, dass Gen. **11,**27—**13,**18 als literarischer Auftakt eines längeren epischen Werkes zu betrachten ist. Als Hauptthema desselben werden in diesem Text Jahwes Verheissungen an Abraham von einer zahlreichen Nachkommenschaft und ihrem Besitz des Landes Kanaan angegeben. Hier werden wir nun verfolgen, wie sich dies Thema im Anschluss an den einleitenden Abschnitt in der Erzählung entfaltet. Zuvor müssen wir indessen einige für die frühere Forschung repräsentative Theorien kritisch beleuchten.

A. Kritische Forschungsübersicht

Die Texte des Hexateuchs, welche göttliche Verheissungen an die Väter — Segenssprüche und Verheissungsworte oder zitatmässige Hinweise auf diese — enthalten, wurden in der traditionellen Literarkritik auf die mutmasslichen Quellen verteilt. Man behandelte sie dabei isoliert und ohne genügende Rücksicht auf ihren literarischen Kontext; oft konnte man sich nur auf äusserst schwache Indizien stützen. Erst durch diese Verteilung glaubte man genügend festen Grund gewonnen zu haben, um sich darüber äussern zu können, wie die verschiedenen Quellen das Thema der Erzväterverheissungen behandelt hatten. So hätte nach W. Staerk[1] der Jahwist vor allem die unbedingte Verheissung des *Landes* hervorgehoben und nur Abraham und Jakob als Empfänger der Verheissung gekannt; der Elohist hätte die Verheissung der *Nachkommenschaft* besonders betont (unter Hinweis auf Gen. **15,**1—6); der Jehovist (Gen. **15,**7 ff.) sollte den neuen Gedanken eingeführt haben, dass Jahwe seine Verheissungen im Rahmen eines Bundes durch einen *Eid* bestätigt; auch das Deuteronomium habe den Bundesgedanken betont: die Erfüllung der Verheissungen werde nun davon abhängig gemacht, dass das Volk *seinerseits* seine moralischen Pflichten erfüllt. Auch der Priesterschrift liege die Vorstellung des Bündnisses zugrunde: hier wird die *Beschneidung* als Gegenleistung für die Erfüllung der Verheissungen gefordert, Gen. **17**.

Das bleibende Verdienst der traditionellen Literarkritik besteht wohl in der Aussonderung der P-Texte und bis zu einem gewissen Grade auch der deuteronomistisch geprägten Texte. Dagegen ist es überraschend, wie sehr man den älteren Textbestand nach Gutdünken behandelt hat. Die Existenz von zwei oder mehreren Quellenschriften wurde weitgehend als selbstverständlich vorausgesetzt.

Die literarkritische Fragestellung im engeren Sinne hat Kurt Galling in seiner Untersuchung *Die Erwählungstraditionen Israels* erweitert, in der er die Frage nach dem überlieferungsgeschichtlichen Verhältnis zwischen der Erzvätertradition und der Auszugstradition aufgreift.[2] In der alttestamentlichen Literatur von ihren ältesten bis zu ihren jüngsten Zeugnissen stellt nach Galling der *Auszug aus Ägypten* die wichtigste Grundlage des Bewusstseins Israels von seiner besonderen Erwählung durch Jahwe dar. Die Auszugstradition sei Israels älteste und zentrale Erwählungstradition: in ihr wurzelt ja auch ursprünglich der Name von Israels Nationalgott Jahwe. Die Auszugstradition sei von Anfang an selbständig und von der konkurrierenden Tradition unabhängig gewesen, welche die Idee von der Erwählung des Volkes mit der *Verheissung an die Väter* verknüpft. In den Pentateuchquellen habe man diese beiden Erwählungstraditionen auf verschiedene Art verbunden; in ihnen allen werde Jahwes Identität mit dem Gott der Väter in einer Art festgestellt, die erkennen lasse, dass ein ursprüngliches, vom Stoff als solchem bedingtes Spannungsverhältnis zwischen der Erzvätertradition und der Auszugstradition bestanden habe. Galling nimmt nun an, dass der Jahwist oder der Verfasser der ältesten Pentateuchquelle als Erster den Stoff der Erzvätererzählungen zu einer literarisch einheitlichen Erwählungstradition ausgestaltet habe, und zwar in direkter Abhängigkeit von der vorhergegebenen Auszugstradition.[3] Diese Erzvätertradition sei dann von den jüngeren Quellen übernommen und weiterentwickelt worden. Nach Galling ist also auch das mit dem Erwählungsgedanken verknüpfte, zusammenfassende Hauptthema der Erzväterverheissungen eine in den ältesten Quellen ursprüngliche *rein literarische* Schöpfung, die von Anfang an im Hinblick auf die Auszugs- und Landnahmetradition ausgearbeitet worden ist, welch letztere ihrerseits zu der entsprechenden Erzählung geformt wurde, wie Jahwe seine *Verheissungen an die Väter* erfüllt. So gesehen sei das Thema von den Verheissungen Jahwes an die Väter der rote Faden (S. 56) der ganzen Hexateucherzählung geworden. Nach Galling wird diese Erzvätertradition von dem „grossisraelitischen Gedanken" getragen, der schon die älteste literarische Quelle gekennzeichnet habe: Die Erzvätertradition will die Einheit des Volkes in seinen Stämmen legitimieren.[4]

Während Galling also die Erzvätererzählung der Genesis, und vor allem das Thema der Verheissungen, wohl im Prinzip richtig, als hauptsächlich literarische Schöpfungen auffasste, die von Anfang an mit der Auszugs- und Landnahmeerzählung verbunden waren, hat Alt in seiner kurz nach der Untersuchung Gallings herausgegebenen Studie *Der Gott der Väter*[5] versucht, im Stoff der Genesis Spuren unabhängiger religiöser Traditionen als Sonderbesitz der einzelnen, noch nicht zu einem gemeinsamen Kult Jahwes verbundenen Stämme und Stämmegruppen, zu finden. Nach Alt sind in den Traditionen der Genesis Erinnerungen an eine vorjahwistische Vätergottreligion erhalten, die bei den anfänglich nomadisierenden Stämmen beheimatet war; sobald diese Stämme sesshaft wurden, seien die Vätergötter, die ursprünglich die persönlichen Schutz- und Familiengötter der verschiedenen Stammväter waren, mit den Lokalgöttern der palästinischen Kultplätze identifiziert worden.

Es erübrigt sich hier, den Rekonstruktionsversuch Alts eingehender zu diskutieren, wir können uns darauf beschränken, ganz allgemein festzustellen, dass der Stoff der Genesis zweifellos an vielen Punkten authentische vorjahwistische Traditionen und Vorstellungen widerspiegelt, obwohl es äusserst schwierig sein dürfte, auf Grund der vorliegenden Texte eine ins Einzelne gehende und sichere Kenntnis derselben zu erlangen. Alt geht indessen so weit, dass er sogar für ein so ausgeprägt literarisches Thema wie die Verheissungen an die Väter einen vorjahwistischen Traditionshintergrund sucht. In Auseinandersetzung mit Galling stellt er fest:

> Die Erwählung Abrahams und der Seinen hat von Hause aus mit Jahwe und mit der Erwählung Israels durch ihn überhaupt nichts zu tun, sondern geht auf die Religion der Vätergötter zurück (S. 64).

Zu diesem Schluss berechtigt nach Alt das Wesen der Vätergötter, das darin besteht,

> dass sie in freier Wahl mit den betreffenden Menschen und durch sie fortdauernd mit den zugehörigen Verbänden in Beziehung getreten sind (ebda.).

Und Alt schliesst seine Auseinandersetzung mit Galling ab:

> Es bedurfte also keiner künstlichen literarischen Übertragung des Erwählungsgedankens aus der Mose- in die Vätertradition; er war in dieser vielmehr von jeher vorhanden, und zwar ganz unabhängig von der israelitischen Jahwereligion, als notwendiges Element der Grundanschauung von dem Verhältnis der Väter zu ihren Göttern (S. 65).

Gleichwohl ist sich Alt dessen bewusst, dass seine Annahmen auf eine wesentliche Schwierigkeit stossen:

> Auch dann bleibt es natürlich dabei, dass die in die Form verheissender Offenbarungsreden gekleideten Bezeugungen des Erwählungsgedankens in der Vätergeschichte der Genesis in aller Regel erst von den Schriftstellern so gestaltet sind, wie wir sie lesen. Es kann nicht anders sein, da die Formulie-

rungen ja eben der Grundanschauung dieser Autoren angepasst werden mussten, dass schon die Erwählung der Väter das Werk Jahwes — mit oder ohne diesen Namen — war (ebda.).

Die Richtigkeit dieses Zugeständnisses steht natürlich ausser Frage. Daraus folgt aber zwingend: wenn die *literarische Formulierung* der göttlichen Verheissungsworte, wie sie uns in den Texten der Genesis vorliegen, in der Perspektive der Jahwereligion und als Hinweis auf die Darstellung von der Erfüllung der Verheissungen in der Auszugs- und Landnahmeerzählung ihre *ausreichende* Erklärung erhalten, wie es auch Galling annimmt, dann können wir tatsächlich nichts darüber wissen, inwieweit die Verheissungstexte der Genesis auch ein vorjahwistisches Überlieferungsstadium spiegeln. Die Texte berechtigen also überhaupt nicht zu wissenschaftlichen Schlüssen über eventuelle vorjahwistische Erwählungsvorstellungen oder Verheissungstraditionen; wenn ihre Existenz vielleicht auch im Bereich des Möglichen liegen mag, können sie bestenfalls der Gegenstand überlieferungsgeschichtlicher Spekulationen sein. Folglich hat man nicht das Recht, die vorliegenden Texte wesentlich und primär als den Ausdruck solcher mutmasslichen, vorjahwistischen Traditionen zu betrachten.

Womöglich noch unsicherer erscheint dann die Grundlage der Annahme Alts, dass die Verheissungen der Nachkommenschaft und des Landes *verschiedenen* Überlieferungen entstammen sollen:

> Und wenn sich die Verheissungen so gut wie ausschliesslich um die Fragen der Nachkommenschaft und des Landbesitzes bewegen, so scheint es fast, als lägen auch da wieder eine vorpalästinische und eine palästinische Ideenschicht übereinander: dort das Interesse des nomadischen Stammes an der Erhaltung und Mehrung der Zahl seiner Männer, hier der Anspruch der ins Kulturland Übergetretenen auf die eigene Scholle (S. 66).

Diese Vermutung, der wir schon in der Quellenkritik in vielen Zusammenhängen begegnen, dass Unebenheiten in den Texten auf einen ursprünglichen Unterschied zwischen Nomaden und Kulturlandbewohnern zurückgehen, gibt uns erneut Gelegenheit zu betonen, dass die Texte in erster Linie in ihrem literarischen Zusammenhang zu deuten sind: hier stellt sich ja der Zusammenhang zwischen den Verheissungen von Land und Nachkommenschaft als völlig folgerichtig und notwendig dar, damit erhält folglich auch der doppelte Inhalt der Verheissung seine ausreichende Erklärung.

Wenn wir es für notwendig halten, den literarischen Zusammenhang stets in erster Linie zu berücksichtigen, so steht dies in schärfstem Gegensatz zu der Methode Alts, die er in einer Schlussbemerkung klar definiert:

> Man braucht bei den Zukunftsprogrammen der Vätergeschichte nur von der Ausweitung ins Israelitisch-Nationale und (beim Jahwisten) ins Menschheitlich-Universale abzusehen, die offenbar erst die Schriftsteller im Interesse des Ausgleichs zwischen der Väter- und der Jahwereligion herbeigeführt haben;

dann tritt ein Grundbestand zutage, der sich durchaus im Rahmen des Sonderlebens der einzelnen Gruppen und ihrer Götter hält (S. 66).

Natürlich: wenn man von den literarischen Zusammenhängen absieht, bleiben nur noch selbständige Bruchstücke übrig, die man ohne jede Kontrollmöglichkeit vielfältig deuten kann. Alt drückt sich in diesem Zitat erstaunlich sorglos aus; er hat keine objektiven, im Text selber gegebenen Kriterien nachweisen können, die ihm das Recht geben, ganz einfach von diesem und jenem „abzusehen", um daraufhin einen vorjahwistischen Grundbestand herauszupräparieren. Vor allem fehlen ja in den Texten positive Indizien für die Existenz einer vorjahwistischen Verheissungstradition. Alts Theorien sind also weitgehend nicht zu verifizieren, folglich bleibt Gallings Hypothese in ihren Hauptzügen gerechtfertigt.

In der Forschung gewannen indessen die Theorien Alts grösseren Anhang als die Gallings, sie wurden u.a. von von Rad und Noth weiterentwickelt. Sie knüpften teils an Alts Überzeugung vom vorjahwistischen Ursprung des Verheissungsthemas an, teils an Beobachtungen über die Wiederholung des Themas, die ihm die Funktion eines Bindegliedes in den Genesiserzählungen gibt. So bemerkt von Rad;

> So bunt das Überlieferungsmaterial ist, das in der grossen Erzählungskomposition von Abrahams Berufung bis zum Tod Josephs zusammengekommen ist, so hat das Ganze doch ein tragendes, verbindendes Gerüst, nämlich die sogenannte Erzväterverheissung. Mindestens kann man sagen, dass dem bunten Erzählungsmosaik durch die immer wieder auftretende göttliche Verheissung dem Ganzen /. . ./ eine thematische Verbindung gegeben wurde.[6]

Auch Noth betonte die verbindende Funktion des Themas und nahm an, dass mehrere Vätertraditionen sich um ein anfänglich selbständiges, von den Auszugs- und Landnahmetraditionen unabhängiges Thema, „Verheissung an die Erzväter" gruppiert hätten.[7] Von Rad und Noth versuchten nun beide, sich eine genauere Vorstellung von dem ursprünglichen Aussehen dieser unabhängigen Traditionen zu machen, wobei sie im Gegensatz zu Alt Gewicht darauf legten, dass auch der zukünftige Landbesitz ein ursprünglicher, schon den nomadisierenden Stämmen bekannter Verheissungsinhalt gewesen sei, so von Rad:

> Gerade die Landverheissung ist ein ursprüngliches Element, das dem vormosaischen Kult des Gottes der Väter zugehört. Schon der Gott der Väter hat den am Rande des Kulturlandes zeltenden Ahnen Israels den Besitz des Landes verheissen.[8]

Demzufolge behauptet von Rad auch, dass

> die Zusage des Landbesitzes nach diesem ihrem ältesten Verstand auf eine nahe und direkte Erfüllung hingewiesen hat, eben auf die Sesshaftwerdung der Väter im Lande Kanaan.[9]

Denselben Annahmen begegnen wir bei Noth.[10] Folglich machen sich die beiden Forscher dieselbe Vorstellung davon, was mit dem ursprünglichen Thema der Erzväterverheissung geschehen sein muss, als die Vätertradition mit der Auszugs- und Landnahmetradition zusammengefügt wurde, und zwar, um Noth zu zitieren, dass

> das Element der Erfüllung dieser Verheissung nunmehr ganz aus dem Thema „Erzväter" wegfallen musste und seine tatsächliche Erledigung erst mit dem von Hause aus nicht mit der Erzväterüberlieferung zusammenhängenden Thema „Hineinführung in das Kulturland" fand.[11]

Diese Theorien sind natürlich ganz von der Annahme Alts abhängig, dass das Thema der Verheissung auf vorjahwistische Tradition zurückgeht. Die oben geäusserten Zweifel und der Möglichkeit, dies nachzuweisen, werden nur umso grösser, je mehr wir verfolgen, wie von Rad und Noth auf die Anregung Alts hin ihre Hypothesen in einer Serie von Folgerungen entwickeln, denen es an sich nicht an logischer Konsequenz fehlt, die sich aber nirgends auf eindeutige Indizien im Text selber stützen.

Als einen Versuch haltbare Kriterien zu gewinnen, um die Herkunft des Verheissungsthemas aus vorliterarischer Tradition zu beurteilen, kann man Claus Westermanns Studie *Arten der Erzählung in der Genesis* betrachten, und zwar im ersten Teil: „Verheissungserzählungen". Einleitend stellt er fest, dass von Rad und Noth besonderen Grund hatten, sich für das Element der Verheissung als verbindendes Thema zu interessieren, da ihre Forschung vor allem der Pentateuchtradition in ihrer Gesamtheit galt. Er selber knüpft jedoch unmittelbarer an Gunkels Theorie an, dass in der Überlieferung ursprünglich kurze und einfache, freistehende Einzelerzählungen vorgelegen haben. Ein entscheidendes Kriterium dafür, dass das Element der Verheissung auf vorliterarische Tradition zurückgeht, wäre es nun, wenn es zur eigentlichen Grundsubstanz solcher Einzelerzählungen gehörte. Er stellt daher folgende Frage:

> Kann man sagen, dass die Väterverheissung das Grundelement vieler Einzelerzählungen in der Genesis ist? Das hiesse: kann man in den Erzählungen der Genesis einen Typ oder eine Gattung Verheissungserzählung erkennen? (S. 12.)

Er stellt zunächst die verschiedenen Verheissungsinhalte zusammen und kommt zu dem Schluss, dass Kombinationen verschiedener Verheissungen im gleichen Text immer sekundär sind. Ursprüngliche Verheissungserzählungen hätten immer nur *eine* Verheissung enthalten, und nur die Verheissung eines Sohnes und die des Landbesitzes seien als Grundmotive in solchen Erzählungen vorgekommen, dagegen keine Verheissungen von Segen und Nachkommenschaft. Westermann folgert daraus, dass die Verheissung der Geburt eines Sohnes und die Verheissung des Landes ältere Motive sind, welche „die Tradenten in den alten Vätererzählungen selbst vorfanden" (S. 37). Da aber in der Genesis nur wenige Einzelerzählungen mit diesen Motiven vorkommen, folgert er weiter:

Das Verheissungsmotiv gehört ganz überwiegend dem Stadium des Zusammenfügens der alten Erzählungen zu grösseren Einheiten an. In diesem Stadium ist schon die Verheissung gemeint, die vom Entstehen des Pentateuchs her konzipiert ist, d.h. die die Vätergeschichte mit der Volksgeschichte verbindende Verheissung, wie sie am deutlichsten in 50,24 formuliert ist (S. 33).

Abgesehen davon, dass eine Anzahl von Westermanns Einzelanalysen vermutlich zu kritisieren wären, erhebt sich die prinzipielle Frage, ob die von ihm nachgewiesenen oder angenommenen Zusammenhänge von Verheissung und Einzelerzählung wirklich die Annahme rechtfertigen, dass das Element der Verheissung auf vorliterarische Tradition zurückgeht. Jede in sich geschlossene Kleinerzählung ist ja dem literarischen Kontext nicht notwendig vorgegeben. Dieser Einwand trifft vermutlich für Westermanns Hypothese von der Herkunft der Sohnesverheissung zu. Demnach liegen in Gen. **16** und **18** einfache und ursprüngliche Erzählungen von Sohnesverheissungen vor; wenn man aber statt dessen von der literarischen Gestaltung des Verheissungsthemas ausgeht, so ergibt sich unmittelbar, dass beide Erzählungen, vor allem aber Gen. **18**, eine notwendige Funktion im Rahmen des von diesem Thema diktierten literarischen Zusammenhangs haben. Ein Erzähler, der schildern wollte, wie Abraham nach Jahwes Verheissung ein grosses Volk wird, muss aus natürlichen Gründen zuerst erzählt haben, wie Abrahams Sohn zur Welt kommt, da dies notwendigerweise die erste Etappe der Verwirklichung der Verheissung ist. Die Erzählung von der Geburt Isaaks erhält also ihre *ausreichende* Erklärung, wenn man annimmt, dass sie, wenigstens in ihrer Substanz eine rein literarische Schöpfung und von Anfang an als *Funktion* des weiteren Verlaufs der Erzählung konzipiert worden ist. Daher kann man keine Schlüsse über ihren eventuellen vorliterarischen Ursprung ziehen, wenn es auch wahrscheinlich ist, dass der Verfasser viele der konkreten Details aus alter Tradition geschöpft hat. Für die Episode in Gen. **16**, die eng mit Gen. **18** zusammengehört, gilt im Prinzip dieselbe Beweisführung.

Hinsichtlich der Landverheissung stellt Westermann fest, dass diese in keiner Einzelerzählung der Genesis überhaupt als Grundelement vorkommt. Er nimmt aber an, dass mehrere der Landverheissungstexte in ihrer heutigen Form sekundäre Umgestaltungen oder „Referate" früherer Verheissungserzählungen sind. Dass sie heute nur in veränderter Gestalt vorliegen, erklärt er mit dem Hinweis auf von Rads und Noths Vermutung, dass das Thema der Landverheissung seinen ursprünglichen Bezug zu „einer nahen und direkten Erfüllung" verloren hat, als die Erzväterüberlieferungen mit der Auszugs- und Landnahmetradition verknüpft wurden. Westermann betrachtet Gen. **12**,7 als Beispiel eines solchen Referats einer ursprünglichen Landverheissungserzählung; als „das Residuum, den Restbestand einer einstmaligen Erzählung, eine erloschene Erzählung" (S. 34). Diese Annahme begründet er mit einer Analyse der Struktur des Textes. Dagegen ist einzuwenden, dass eine Strukturanalyse niemals einen überzeugenden Grund zu Westermanns

Schlussfolgerung liefern kann, dass nämlich der Text auf eine ursprünglich *selbständige* „kleinste Einheit" zurückgeht. Dieser Schluss lässt sich nur aus einer Analyse des Platzes und der Funktion der Episode im literarischen Kontext ziehen. Wie wir schon in Kap. I festgestellt haben, muss Gen. **12**,7 als eine ursprüngliche Funktion der einleitenden Erzählung von der Wanderung aufgefasst werden, als rein literarischer Text, der von dem Verfasser der Wanderungserzählung geschaffen worden ist. In den vorliegenden Genesistexten gibt es keine Anhaltspunkte für eine Rekonstruktion ursprünglicher Landverheissungserzählungen. Man darf daher nicht voraussetzen, dass solche existiert haben, und man hat auf keinen Fall das Recht, auf Grund einer solchen Voraussetzung die vorliegenden Texte als „erloschene" Erzählungen zu deuten.

Auch hier kommen wir also wieder zu einem völlig negativen Resultat, wenn es gilt, eine vorliterarische oder vorjahwistische Grundlage für die Verheissungstexte der Genesis nachzuweisen.

Mehrere Jahre vor dem Erscheinen von Westermanns Studie hatte J. Hoftijzer in seiner Monographie *Die Verheissungen an die drei Erzväter* die überlieferungsgeschichtlichen Theorien Alts, von Rads und Noths radikal verworfen. Er ging von der einleuchtenden Forderung aus, dass man die Texte in erster Linie von ihrer vorliegenden literarischen Form aus analysieren müsse, ehe man die Frage nach ihren eventuellen Vorstadien stellt. Auch gegenüber der traditionellen Quellentheorie verhielt er sich neutral und beabsichtigte, voraussetzungslos zu prüfen, inwieweit die verschiedenen Verheissungstexte innerhalb und ausserhalb des Pentateuchs zusammengehören oder einander irgendwie voraussetzen. Seine Zusammenstellung des Textmaterials führte ihn jedoch zu zweifelhaften Schlussfolgerungen. In der Genesis unterschied er zwei Textgruppen, von denen eine praktisch aus P-Texten besteht, die in unserem Zusammenhang eigentlich keine Probleme enthalten, während die andere Gruppe alle übrigen Texte umfasst, die Hoftijzer mit zweifelhaften Begründungen als einheitlich betrachtet. Eine Schlüsselstellung in dieser Gruppe schreibt Hoftijzer Gen. **15** zu, welchen Abschnitt er als literarisch einheitliche Bundeserzählung betrachtet, d.h. als einen Text, in dem die Verheissungen Jahwes eines der Grundelemente darstellen. In keiner der übrigen Erzählungen der Genesis gehöre die Erwähnung der Verheissungen zur ursprünglichen Überlieferungssubstanz. Hoftijzer fand, wohl mit Recht, dass Gen. **15** isoliert in dem umgebenden literarischen Zusammenhang steht. Ebenso meinte er, wohl mit weniger Recht, dass noch mehrere andere Verheissungstexte, vor allem Gen. **13**,14—17 und **22**,15—18 literarisch sekundär sind. Da er nun sämtliche Texte dieser Gruppe als literarisch einheitlich betrachtete, folgte daraus, dass sie alle in dem literarischen Kontext als sekundär gelten müssen. Allerdings war Hoftijzer selbst gezwungen zuzugeben, dass viele dieser Texte nicht aus dem jeweiligen Zusammenhang herausgelöst werden können, ohne dass der Kontext darunter leidet. Sämtliche Verheissungstexte der Gruppe von Gen. **15** wären nach ihm also „ein Teil einer redaktionellen Bearbeitung eines schon bestehenden Textes" (S. 29).

Die Zitate und Hinweise auf die Erzväterverheissungen in Exod. und Num. betrachtete Hoftijzer als eine Fortsetzung derselben redaktionellen Bearbeitung. Diese sei kurz vor dem Exil entstanden, in einer Zeit also, als der Besitz des Landes gefährdet war.

Der Haupteinwand gegen Hoftijzer dürfte sein, dass seine Analysen der Funktion der Verheissungstexte im literarischen Zusammenhang oft völlig unzulänglich sind. Da der Zusammenhang nicht beachtet wird, ruht auch die rein literarkritische Beurteilung der Texte oft auf unzureichenden Grundlagen.[12] Vor allem aber fehlt jede Andeutung davon, wie sich Hoftijzer das Aussehen eines *früher existierenden Textes* denkt, in dem das Thema der Verheissungen an die Erzväter also überhaupt nicht vorgekommen wäre: Wie soll die Genesis mit der Erzählung vom Auszug und von der Landnahme verknüpft gewesen sein?

Unsere Zusammenstellung dieser Forschungsresultate führt zu dem Schluss, dass nur Gallings Theorie plausibel ist: die Verheissungen an die Erzväter sind als nichts anderes zu betrachten, denn als das *ursprüngliche literarische Hauptthema* eines epischen Werks, dessen beide Hauptteile, die Patriarchenerzählung und die Auszugs- und Landnahmeerzählung, einander entsprechen wie sich die Verheissungen und ihre Erfüllung entsprechen; bis in alle Einzelheiten ist das epische Werk von Anfang an von diesem durchgehenden roten Faden geprägt. Galling hat jedoch keine eingehenden Analysen vorgenommen, um genauer zu zeigen, wie das Thema der Verheissung in der literarischen Komposition gestaltet ist. Daran hat ihn sicher seine Bindung an die literarkritische Quellentheorie gehindert. Dies Feld ist also noch weitgehend unbearbeitet.

Wie diese Aufgabe konkret zu lösen sein kann, deutet sich wohl schon in der oben angeführten Kritik an: wir müssen die literarkritischen Aspekte beachten, doch ohne uns an die Quellenhypothese zu binden. Es geht nicht in erster Linie darum, Dubletten, Spannungen und Widersprüche in den einzelnen Texten zu suchen, sondern den „roten Faden" des Zusammenhangs zu verfolgen, wo er deutlich hervortritt, mit. Gen. **11**,27—**13**,18 als Ausgangspunkt. Dagegen besteht kein Anlass, mit überlieferungsgeschichtlichen Gesichtspunkten an das Verheissungsthema heranzutreten, abgesehen davon, dass sich gewisse Spannungen im Zusammenhang vielleicht durch stoffkritische Erwägungen erklären lassen. Andererseits dürfen wir die Verheissungstexte nicht isoliert untersuchen, sie müssen vielmehr in ihrer Beziehung zu der Erzählung im übrigen betrachtet werden: nur so wird es klar, inwieweit die Verheissungen und ihre Erfüllung das gestaltende Thema der Gesamtheit darstellen.

B. Die volksgeschichtliche Bedeutung des Verheissungsthemas

Der überlieferungsgeschichtlichen Hypothese von Alt, von Rad und Noth, das Thema der Verheissung sei mit der Vätergottreligion der einzelnen Stämme in Verbindung zu bringen, steht eine andere, viel wahrscheinlichere Deutung gegenüber, die u.a. Gunkel bereits vertreten hat, dass nämlich die in der Genesis vorkommenden Verheissungs- und Segensworte ihrem Wesen nach ursprünglich ätiologischen Charakter hatten, dass es ihr Zweck war, die Völkerverhältnisse, die zur Zeit des Erzählers bestanden, zu erklären:

> Das Ziel der Exegese der Segen muss demnach sein, diejenige geschichtliche Situation zu erkennen, welche die Erzähler vor Augen haben.[13]

In Gen. 12,1—3 hebt Gunkel besonders die ständig wiederholten Worte für „Segen" hervor, der Text enthält ein von Jahwe selbst ausgesprochenes Segenswort über Abraham, dessen Wirkung sich sichtbar auf Abrahams Nachkommen bis zur Zeit des Erzählers erstreckt. Der Segen hat sich *doppelt* ausgewirkt: das Volk ist zahlreich geworden und es wohnt in einem eigenen Land.

> Die Sage steht staunend still vor dem Geheimnis, dass aus *einem* Manne ein ganzes Volk ausgegangen ist; woher kommt das? Die Antwort lautet: diese wunderbare Vermehrung ist die Wirkung eines wunderwirkenden Gotteswortes. /. . ./ Auch die folgenden Verheissungen antworten auf Fragen der Gegenwart: weshalb ist Israel ein so weitberühmtes, gottgesegnetes Volk? Diese Versprechungen beziehen sich also nicht auf Abraham allein, sondern zugleich auf seine Nachkommen: Abraham wird noch jetzt in Israel von Gott gesegnet. Am deutlichsten ist dies bei der Verleihung des Landes 12,7.[14]

Gunkels Deutung wird der weitgefassten Bedeutung der Begriffe ברך und ברכה sicher gerecht: sie beziehen sich in diesem Zusammenhang nicht ausschliesslich auf eine besondere Kraft zur Mehrung der Nachkommenschaft, sondern in weiterem Sinne auf Gottes glückspendende Kraft, die auch der Urheber des Landbesitzes des Volkes ist. Wenn Jahwe also in Gen. 12,1—3 Abraham wiederholt seinen Segen verheisst, so bezieht sich dieser auf die beiden Verheissungsinhalte Nachkommenschaft und Landbesitz. Es besteht dagegen kein Grund, mit Westermann (sh. oben, S. 107) anzunehmen, der Segen als solcher sei ein dritter Verheissungsinhalt.

Statt dessen können die göttlichen Verheissungsworte als in der vom Erzähler vorausgesetzten Situation ausgesprochene *Segensworte* aufgefasst werden. Sie sind tatsächlich nahe mit jenen Segensworten verwandt, welche die Patriarchen ihren Söhnen spenden: den Worten der Patriarchen liegt ja die Kraft Jahwes zugrunde, welche das Geschehen sich so entwickeln lässt, dass die von den Patriarchen vorausgesagten volksgeschichtlichen Verhältnisse sich schliesslich verwirklichen. Auf diese Verhältnisse weisen auch die göttlichen Verheissungs- oder Segensworte voraus.

Natürlich ist es die Überzeugung von der die Geschichte gestaltenden Kraft der Segensworte, die ihren hochgestimmten und oft poetischen Orakelstil motiviert hat, der zu Vergleichen mit gewissen Gattungen der prophetischen Literatur führen könnte. Jedenfalls verleiht dieser Stil den Worten in der umgebenden Prosaerzählung ein eigentümliches Relief. Diese Feststellung darf uns indessen nicht zu dem Schluss verleiten, dass sie anfangs freistehend oder durchgehend sekundäre Zusätze gewesen wären. Selbstverständlich gibt es sekundäre Segensworte, z.B. Gen. **49**, aber man muss andererseits auch mit einem Grundbestand ursprünglicher Segensworte rechnen: sie gehören zu der Gattung der von ihrem ätiologischen Zweck durchaus geprägten Stammvätersage von Anfang an hinzu. Gunkels Beobachtung verdient daher besondere Aufmerksamkeit:

> In der Komposition einer solchen Erzählung, die vom Segen handelt, ist der Segensspruch immer die Hauptsache, weil er dasjenige angibt, was noch gegenwärtig als Wirkung dieser Geschichte fortdauert; das was sonst noch in der Erzählung berichtet wird, hat nur den Zweck, Ursache und Gelegenheit dieses Wortes anzugeben. Daher findet sich das Segenswort immer an hervorragender Stelle, und zwar gewöhnlich am Ende der Erzählung.[15]

Daher ist es wohl auch signifikant, dass poetisch geprägte Verheissungs- und Segensworte eigentlich nur in der Genesis vorkommen; das letzte dieser Art, dem wir in der Fortsetzung der Genesis begegnen, sind Jahwes Worte an Mose, Ex. **3**,7 f, die seiner Absicht Ausdruck geben, die den Vätern gegebene Verheissung des Landes Kanaan jetzt zu verwirklichen. In der folgenden Hexateucherzählung kommen dann nur zitatmässige Hinweise auf diese Worte vor. Hier ist es verständlich, dass die Zitate und Anspielungen stereotyp und formelhaft geraten: sie knüpfen an einen bestimmten Vorrat von geprägten poetischen Formulierungen in der ursprünglichen Genesiserzählung an, die zwar von Text zu Text ein wenig variieren, aber doch in der Anzahl begrenzt sind. Dass auch die Deuteronomisten solche Formulierungen auffallend oft gebrauchen, bedeutet daher nicht, dass diese spezifisch deuteronomistisch wären.

Worauf der Erzähler konkret abzielt, wenn er in der Einleitung seiner Geschichte Jahwes Verheissung zitiert, Abraham solle ein גדול גוי werden, das geht mit aller Deutlichkeit aus dem folgenden Zusammenhang hervor: er bezieht sich auf die Gemeinschaft der zwölf Stämme, die sich in konzentrischen Kreisen um Sichem gruppiert hat, Gen. **29**,31—**30**,24 (vgl. oben, Kap. III C, 2), deren gemeinsamer Name, Israel, mit demselben Zentrum verknüpft ist (vgl. oben, Kap. III C, 6). Daraus erklärt es sich natürlich auch, dass Jahwe nach der Erzählung gerade in Sichem zum ersten Male die Verheissung des Landes ausspricht, **12**,7.

Diese primäre Beziehung auf das Zwölfstämmevolk Israel wiederum bedeutet, dass die dem Abraham gegebenen Verheissungen an diejenigen Nachkommen vererbt werden müssen, die zu Israels Stammvätern ausersehen sind und folglich eine genealogische Hauptlinie durch die Erzählung bilden. Da es nur ein Israel gibt, besteht im Grunde auch nur ein Segen, Gen. **27**,38, und in jeder Generation nur ein Erbe, auf den er übertragen werden kann. Dass aber die Erbfolge nicht von vornherein gegeben ist oder einer „normalen" Ordnung folgt, hebt der Erzähler mehrfach hervor: In jeder Generation ist Israels Stammvater der von Jahwe besonders Erwählte, und der Schilderung seiner Erwählung liegt die Vorstellung von der *Erwählung Israels* unter den übrigen Völkern zugrunde. Abraham wird der Segen zuteil wegen seines unbegrenzten Vertrauens auf Jahwes Willen, seine Verheissungen zu verwirklichen, Gen. **22**,15—18, Jakob, weil er beweist, dass ihm mehr an dem Segen liegt als Esau: er scheut keine Mittel und kämpft um diesen Segen, bis er den Willen Gottes selbst besiegt; so wird der Stammvater- und Volksname Israel in Gen. **32**,24—29 erklärt. Es erweist sich also, dass der ganze Zusammenhang der Erzählung von dem Segen bestimmt wird, der dem Volke Israel zuteil werden soll, und dies Thema wird natürlich in den ausdrücklichen Verheissungs- und Segensworten, welche die Höhepunkte der Genesiserzählung sind, am deutlichsten.

In zwei Haupttexten wird die Verheissungssukzession dargestellt: in Gen. **26**,24 in Bezug auf Isaak und in Gen. **28**,13—15 in Bezug auf Jakob. Dass diesen Texten eine Schlüsselstellung im Zusammenhang der Genesiserzählung zukommt, geht teils aus ihrer Ähnlichkeit hervor, teils aus ihrer nahen Anknüpfung an die Verheissungsworte zu Anfang des epischen Werkes, Gen. **12**,1—7 und **13**,14—17, und schliesslich und wohl vor allem aus ihrer Stellung und Funktion im Kompositionsgefüge der Isaaks- bzw. Jakobserzählung.

Am leichtesten überschaubar ist die Isaakserzählung. Eigentlich steht Isaak schon von **22**,20 an im Zentrum des Interesses, da hier ein neues Thema, das des Generationswechsels angeschlagen wird, aber erst in Kap. **26** tritt er als handelnde Hauptperson auf. Dies Kapitel enthält nun zwei Verheissungsworte, ausser dem oben genannten auch die der Verse 2—5, die aber viele Indizien als sekundären Zusatz ausweisen.[16] Es bleibt also nur Vers 24, eine Analyse des Kontextes zeigt jedoch, dass dies Verheissungswort den zentralen Höhepunkt des Kapitels darstellt.[17]

Im ersten Abschnitt desselben V. 1ab,6—14,16 f.[18] wird erzählt, wie eine Hungersnot Isaak zwingt, ins Land der Philister, nach Gerar, zu ziehen; dort geht es ihm gut und er erwirbt Reichtum, was den Neid und die Furcht der Philister weckt. Abimelech fordert ihn auf, ihr Land zu verlassen, „denn du bist uns zu mächtig geworden", V. 16 (vgl. Ex. **1**,9!); Isaak bricht auf und lagert im Tale von Gerar, V. 17. Der nächste Abschnitt, V. 19—22, aufgebaut nach dem epischen Prinzip der Dreimaligkeit, ist ein Bindeglied, der das Folgende vorbereitet, es wird hier geschildert, wie Isaak vollständige Unabhängigkeit von den Philistern erlangt: er gräbt Brunnen und gerät deswegen zweimal in Streit mit den Philistern, während man ihm den dritten überlässt. Dadurch werden Erwartungen für die Zukunft erweckt: der Brunnen erhält den Namen *Rehobot,* denn „Jahwe hat uns Raum gegeben, dass wir uns im Lande vermehren können", V. 22. Das Jahwewort in Vers 24 ist als Antwort auf die hier ausgedrückte Erwartung aufzufassen. Es bildet den Höhepunkt des nächsten Abschnitts, V. 23—25: als Isaak merkt, dass die Philister ihn nicht weiter belästigen werden, lässt er sich an einem Ort nieder, der sein *eigener* werden wird, nämlich in Beer Seba. Hier offenbart sich ihm nun Jahwe in der Nacht:

> Ich bin der Gott deines Vaters Abraham;
> fürchte dich nicht, denn ich bin mit dir.
> Ich will dich segnen und deine Nachkommenschaft
>   zahlreich machen
> um meines Knechtes Abrahams willen.

Auf Grund der Offenbarung errichtet Isaak einen Altar und lässt sich hier nieder; der Erzähler bezeichnet ihn also als den Gründer des Kultes von Beer Seba.[19] Der ausdrückliche Hinweis des Jahwewortes auf Abraham und seine Verheissung an ihn, die Übereinstimmung vieler Worte, sowie die inhaltlichen Analogien zwischen den Kapiteln **26** und **12**,1—8, **13**,7—18[20] lassen klar erkennen, dass wir es in beiden Fällen mit demselben Erzähler zu tun haben. Dieser berichtet, wie die Verheissung an Abraham nach seinem Tode, **25**,8,[21] auf Isaak übertragen wird. Damit ist er *der Zweite* unter den Patriarchen Israels; das geschieht in Beer Seba, was dem Platz gemäss der Erzählung seine Bedeutung gibt. Eine bewusste Feinheit liegt wahrscheinlich in der Spannung zwischen Isaaks eigenen Erwartungen, V. 22, die wirklich auf „eine nahe und direkte Erfüllung" abzuzielen scheinen, und der Prophezeihung des Jahwewortes, das aus der Perspektive des grösseren Zusammenhangs zu verstehen ist: vermutlich deutet das wiederholte Motiv der *nächtlichen* Offenbarung an, dass Jahwes Wort auf eine noch dunkle und ferne Zukunft, jenseits des Horizonts der Patriarchen, abzielt.[22]

Der letzte Abschnitt von Kap. **26** berichtet, wie Isaak dem Ort den Namen Beer Seba gibt, V. 25b—33. Hier wird also vorausgesetzt, dass der Ort früher nicht diesen Namen hatte, was natürlich nicht ausschliesst, dass der *Erzähler* es die ganze Zeit schon weiss und den Namen vorwegnehmend in V. 23 (ev. auch schon in **22**,19) gebraucht, ohne damit eine Inkonsequenz zu begehen. Den Aufbau des Abschnitts bestimmten die beiden Komponenten des Namens: zunächst wird gesagt, dass Isaaks Knechte einen Brunnen zu graben beginnen, V. 25b (im bewussten Anschluss an die Mitteilung, dass Isaak sich dort niederliess, V. 25a), dann folgt der Bericht, wie Abimelech aus Gerar mit seiner Delegation Isaak aufsucht und Frieden mit ihm schliesst, der durch einen Eid bestätigt wird, V. 26—31, und schliesslich kommen Jakobs Knechte mit der Botschaft, dass sie Wasser in dem Brunnen gefunden haben, V. 32. Das Brunnengraben bildet also den Rahmen des Friedensvertrags, und beides benutzt Isaak zur Benennung des Ortes in Vers 33, der ursprünglich den

114

Abschluss des Kapitels darstellte. Bei den Verhandlungen zu dem Vertrag, V. 27, wird auf die anfänglichen Beziehungen zwischen den Philistern und Isaak hingewiesen, — das Kapitel entwickelt dies Verhältnis kontinuierlich bis zu seiner endgültigen Regelung. So entsprechen sich Anfang und Ende des Kapitels, das also eine geschlossene, durchkomponierte Einheit bildet, dessen zentralen Höhepunkt das Jahwewort darstellt. Dies knüpft an Kap. **12** und **13** an und bildet zugleich einen integrierenden Bestandteil des Kapitels. Daraus ergibt sich, dass Kap. **26** von Anfang an als Funktion des grösseren Zusammenhangs, den Gen. **11,27—13,18** einleitet, konzipiert ist.

Kap. **27** greift wiederum das Thema des Generationswechsels auf: Isaak ist nun alt, V. **1**, vgl. **24,1**; Jakob verschafft sich durch Betrug den Segen des Vaters und flieht zu Laban, dem Bruder seiner Mutter, einerseits um Esau zu entkommen und andererseits, um sich eine Frau zu verschaffen, die nicht kanaanäischer Herkunft ist: **28,1** f; vgl. **24,1—9**. Man kann sagen, dass die eigentliche Jakobserzählung mit **28,10** beginnt, als Jakob Isaak und Rebecka in Beer Seba verlässt, um sich auf die Wanderung zu begeben. Sie wird in ihrer Gesamtheit vom Thema des Generationswechsels umrahmt: den Ausgangspunkt bilden Isaaks Vorkehrungen in Erwartung seines baldigen Todes, Kap. **27**; im Wesentlichen handelt die folgende Erzählung davon, wie Jakob um Lea und Rahel, die späteren Stammütter der zwölf Stämme, dient. Isaak stirbt aber erst, nachdem Jakob nach zwanzig Jahren zurückgekehrt ist, **35,27a,29**. Wenn dies auch unwahrscheinlich klingen mag, so hat man es doch sicher von Anfang an so erzählt: irgendwann muss ja von Isaaks Tod erzählt worden sein, und aus dem Aufbau der ganzen Erzählung geht hervor, dass es nur hier geschehen sein kann, erstens, da dies der folgerichtige Schluss der Rahmenkomposition ist, und zweitens, da man voraussetzen muss, dass Jakobs Heimkehr, und vor allem seine Wanderung von Sichem nach Süden, **35,1** einen bestimmten Zweck hatte, nämlich die Rückkehr zu Isaak, vgl. **28,21**, **31,18b** (nicht P!), **30**. Dass die Erwähnung von Isaaks Tod, wie sie uns heute vorliegt, ganz von der Hand P's stammen sollte, ist kaum wahrscheinlich (sh. oben Anm. 21).

Indessen hat auch die Jakobserzählung selbst ihren eigenen inneren Rahmen, bestehend aus dem Aufenthalt in Bethel als der ersten Etappe bei der Auswanderung, **28,10—22**, und der Wanderung von Sichem nach Bethel und dem Aufenthalt dort als der letzten Etappe auf dem Heimweg, **35,1—7**.[23]

Dass die beiden Aufenthalte in Bethel als Entsprechungen konzipiert sind, geht deutlich aus den Texten hervor: das Gelübde Jakobs bei seinem ersten Aufenthalt dort, **28,20—22**, wird bei seiner Rückkehr dorthin erfüllt, **35,1—7**; der Text weist hier ausdrücklich auf die frühere Offenbarung in Bethel hin. Auch **31,13** spielt ausdrücklich darauf an; an Jahwes Zusagen des Segens und Schutzes und der Rückkehr Jakobs, **28,13—15**, knüpfen ferner **31,3,5,24,29,42** und **32,9—12** an. (Die literarkritische Beurteilung dieser Texte hängt natürlich ganz davon ab, wie man Kap. **28** analysiert, sh. oben Anm. 23.)

Als Einleitung der literarischen Komposition der Jakobserzählung nimmt Kapitel **28** eine Schlüsselstellung ein, und innerhalb desselben ist das Jahwewort, V. 13—15 von zentraler Bedeutung: indem es klar auf den folgenden Zusammenhang der Jakobserzählung vorausweist, deutet es den Gang der Ereignisse von vornherein als das Resultat der Führung Jahwes und seines besonderen Beistandes. Wir dürfen also nicht versäumen, die Funktion des ganzen Kapitels **28** im literarischen Zusammenhang genauer zu analysieren, und müssen zunächst den Platz des Jahwewortes in der literarischen Struktur des Kapitels feststellen.

Der Aufbau des Kapitels **28** erwiest sich im Wesentlichen als eine Parallele zu Kapitel **26**,23—33: a) *Die Ankunft am Orte,* **28**,11 = **26**,23; in **28**,11 wird der Name des Ortes logischerweise nicht genannt, doch wurde er vorwegnehmend in **12**,8 erwähnt, wie auch Beer Seba vorwegnehmend in **26**,23 genannt wird; b) *Offenbarung mit der Rede Jahwes,* **28**,12—15 = **26**,24; dass es sich um eine bewusste Parallele handelt, geht teils daraus hervor, dass die Offenbarung in beiden Fällen des Nachts geschieht, teils daraus, dass die beiden Jahwereden nahe Analogien enthalten; c) *die Heiligkeit des Ortes wird markiert,* **28**,16—18 = **26**,25a; ein Unterschied besteht darin, dass Jakob nur eine *maṣṣē̄bah* errichtet, während Isaak einen Altar baut; der spätere Altarbau in Bethel **35**,7, wird aber im bewussten Anschluss an Kap. **28** erzählt; d) *der Ort erhält seinen Namen,* **28**,19 = **26**,25b—33.

Die beiden Jahweworte enthalten folgende Parallelen: a) *Jahwe präsentiert sich als der Gott der Väter,* **28**,13 = **26**,24a; b) *die Verheissung der Nachkommenschaft,* **28**,14 = **26**,24bα;c) *das Versprechen der Hilfe,* **28**,15 = **26**,24bβ; *die Verheissung des Landes* wird nur in **28**,13 ausdrücklich genannt, geographisch gesehen gehört sie ja auch nach Zentralpalästina (vgl. V. 14, wo von den vier Himmelsrichtungen die Rede ist); die Zusage der Hilfe wird in Kap. **28** genauer entwickelt, sie steht am Ende der Rede Jahwes — wegen ihrer besonderen Bedeutung in der folgenden Erzählung. Der Vergleich der Kapitel **26** und **28** zeigt, dass die Jahweworte einen ursprünglichen und notwendigen Platz in der literarischen Struktur beider Erzählungen haben.

Die offenbare Bedeutung der beiden Reden Jahwes ist andererseits, dass die Verheissungen an *Abraham* nun auf Isaak, bzw. Jakob übertragen werden. In **26**,25 verspricht Jahwe Isaak die Nachkommenschaft ausdrücklich ,,um meines Knechtes Abrahams willen''; dass es sich auch bei Jakob um eine Übertragung der Verheissungen an Abraham handelt, geht klar aus der Tatsache hervor, dass die Jahweworte **28**,13—15 auf lange Strecken wörtlich die Rede Jahwes an Abraham wiederholen, vgl. **28**,14 = **12**,3b, am schlagendsten ist die bewusste Parallele zwischen **28**,13b—14a und **13**,14—16, die erkennen lässt, dass die beiden Reden Jahwes an Abraham, bzw. Jakob in *Bethel* als exakte Entsprechungen von ein und demselben Erzähler gestaltet worden sind.

Ferner geht hieraus hervor, dass Jahwes Versprechungen, Jakob während seines Aufenthalts in der Fremde zu helfen und ihn wieder in das Land Kanaan zurückzuleiten, ein Ziel haben, das über den Rahmen der eigentlichen Jakoberzählung hinausweist: unter der Führung Jahwes werden die Geschicke Jakobs ein Glied jener Entwicklung, die zur Verwirklichung der Verheissungen an Abraham, d.h. zur Bildung des Volkes Israel und seiner Ansiedlung im Lande Kanaan führen. Aus dieser weiteren Perspektive, die sich also schon in der einleitenden Bethelerzählung eröffnet, muss man dann natürlich auch die folgenden Erzählungen sehen, wie die Söhne Jakobs, die Stammväter der zwölf Stämme, geboren werden und wie Jakob den Namen Israel erhält. Damit sind wir aber bereits zur Frage der Funktion von Kap. 28 im literarischen Zusammenhang übergegangen. Hierzu seien einige Punkte besonders hervorgehoben.

Die Landverheissung an Abraham für seine Nachkommen wird, wie wir schon sahen, auf Jakob übertragen, 28,13—14, und im Anschluss daran verspricht Jahwe, Jakob in das Land zurückzuleiten, V. 15; hieran knüpft nun wiederum Jakob in einer Bedingung seines Gelübdes an, V. 21a: „wenn ich wohlbehalten (בשלום) wiederkehre in meines Vaters Haus". Indem der Erzähler dieses Wort später wieder aufgreift, gibt er den Punkt im Verlauf der Ereignisse an, wo diese Bedingung in der Hauptsache erfüllt ist, 33,18: „Und Jakob kam wohlbehalten (שלם) nach der Stadt Sichem im Land Kanaan, als er von Paddan Aram kam."[24] Der Text besagt hier, dass Jakobs Rückwanderung jetzt in der Hauptsache abgeschlossen ist; wenn auch die Wanderung hernach noch weitergeht bis heim zu Isaak, so ist das wesentliche Ziel erreicht, sobald Jakob in das Abraham verheissene Land gekommen ist und wie dieser seinen ersten Aufenthalt in Sichem macht, vgl. 12,6. Nachdem Jakob wohlbehalten hierher gelangt ist, hat Jahwe seine Verheissungen, vor allem das Versprechen in Kap. 28,15, erfüllt. Nun ist es also an Jakob, sein Gelübde zu erfüllen: von Sichem aus wandert er mit dieser Absicht nach Bethel, 35,1—7.

Der erste Punkt seines Versprechens bei dem früheren Besuch in Bethel lautete, 28,21: „Jahwe soll mir Gott sein". Das ist die sog. Bundesformel. Der Aufbruch von Sichem und der erneute Besuch in Bethel dürften also bedeuten, dass Jakob und die Seinen anerkennen, dass sie in einem prinzipiell verpflichtenden Bundesverhältnis zu Jahwe stehen, dem Gott, der sich Jakob auf seiner Flucht vor Esau offenbart hatte.[25]

Dass die Wanderung von Sichem nach Bethel wirklich aus Anlass des Bundes geschieht, geht aus einem weiteren Indizium hervor: Jakob ermahnt die Seinen, „die fremden Götter" von sich zu tun, 35,2 ff. Man kann zwar diskutieren, was der kultische oder historische Hintergrund dieses Textes war, jedenfalls können wir feststellen, dass die Formulierung in V. 2 fest geprägt ist und eine wörtliche Entsprechung in Jos. 24,23 hat. Auch hier ist die Wegschaffung der fremden Götter eine unmittelbare Vorbereitung zum Abschluss des Bundes, V. 25—27.[26] Man kann also mit ziemlich grosser Wahrscheinlichkeit annehmen, dass Jos. 24,23—27, ebenso wie Gen. 35,2—4 auf eine spezifische, nach Sichem (und Bethel) gehörige Bundestradition anspielt. Vermutlich beabsichtigte der Erzähler, den Bund zwischen Jahwe und Jakob-Israels Familie als ein Vorbild des Bundes darzustellen, den Jahwe mit Israels zwölf Stämmen durch Josuas Vermittlung schliessen sollte (Jos. 24). Unter allen Umständen kann man aber feststellen, dass beide Erzählungen, in denen sich diese in Sichem-Bethel verwurzelte Bundestradition andeutet, Gen. 35,1—7 und Jos. 24, jeweils den *Endpunkt* eines umfassenden Erzählungszusammenhangs darstellen, in dem erzählt wird, wie Jahwe *seine* Verheissungen erfüllt: ebenso wie Gott mit Jakob ist und ihn gemäss seinen in Bethel gegebenen Versprechen beschützt, als er das verheissene Land verlässt und ihn mit einer grossen Familie dorthin zurückführt, so beschützt Jahwe, gemäss den Verheissungen an die Väter, Jakob und seine Familie, als sie nach Ägypten ziehen, 46,2—4; dort wächst diese zu einem grossen Volk heran und Jahwe führt die Stämme wiederum zurück ins verheissene Land und versammelt sie endlich in Sichem, wo ein Bund geschlossen wird. Dass diese Parallele bewusst ist, geht aus einer weiteren, bedeutsamen Einzelheit hervor: vor seinem Aufbruch nach Bethel hat Jakob eine *maṣṣēbah* in Sichem errichtet, die er אל אלהי ישראל nennt, 33,20; ehe Josua den Bund in Sichem schliesst, hat er dort einen Altar für יהוה אלהי ישראל errichtet, Jos. 8,30f.

Der zweite Punkt in Jakobs Gelübde war die Stiftung eines Kultes in Bethel, 28,22. Pedersen hat richtig hervorgehoben, dass Kap. 28 keine abgeschlossene Kulturplatzlegende ist: "There is no event which /. . ./ consecrates the cult of the holy place."[27] Die Errichtung einer *maṣṣēbah* bedeutet nur, dass Jakob den Platz markiert, dessen Heiligkeit er entdeckt hat: er ist *an sich* ein בית אלהים, V. 17, und erhält deshalb den Namen Bethel; zugleich ist aber der Stein eine Bestätigung von Jakobs Gelübde, dass der Ort ein בית אלהים *werden soll*, V. 22. Das bedeutet also, dass Jakob dem hier gegenwärtigen Gott einen Kult gründen will, *wenn* dieser Gott ihm beisteht, wie er es in seiner Offenbarung verheissen hat. "Thus the story ends in a conditional promise requiring a sequel."[28] Die eigentliche Begründung des Kultes geschieht bei der Rückkehr Jakobs, als er feststellt, dass der Gott Bethels mit ihm gewesen ist, 35,3:

> Und wir wollen aufbrechen und nach Bethel hinaufziehen, und ich werde dort einen Altar bauen dem Gott, der mich am Tage meiner Angst erhört hat und der mit mir gewesen ist auf dem Weg, den ich gegangen bin.

Bei dem zweiten Besuch wird der Ort wieder bei Namen genannt, doch ist dies keine Wiederholung der ersten Namengebung, es kommt ein neues Element hinzu, V. 7: אל בית-אל. Damit ist vermutlich gemeint, dass der Ort nun nach dem Kult benannt wird, der „Bethels Gott" gewidmet ist, und der als eine Bestätigung zu gelten hat, dass dieser Gott aktiv zugunsten seiner Anbeter eingegriffen hat.[29]

Die beiden Erzählungen von Jakobs Besuch in Bethel entsprechen einander also in jeder Hinsicht:

> There is no doubt that the two stories are intimately associated, and taken together are meant to give the history of how the sanctuary at Bethel came into existence.[30]

Wir bemerken in diesem Zusammenhang, dass die Darstellung der Kultplatzgründungen durch die Patriarchen in der Genesiserzählung besser zusammenhängen und folgerichtiger zu sein scheinen, als man oft angenommen hat. Wenn unsere Analyse von Gen. **12**,8—**13**,18 in Kap. I richtig ist, so ist damit gegeben, dass Abraham *keinen* Altar in Bethel baute; als Lot sich von ihm getrennt hatte, blieb er allein im Bergland östlich der Stadt, wo ihm Jahwe den ungeteilten Besitz des Landes verhiess, **13**,14—17; darauf folgte der Altarbau in *Mamre,* **13**,18. Abraham erweist sich also als der Gründer von Sichem, **12**,7, und von Mamre, nicht aber von Bethel. Beer Seba wurde von Isaak gegründet, **26**,23—33; — Kap. **21**,22—34, das den Ursprung Beer-Sebas mit Abraham in Verbindung bringt, ist sicher eine sekundäre Erweiterung[31]. Jakob begründet Bethel, und zwar in zwei Etappen: beim ersten Besuch errichtet er eine *maṣṣēbah,* beim zweiten Besuch baut er den Altar. **28**,13—15 spielt indessen mit seinem Wortlaut offenbar auf Abrahams früheren Besuch an diesem Ort an. Dagegen baut Jakob keinen *Altar* in Sichem (wenn man die wahrscheinliche Textkorrektur **33**,20 akzeptiert), sondern er errichtet nur eine *maṣṣēbah* zum besonderen Gedenken an sein Ringen mit Gott und an die Namensänderung Jakob — Israel, **32**,24—32. Dadurch wird wahrscheinlich ein weiterer Kulttitel mit Sichem verknüpft, aber nach der Erzählung war der Kultplatz als solcher schon von Abraham begründet worden.

Die obigen Analysen geben uns das Recht zu der Schlussfolgerung, dass die Abschnitte der Genesis über Isaak und Jakob kaum als ein „buntes Erzählungsmosaik" (von Rad), vage zusammengehalten durch die vorgegebene thematische Einheit der einzelnen Erzählungen, betrachtet werden können. Sie erweisen sich vielmehr als die Glieder eines einheitlich komponierten Erzählungszusammenhangs, in dem die Verheissungen Jahwes an die Patriarchen den durchgehenden roten Faden, ein bewusst und einheitlich gestaltetes literarisches Hauptthema darstellen. Durch die Erblichkeit der Verheissungen entwickeln sich beide Abschnitte stetig auf denselben Endpunkt hin, auf die Erfüllung der Verheissungen, d.h. die Bildung des Volkes Israel und seine Ansiedlung im Lande Kanaan. Da die Erzählungsabschnitte im Ganzen so grundlegend von diesem Verheissungsthema abhängig sind, müssen sie wohl im Wesentlichen auch als Stammvätersagen oder Volksätiologien aufgefasst werden.

Zu dem Thema der besonderen Erwählung Israels durch Jahwes Verheissungen an die Stammväter gehört dann aber auch Israels Verhältnis zu einer Anzahl anderer Völker, die ihrerseits durch ihre Ahnherren vertreten sind. In der Genesis handelt es sich in Wirklichkeit um die Völkerschaften, die ungefähr gleichzeitig mit Israel während der letzten Jahrhunderte des zweiten Jahrtausends in Syrien und Palästina auftraten, mit denen sich Israel weitgehend als verwandt betrachtete. Die genealogischen Verbindungen zwischen den Patriarchen Israels und den Stammvätern dieser Völker spiegeln also teils jene alte Völkerverhältnisse wieder, die aber auch zur Zeit des Erzählers noch aktuell waren.

Am deutlichsten wird der Unterschied zwischen Israel und den übrigen Völkern in der Entwicklung des Themas der Landverheissung. Das Land Kanaan ist Israel auf Grund eines besonderen Segens zugefallen, daher wird in den Patriarchenerzählungen durchgehend betont, dass schon die Stammväter des Volkes sich dort angesiedelt und das Land symbolisch für ihre Nachkommen in Besitz genommen haben. Aber ergänzend wird daneben geschildert, wie sich auch die Stammväter der anderen Völker in *ihren* Landgebieten niederlassen. Dies durchgängige Motiv der Genesiserzählung gehört unauflöslich mit dem Thema der Landverheissung zusammen, es ist eine Funktion dieses Themas.

Schon die Erzählung, wie Lot sich von Abraham trennt und den Weg in die Tiefebene des Toten Meeres hinab wählt, deutet offenbar auf den Endpunkt der Loterzählung voraus, auf die Ankunft Lots und seiner Töchter in dem Bergland östlich des Toten Meers und die Geburt der Stammväter Moabs und Ammons. Daher ist wahrscheinlich auch die Loterzählung in ihrer Gesamtheit ursprünglich als eine Völkerätiologie aufzufassen.

Ganz analog endet die Erzählung von der Vertreibung Hagars und Ismaels, Gen. 21,1—21, die zum Grundbestand der Hexateucherzählung gerechnet werden muss.[32] Im Anschluss an die Verheissung Gottes, V. 18, dass auch Ismael „ein grosses Volk" werden soll, wird zum Schluss von der Ansiedlung Hagars und Ismaels und von ihren späteren Geschicken berichtet, V. 20 . Dieser Vers dürfte mit einer leichten Korrektur des Textes so gelautet haben:

> und Gott war mit dem Knaben, und er wuchs heran und wurde ein Bogenschütze. Und er liess sich nieder in der Wüste Paran, und seine Mutter nahm ihm eine Frau aus Ägyptenland.

Zur Zeit des Erzählers wohnten die Ismaeliten in dieser Gegend.

Der Vertrag zwischen Israel und Abimelech bezieht sich natürlich auf das Verhältnis Israels zu den Philistern zur Zeit des Erzählers. So wie diese Beziehungen in Kap. **26** gezeichnet werden, scheinen sie in eine frühe Phase zu gehören, noch ehe offene Feindschaft ausgebrochen war und ehe die Philister von der Monarchie Davids und Salomos abhängig geworden waren. Ebenso scheint der Vertrag zwischen Jakob und Laban, 31,44—55, ein frühes Stadium der Beziehungen zwischen Israel und den Aramäern zu spiegeln.

Den Erzählungen über Jakob und Esau liegt natürlich die Voraussetzung zugrunde, dass die beiden rivalisierenden Zwillingbrüder[33] je ein Volk repräsentieren. Ursprünglich war es der einzige Inhalt von Isaaks Segen über Jakob, **27**,27b,28,[34] dass Jakob das gute Land Kanaan zuteil werden sollte:

> Siehe, der Geruch meines Sohnes ist wie der Geruch des Feldes
> das Jahwe gesegnet hat.
> Es gebe dir Gott vom Tau des Himmels und vom Fett der Erde
> und Überfluss an Korn und Most.
> [Verflucht seien, die dich verfluchen,
> gesegnet, die dich segnen.]

Der entsprechende „Segen" Esaus bezieht sich auf das kargere und trockenere Land der Edomiten, V. 39 b, 40a:[35]

> Siehe, fern von den Fettgefilden der Erde sollst du wohnen
> und fern vom Tau des Himmels droben.
> Von deinem Schwerte sollst du leben
> und deinem Bruder dienen.

Diese beiden Segensworte sind der Ausgangspunkt der folgenden Jakobserzählung, an deren Ende kurz festgestellt wird, dass die Prophezeihung derselben in Erfüllung gegangen ist. Den ursprünglichen Text enthalten vermutlich, mit gewissen neuen Formulierungen von P, **35**,27a,29, **36**,8, **37**,1:[36]

> Dann kam Jakob zu seinem Vater Isaak [nach Mamre, nach Kirjat Arba]. Und Isaak verschied und starb und wurde zu seinen Stammesgenossen versammelt, alt und lebenssatt. Und seine Söhne Esau und Jakob begruben ihn. Und Esau wurde auf dem Gebirge Seir wohnhaft. Jakob aber nahm Wohnung im Lande Kanaan.

Damit sind die Stammväter Israels und Edoms in die ihnen bestimmten Länder gelangt. Direkt an den zitierten Text schloss sich dann der Anfang der Josephserzählung an; **37**,3:

> Und Israel hatte den Joseph lieb, mehr als alle seine Söhne...

In der Josephserzählung wird nun das Thema des Segens und der Erwählung weiterentwickelt; was Israel unter den Nachbarvölkern war, das ist Joseph unter den Stämmen Israels. Die Reihe der Verheissungs- und Segensworte der Genesis endet auch mit dem besonderen Segen Jakobs über die beiden Söhne Josephs, **48**,15 f:

> Der Gott, vor dem meine Väter Abraham und Isaak gewandelt sind,
> der Gott, der mich geweidet hat mein Leben lang bis auf diesen Tag,
> der Engel, der mich von allem Übel erlöst hat,
> der segne die Knaben,
> dass in ihnen mein Name fortlebe
> und der Name meiner Väter Abraham und Isaak,
> dass sie wimmeln vor Menge
> in der Mitte des Landes.

Die Literarkritiker haben in der Regel gemeint, dass dieser Text den erzählerischen Zusammenhang in Kap. **48** unterbricht und folglich nicht ursprünglich mit ihm zusammengehört, und dass er ausserdem eine Dublette von Vers 20 ist. Keine dieser Annahmen ist sicher: die Segensworte weichen in ihrem Charakter ja immer vom Prosatext ab und unterbrechen insofern den Fluss der Erzählung. Hier ist jedoch die *gemeinsame* Segnung der Josephstämme notwendig, ehe die Frage nach dem Rangverhältnis der Brüder entschieden wird. Der gemeinsame Segen ist hier auch deshalb am Platz, weil die Spannung erhalten bleibt, die sich aus Jakobs rätselhaftem Verhalten ergibt, da er die Hände beim Segen kreuzt, V. 14. Dies wird erst nach dem Segensspruch erklärt und veranlasst einen weiteren Segen, in dem Ephraims Vorrang bestätigt wird. Diese Komposition kann sehr wohl ursprünglich sein! Der oben zitierte Segensspruch ist übrigens gut in den weiteren Zusammenhang der Erzählung eingefügt und setzt ihn voraus: Jakob blickt auf sein Leben zurück und gedenkt des Gottes, der seine Hilfe war. Die Stammväter der beiden Stämme im Zentrum des Landes werden nun die Hauptträger des Segens und der Verheissungen an die Väter; in diesen Stämmen lebt der Name Israel (vgl. **33**,20!), ebenso wie die Namen der übrigen Patriarchen, in erster Linie weiter. Vers 20 stellt das Verhältnis der Josephstämme zum übrigen Israel als eine Analogie des Verhältnisses zwischen Israel und seinen Nachbarvölkern dar: ebenso wie alle Völker die Patriarchen Israels und ihre Nachkommen als Beispiel nennen werden, wenn man segnet, **12**,3, **22**,18, **28**,14, so wird man in Israel Josephs Söhne Ephraim und Manasse nennen:

> Mit dir soll Israel segnen und sprechen:
> Gott mache dich wie Ephraim und Manasse.

Mit der Feststellung, dass Jakob Ephraim den Vorrang vor Manasse gibt, endet die Reihe der Verheissungs- und Segensworte in der Genesiserzählung (mit Ausnahme des sekundären Kapitels **49**). Es ist sicher nicht zu gewagt, wenn man diese Tatsache als ein weiteres Indizium dafür betrachtet, dass der Erzähler, der den Stoff der Genesis als eine Funktion des Verheissungsthemas gestaltet, selbst zum Hause Joseph, und noch genauer, zum Stamm Ephraim gehört hat.

C. Die Verheissungen an Abraham und ihre Erfüllung

Die obigen Analysen dienten hauptsächlich zur Klärung der völkerätiologischen Grundbedeutung des Verheissungs- und Segensthemas, in ihnen deutete sich auch an, dass die Geschichten von Isaak und Jakob durchaus als Funktion dieses Themas gestaltet sind. Ständig wird aber in den zitierten und analysierten Texten in erster Linie auf die Verheissungen und den Segen verwiesen, die Abraham zuteil geworden waren: Isaak und Jakob sind nur seine Erben. Damit stehen wir vor der Aufgabe, näher zu zeigen, inwiefern die Geschichte Abrahams mehr als jeder andere Abschnitt der Genesis vom Thema der Verheissung geprägt ist, und ferner, dass die Verheissungen an Abraham auf der einen Seite, und ihre Verwirklichung, vom Aufenthalt in Ägypten an bis zur Landnahme, auf der anderen Seite, die Pole des Spannungsfeldes darstellen, in dem sich das epische Werk entfaltet.

Den Umfang der eigentlichen Abrahamserzählung haben wir bereits angedeutet: der Eröffnungsabschnitt, Kap, 11,27—32, stellt Abrahams Geschlecht vor; an diesen Text knüpft die Genealogie von 22,20—24 direkt an: hier wird also ein neuer Hauptabschnitt eingeleitet, was ein Überblick über den folgenden Text bestätigt. Der Hauptzweck von 22,20—24 ist es, Rebeka Geschlecht vorzustellen.[37] Der folgende Abschnitt, Kap. 23—25, handelt dann vom Generationswechsel. Die Erzählung, wie Isaak Rebecka zur Frau gewinnt, Kap. 24, wird von dem Bericht über Saras Tod und Bestattung, Kap. 23, und dem Abschluss 24,67, umrahmt, wo es heisst, dass Isaak sich über seine Mutter tröstete.[38]

Unser Abschnitt, der also die Kapitel 11,27—22,19 umfasst, enthält nun eine recht grosse Anzahl sekundärer Zusätze. Kap. 12,8—13,1 und 2b—4 haben wir schon besprochen. Auch das ganze Kapitel 14 betrachtet man allgemein als sekundär; Kapitel 15 ist von ganz abweichendem Charakter und hat mit Sicherheit nicht zur Grunderzählung gehört;[39] Kapitel 17 gehört zur P-Schicht.[40] Kapitel 20 ist eine unmotivierte Dublette des ursprünglichen Kapitels 26 und muss ebenfalls ausgeschieden werden, was auch von Kapitel 21,22—33 gilt. Kleinere Zusätze sind 16,3,16, 21,4 f(P), sowie 16,10 (?) und 18,17—19 (älterer Zusatz, Dtr?)

Hinsichtlich des übrigen literarischen Bestandes liegen keine zwingenden Gründe vor, ihre grundlegende literarische Einheitlichkeit in Frage zu stellen. In erster Linie erscheint die traditionelle Aufteilung der Kapitel 16 und 21 auf J bzw. E als offenbar unberechtigt. Die hierfür angeführten sprachlichen Kriterien sind nicht stichhaltig; der Wechsel zwischen Jahwe und Elohim ist nicht quellenscheidend (vgl. kap. 28!), vielmehr ist er in der Genesis häufig (wenn auch vielleicht nicht immer, oder nicht immer wahrnehmbar) der Ausdruck bewusster Absichten des Erzählers. Die Annahme, das Wort אמה sei kennzeichnend für E und שפחה für J, lässt sich durch den Hinweis auf 30,4—20 widerlegen, wo die beiden Worte שפחה - אלהים wiederholt gemeinsam in einem einheitlichen Text auftreten; überhaupt genügen ja sprachliche Variationen allein nicht zur literarischen Scheidung, sie müssen von grundlegenden literarischen Kriterien, Widersprüchen, Wiederholungen, Spannungen, unterbaut sein, Das Hauptkriterium für die Aufteilung der beiden Kapitel auf verschiedene Quellen war nun auch die Annahme, sie seien Dubletten ein und derselben Erzählung. Als solche kann man sie jedoch nur unter der Voraussetzung betrachten, dass der Hauptzweck der beiden Erzählungen ursprünglich derselbe war, nämlich zu berichten, wie Hagar und Ismael endgültig die Familie Abrahams verlassen, und dagegen sprechen gewichtige Gründe. Zunächst ist festzustellen, dass in den beiden Kapiteln verschiedene Motive gestaltet werden: die Erzählung in Kap. 16 kann nicht ursprünglich mit Hagars Flucht geendet haben, ihr Grundmotiv ist *die Geburt des Kindes*. Typische Elemente dieses Motivs sind sowohl Hagars Schwangerschaft als auch die Ankündigung des Engels Jahwes, dass sie einen Sohn gebären wird, V. 11. Diese Geschichte muss also notwendig mit der Geburt Ismaels schliessen. Kap. 21 dagegen handelt nicht von der Geburt, sondern *von der wunderbaren Errettung des ausgesetzten Kindes*. Die beiden Motive gehören natürlich eng zusammen, müssen aber doch auseinandergehalten werden, vgl. Ex. 2,1—10.[41] Wir können nun feststellen, dass Kap. 16 in seiner heutigen Gestalt wirklich, wie es die Logik der Erzählung fordert, die Geburt Ismaels enthält, V. 15 (natürlich nicht P!), von der aber vorausgesetzt wird, dass sie nach Hagars *Rückkehr* stattgefunden hat; andererseits ist festzustellen, dass es der Ausgangspunkt der Erzählung von Kap. 21 ist, dass Hagar Ismael bereits *in der Familie Abrahams* geboren hat. Will man nun Kap. 16 und 21 als Dubletten betrachten, so muss man für Kap. 16 einen anderen Schluss rekonstruieren, nämlich die Geburt Ismaels an Hagars neuem Wohnort, und andererseits muss man eine heute verschwundene Erzählung von der Geburt des Knaben als ursprüngliche Einleitung zu Kap. 21 voraussetzen. Die Texte selbst liefern aber keine literarkritischen Indizien, die uns das Recht zu so umfassenden Konjekturen geben. Die Vermutung der Quellenkritiker, dass die Anspielungen auf Hagars Rückkehr, 16,9 und 15, Umarbeitungen oder Zusätze im Zusammenhang mit der einheitlichen Redaktion der Quellen sind, sind tatsächlich eine reine *petitio principii*.

Es gibt also keine literarkritischen Indizien, die eine Zerlegung des klaren und selbstverständlich ursprünglichen erzählerischen Zusammenhangs begründen, der in den Kap. 16, 18,1—15 und 21,1—21 vorliegt. Diese Texte zusammen bilden den zentralen Abschnitt der Abrahamserzählung. Seine Exposition, 16,1, knüpft an die Notiz des Eröffnungsabschnitts an, dass Sarah kinderlos war, 11,30, ein Umstand der ja ein Hindernis der Erfüllung von Jahwes Verheissung war, derentwegen sich Abraham auf die Wanderung begeben hatte. Der Erzähler gedenkt nun zu berichten, wie dies Hindernis beseitigt wird. Ein erster Ansatz geschieht auf die Initiative Sarahs hin: Hagar tritt an ihre Stelle, und so wird Ismael geboren. Die wirkliche Lösung bringt indessen die göttliche Initiative: Sarah gebiert Isaak. Daraufhin wird das *Verhältnis* zwischen Ismael und Isaak zu einem Problem, das folgerichtig durch die Vertreibung von Hagar und Ismael gelöst wird, 21,1—21. Die Kapitel 16 und 21 sind also keine parallelen Erzählungen, und sie sind es auch nie gewesen. Kap. 16 ist seinem Wesen und Ursprung nach nur die Erzählung von Ismaels *Geburt*, bei der die Flucht Hagars und ihre Rückkehr eine Episode von untergeordneter Bedeutung ist. Kap. 21 ist die ursprüngliche Fortsetzung der

Geschichte und ihr Abschluss. Der Stammvater der Ismaeliten lässt sich in jenem Landgebiet nieder, wo seine Nachkommen später wohnen sollten, während Isaak der eigentliche Erbe der Verheissungen wird, die Jahwe Abraham gegeben hat, **21**,12f. An **21**,1—21 schloss sich dann Kap. **22** direkt an, als abschliessender Höhepunkt der Geschichte Abrahams und zugleich als Gegenstück zur Erzählung von der Errettung Ismaels, wofür sich mehrere exakte Parallelen nachweisen lassen.

Wenn man nun also die Quellenscheidung der Kap. **16** und **21** abweisen muss, bleibt dies nicht ohne Folgen für die literarkritische Beurteilung von Kap. **22**. Dass es zum Grundbestand des Hexateuchs gehört, steht ausser allem Zweifel; die Frage, ob es zu J oder E gehört, erübrigt sich, und daraus erklärt es sich dann auch, dass hier Übereinstimmungen sowohl mit Texten, die man traditionell zu E, und solchen, die man zu J rechnet, vorliegen.[42]

Der Haupteinwand, den man gegen die literarische Einheitlichkeit des Kapitels selbst erhoben hat, bezog sich auf die Verse 15—18, die man als sekundären Zusatz betrachtete, vor allem, weil diese Verse wie eine unmotivierte Wiederholung von V. 11 wirken. So sagt z.B. Gunkel:

> Nach der alten Sage war Abrahams Lohn, dass er Isaaq behalten durfte: ein vollgenügender Lohn für das väterliche Herz! Ein späterer, dem diese Belohnung nicht genügend erschien, stellte noch eine grosse Verheissung hinzu.[43]

Man hat auch beobachtet, dass das Schwören Jahwes bei sich selbst, ebenso wie der Ausdruck נאם-יהוה sonst nirgends in den älteren Quellen des Pentateuchs vorkommt, und dass die Verse Ausdrücke und Redewendungen enthalten, die wörtlich mit anderen Verheissungsworten der Genesis übereinstimmen.[44]

Den literarkritischen Argumenten ist erstens zu entgegnen, dass die Verse 15—18 sich nur dann als unmotivierte Wiederholung von V. 11 f. darstellen, wenn man voraussetzt, dass Kap. **22** seinem Wesen nach eine in sich geschlossene und freistehende Erzählung von einer Prüfung der Gottesfurcht ist. Aber die literarische Gestaltung des Kapitels so gut wie sein Inhalt lassen erkennen, dass es ursprünglich als *Funktion* des grösseren literarischen Zusammenhangs konzipiert worden ist: wie wir sahen, muss die vorhergehende Erzählung von der Geburt Isaaks als Funktion des Verheissungsthemas gedeutet werden, mit Isaaks Tod wären also alle Verheissungen Gottes hinfällig, weshalb es vom Gesichtspunkt des Zusammenhangs durchaus notwendig ist, dass diese Verheissungen nach der Prüfung wiederholt und bestätigt werden. Die Verse 15—18 stammen also von dem Verfasser, der die Geschichte Abrahams als eine zusammenhängende Ganzheit gestaltet hat. Daraus ergibt sich auch die Antwort auf die übrigen literarkritischen Argumente: in der Grunderzählung des Hexateuchs hat der sog. Erzväterschwur seinen ursprünglichen und eigentlichen Platz gerade in Gen. **22**,16; andere Texte des Alten Testaments, die ihn zitieren oder auf ihn anspielen, sind mehr oder weniger direkte Hinweise auf diese Stelle.[45]

Dieser Überblick über den ursprünglichen literarischen Bestand der Abrahamserzählung ermöglicht es nun, ihre Struktur klarer zu erfassen. Von der Geschichte Lots können wir dabei absehen, sie ist swar ursprünglich, doch für den Hauptzusammenhang von untergeordneter Bedeutung. Wie wir schon sagten, werden Anfang und Ende des Abrahamsabschnitts durch zwei Genealogien markiert, die aneinander anschliessen: 11,27—32 und 22,20—24. Wir haben einen zentralen Abschnitt festgestellt, dessen Höhepunkt die Verheissung Isaaks und seine Geburt ist, 18,1—15 und 21,1—7, der von der Erzählung über Hagar und Ismael in Kap. 16 und 21,8—21 eingerahmt wird. Noch einen Rahmen bilden nun zwei Wanderungserzählungen: die einleitende Wanderung in Kap. 12—13 wird durch die Verheissungen Jahwes *veranlasst,* und in Kap. 22 *folgt* auf die Wanderung die Bestätigung der Verheissungen durch den Eid. Die ganze Abrahamserzählung wird also von zwei Verheissungen umrahmt, die Schlüsselstellungen einnehmen und einander nahe entsprechen: 12,1—3,7 und 22,15—18. Im Mittelpunkt der Erzählung steht jener Anfang der Erfüllung der Verheissungen, den Abraham selber erleben durfte: die Geburt Isaaks. Es liegt also folgendes Schema vor:

(Genealogie)	(Genealogie)
Verheissung	*Verheissung*
Wanderung	Wanderung
Ismael	Ismael
Isaak	

Dass diese ringförmige Komposition kein Werk des Zufalls ist, geht aus der folgenden synoptischen Aufstellung der beiden Wanderungserzählungen, Kap. 12 und 22 hervor.

Gen. 22	#	Gen. 12	#
ויאמר אליו אברהם ויאמר הנני ויאמר	1	ויאמר יהוה אל-אברם	1
קח-נא את-בנך את-יחידך אשר-אהבת את-יצחק ולך-לך	2	לך-לך מארצך וממולדתך ומבית אביך	
אל-ארץ המריה והעלהו שם לעלה על אחד ההרים		אל-הארץ	
אשר אמר אליך		אשר אראך	
וילך אל-המקום אשר-אמר-לו האלהים	3	וילך אברם כאשר דבר אליו יהוה	4
ויבאו	9	ויבאו ארצה כנען ויעבר אברם בארץ	5-6
אל-המקום אשר אמר-לו האלהים		עד מקום שכם עד אלון מורה	
ויבן שם אברהם את-המזבח		ויבן שם מזבח	7
ויקרא אברהם שם המקום ההוא יהוה יראה	14	ליהוה הנראה אליו	
אשר יאמר היום בהר יהוה יראה			
כי-ברך אברכך	17	ואעשך לגוי גדול ואברכך	2
והרבה ארבה את-זרעך ככוכבי השמים וכחול אשר על-שפת הים		ואגדלה שמך והיה ברכה	
וירש זרעך את-שער איביו		ואברכה מברכיך ומקללך אאר	3
והתברכו בזרעך כל גויי הארץ	18	ונברכו בך כל משפחת האדמה	18

Abgesehen von dem durchweg gleichartigen Aufbau ist besonders die Formulierung der göttlichen Befehle in **12**,1 und **22**,2 zu beachten: beide Stellen enthalten eine dreifach steigernde Wiederholung, und beide Male kehrt das Befehlswort לך-לך wieder, das in exakt derselben Form sonst nirgends im Alten Testament vorkommt. Die Formulierung der göttlichen Befehle in der Einleitungs- und Abschlusserzählung ist also ein deutliches Struktursignal, sie zeigt, dass die beiden Erzählungen vom gleichen Verfasser stammen, und dass sie ausserdem deutlich aufeinander bezogen sind. Bei den beiden Segens- und Verheissungsworten ist ihre völlig gleichartige Struktur zu beachten, während der sprachliche Ausdruck absichtlich variiert wird, in **22**,15—18 wird die Intensität der Aussage bewusst gesteigert, wodurch betont wird, dass es sich hier um Jahwes eidliche Bestätigung der Verheissungen handelt, die anfangs zitiert wurden, **12**,2f, 7. Jahwes feierlicher Eid, V. 15, ist der Abschluss der eigentlichen Abrahamserzählung und zugleich der Höhepunkt, auf den hin dieser ganze Abschnitt bewusst angelegt ist. Der Eid ist auch der Ausgangspunkt des ganzen folgenden literarischen Zusammenhangs: In der Grunderzählung des Hexateuchs war bis zu ihrem Endpunkt nur ein Hauptthema entwickelt worden, wie nämlich Jahwe seine dem Abraham eidlich zugeschworenen Verheissungen erfüllt. Erst danach verpflichtet sich das Volk seinerseits, Jahwe zu dienen, Jos. **24**.

An welchem Ort hat Jahwe Abraham seinen Eid geschworen? Das in Kap. **22** erzählte Ereignis ist von so eminenter Bedeutung, dass es von Anfang an mit einem bekannten Ort verbunden gewesen sein muss. MT enthält nun in Vers 2 die rätselhafte Angabe ארץ המריה, die sonst nur noch in 2. Chron. **3**,1 in der Verbindung הר המוריה vorkommt, womit der Tempelberg in Jerusalem gemeint ist. Dem Namen liegt vermutlich die Absicht zugrunde, die Opferung Isaaks durch Abraham mit Jerusalem zu verknüpfen, was man jedoch allgemein für eine sekundäre Übertragung hält. Dass die Tradition der Samaritaner Isaaks Opfer nach Sichem verlegt, ist an sich wohl nicht zu verwundern. Für die Authentizität dieser Tradition hat u.a. A. von Gall Argumente angeführt, wobei er ארץ המריה mit אלון מורה, **12**,6 in Verbindung gebracht hat.[46] Aber seine Beweisführung war wenig überzeugend.

Unsere obigen Vergleiche der Kapitel **12** und **22**, sowie alle früher gefundenen Indizien, die auf den Ursprung des Erzählungswerks in Sichem deuten, geben nun der Hypothese, dass sich bei den Samaritanern die Erinnerung an die ursprüngliche lokale Anknüpfung des Textes erhalten hat, grösseres Gewicht. Vielleicht lässt sich auch der Zusammenhang zwischen Moria und More auf einfachere Weise wahrscheinlich machen, als es die von von Gall angeführten Gründe vermochten. In Kap. **22**,2 hat nämlich der samaritаnische Text ארץ המוראה, und eine analoge Lesart findet sich in Sam. Deut. **11**,30: מורא. Die wichtigste Abweichung gegenüber MT ist es, dass hier *aleph* in letzter Position steht, statt *he* im MT. Hier wie in Gen. **22**,2 (Sam.) ist wohl *aleph mater lectionis,* mit Wegfall der letzten Radikale in Deut. **11**,30. Das

deutet darauf, dass Sam. einen Zusammenhang zwischen מורא (י)אלון,
Deut. **11**,30, *(Gen.* **12**,6) und ארץ המוראה, Gen. **22**,2 herstellt. Wie ist der letztere Ausdruck zu verstehen? Die Antwort ist wohl hauptsächlich davon abhängig, wie die Benennung אלון מורה aufzufassen ist. Sie besteht wahrscheinlich aus zwei ursprünglichen Appellativen im *status constructus.* Aber
da es sich offenbar um einen besonderen, wohlbekannten Baum handelt, ist
das Fehlen des bestimmten Artikels auffällig. Nielsens Vermutung erscheint
berechtigt: "It looks as if *moreh* were conceived as a *nomen proprium* by the
Masoretes."[47] Analoge Verbindungen im *status constructus* ohne Artikel liegen in Jos. **19**,33, Ri. **4**,11, **9**,6 und 37, 1. Sam. **10**,3 vor. Eine denkbare Erklärung gibt Nielsen: "The article may have been intentionally deleted by the
Hebrew narrators themselves, in order to conceal the markedly pagan
character of the tree."[48] An sich wäre es dann jedoch nicht unnormal, dass
das Wort auch *mit* Artikel vorkommt und dass es sogar ganz für sich als Bezeichnung des wohlbekannten Baumes steht: המורה, gleichbedeutend mit
אלון (ה)מורה Der Ausdruck ארץ המורה könnte dann bedeuten „das Land,
die Gegend, wo der Wahrsagerbaum ist". Allerdings wäre dies eine recht bemerkenswerte geographische Angabe: der Baum würde damit als der wichtigste Punkte des ganzen Gebiets bezeichnet. Andererseits passt dies gut zum
Textzusammenhang in Kap. **22**: die Angabe in V. 2 bezieht sich offenbar nicht
nur auf ein Gebiet, sondern zugleich auf einen bestimmten *maqom*, V. 3, 9, 14,
von dem vorausgesetzt wird, dass Abraham ihn kennt: Jahwes Befehl ist genau genug, dass er weiss, wohin er sich wenden soll, und als er sich dem Ziel
nähert, erkennt er den Ort von weitem, V. 4. Innerhalb dieses *maqom* liegen
mehrere Berge, von denen einer der Opferplatz sein wird; Abraham weiss anfangs nicht, welcher, V. 2. Bemerkenswert ist es jedoch, dass in **22**,2 die Berge
durch den Hinweis auf ארץ המריה oder (Sam.) המוראה gekennzeichnet werden. Dies muss nun mit Deut. **11**,30 verglichen werden. Man nimmt an, dass
die hier vorkommenden Worte הישב בערבה מול הגלגל eine spätere Inter-
polation sind.[49] Wenn man diese beiseite lässt, so bleiben eine Reihe von
geographischen Hinweisen zur Lokalisierung der Berge Garizim und Ebal
übrig. Gemäss der exaktesten von ihnen liegen die beiden Berge אצל אלון(י)
מרה. Auch hier fällt es auf, dass die Berge im Verhältnis zum *Baum* lokalisiert
werden. Das ist natürlich nicht darauf zurückzuführen, dass der Baum an sich
ein besser sichtbarer Orientierungspunkt gewesen wäre, die einzig mögliche
Erklärung ist die, dass er aus bestimmten Gründen als besonders wichtig in
der Gegend betrachtet wurde. Denkbar wäre dann die Erklärung, dass mit
dem Platz, wo der Baum wuchs, eine mythisch-kosmologische Vorstellung
vom Mittelpunkt der Welt verknüpft war.[50] Unter dieser Voraussetzung wäre
es immerhin verständlich, dass man die Berge als den Baum umgebend
betrachten konnte, Deut. **11**,30, ebenso wie man dann die Umgebung als
ארץ המורה, Gen. **22**,2 (mit Korrektur) bezeichnen konnte.

Als letzte Frage bleibt zu erklären, wie die Bezeichnung המריה in MT entstanden sein kann. Es spricht alles dafür, dass sie eine absichtliche Entstellung nach dem Abfall Samariens ist, um die ursprüngliche Verknüpfung der Erzählung mit Sichem zu verwischen und die Tradition von Isaaks Opfer auf Jerusalem zu übertragen. Eine ähnliche *condemnatio loci* scheint ja in Deut. 11,30 vorzuliegen (sh. oben, Anm. 49).

Nicht nur die allgemeine Voraussetzung, dass die Grunderzählung des Hexateuchs in Sichem geschaffen worden ist, sondern auch der Vergleich mit Kap. **12**, sowie die schwerwiegenden internen Kriterien des Kapitels **22** begründen also die ziemlich sichere Schlussfolgerung, dass Abraham sich gemäss der Erzählung nach Sichem begab, um seinen Sohn zu opfern. Daraus ergibt sich nun eine interessante Struktur hinsichtlich der lokalen Verknüpfung der Hauptabschnitte der Genesiserzählung: die Abrahamserzählung beginnt und endet in *Sichem*, wo die Verheissung ausgesprochen und bestätigt wird, **12**,1—7 und **22**; die Jakobserzählung beginnt und endet in *Bethel*, **28**,10—22 und **35**,1—7; die Josephserzählung wiederum ist in ihrem Anfangs- und Endabschnitt mit Sichem verknüpft, **37**,12—17 und **48**,22a. Ausserdem nimmt Sichem einen zentralen Platz in der Jakobsgeschichte ein, wo die Geburt der Stammväter der zwölf Stämme in einer Ordnung erzählt wird, welche die Gruppierung der Stämme in konzentrischen Kreisen um diese Stadt voraussetzt, **29**,32—**30**,24 wobei noch hinzukommt, dass der zusammenfassende Name der Stämmegemeinschaft, Israel, mit dem Ort verknüpft ist, **33**,18—20.

Um die Einheitlichkeit dieser in der literarischen Struktur gegebenen Verknüpfung mit Sichem und Bethel klar herauszustellen, sei an die Schlussfolgerungen von Kap. III A und B erinnert, dass nämlich diese beiden Orte niemals die Kult- und Traditionszentren einzelner Stämme waren, sondern als die gemeinsamen Zentren der mittelpalästinischen Stämmegruppe entstanden sind, und dass sie an den Grenzen zwischen den Stammesterritorien lagen. Der Verknüpfung mit Sichem und Bethel liegt also von Anfang an eine einheitliche Traditionsbildung zugrunde, die ihren Ursprung in den *vereinigten Rahelstämmen* hat. Die Frage erhebt sich von Neuem: gibt es zwingende Gründe zu der Annahme, dass die Erzählung der Genesis von einem judäischen, in Jerusalem unter Salomo tätigen Verfasser oder Sammler stammt?

Die Erfüllung der Verheissungen an Abraham bereitet sich, wie wir sahen, unter den Patriarchen der folgenden Generationen vor, aber in der Erzählung wir*d der Aufenthalt in Ägypten* als die Zeit bezeichnet, in der sich die Verheissung der zahlreichen Nachkommenschaft endgültig erfüllt. Dies wird in Gen. **46**,1—5 besonders deutlich, wo berichtet wird, wie Jakob (vermutlich aus Hebron, **37**,14) aufbricht, um nach Ägypten zu ziehen. Er rastet in Beer Seba und opfert dem Gott seines Vaters Isaak, der sich ihm wiederum in der Nacht offenbart. Dies ist die letzte Offenbarung, die Jakob in der Erzählung zuteil wird, und sie knüpft an seine erste Offenbarung in Bethel an, als er das erste

Mal aufbrach, um das verheissene Land zu verlassen: in beiden Offenbarungen wird ihm zugesagt, dass er zurückkehren wird, bzw. dass seine Nachkommen zurückkehren werden. Ihre Stellung in der Jakobserzählung steht in naher Analogie zu der der beiden Befehls- und Verheissungsworte, welche die Abrahamerzählung einleiten bzw. abschliessen, 12,1—3,7 und 22,15—18. Dass diese Analogie bewusst gestaltet ist, geht aus der doppelten Anrufung 22,11 und 46,2 hervor: an beiden Stellen kündigt sich ein entscheidender Wendepunkt in der Entwicklung der Ereignisse an. Die Errettung Isaaks bedeutet die Bestätigung der Verheissungen, die Offenbarung in Beer Seba leitet eine neue Phase in der Geschichte der Stammväter Israels ein: die Wanderung nach Ägypten und den Aufenthalt dort. Der Erzähler verschafft hier der Stimme Gottes besonders intensiv Gehör, um deutlich zu machen, dass die Entwicklung weiterhin auf die Erfüllung der Verheissungen Jahwes an Abraham abzielt. Die Bedeutung der neuen Phase wird auch in 46,3 deutlich genannt:

> Fürchte dich nicht nach Ägypten hinabzuziehen,
> denn ich will dich dort *zu einem grossen Volke* machen.

Dies ist ein Zitat der ersten Verheissung an Abraham, 12,2, die sich also in Ägypten erfüllen soll. Die Erzählung von Ex. 1,6—22 hat dann zwar nicht viel von dem Aufenthalt dort zu berichten, aber im Hinblick auf den Zusammenhang ist sie bedeutsam, da sie schildert, wie die Verheissung der zahlreichen Nachkommenschaft in Erfüllung geht und wie dies zugleich zu der Konfliktsituation führt, die durch den Auszug gelöst wird.[50]

Die eigentliche Einleitung zum Auszugsabschnitt stellt die Berufung Moses zu seinem Auftrag dar, Ex. 3. In Vers 7 verkündet Jahwe seine Absicht, das Volk zu befreien und es in das Land Kanaan zu führen. Merkwürdigerweise beruft Jahwe sich hier nicht ausdrücklich auf die Väterverheissung als Motiv seines Eingreifens, sondern nur auf die schweren Leiden des Volkes. Aber durch die Selbstdarstellung Gottes in V. 6 wird ein Zusammenhang mit der Genesiserzählung geschaffen und so wird auch V. 7 durch den literarischen Zusammenhang zum Ausdruck von Jahwes Absicht, die Landverheissung an die *Väter* zu erfüllen. Mit dem Auszugsabschnitt beginnt also die Darstellung eines Vorgangs, der gemäss Ex. 3,6 ff erst mit der Landnahme als abgeschlossen zu betrachten ist. Auffällig ist es nun, dass die Theophanieschilderung, in deren Rahmen Jahwe seine Absichten verkündet, mit dem typischen *doppelten* Anruf Gottes an Mose beginnt, V. 4b. Wir können also feststellen, dass die doppelte Anrufung an *drei* Stellen vorkommt, die alle von entscheidender Bedeutung für die Entwicklung des *Verheissungsthemas* sind und die wir daher als Struktursignale der Grunderzählung des Hexateuchs zu betrachten haben. Die folgende Synopse der drei Textstellen, Gen. 22,11 f.; 46,2—4; Ex. 3,4b—6a,8, dürfte den Vergleich erleichtern.

I.	ויקרא אליו מלאך יהוה	מן-השמים ויאמר	אברהם אברהם	ויאמר הנני ויאמר
II.	ויאמר אלהים לישראל	במראת הלילה ויאמר	יעקב יעקב	ויאמר הנני ויאמר	אנכי האל אלהי אביך
III.	ויקרא אליו אלהים	מתוך הסנה ויאמר	משה משה	ויאמר הנני ויאמר

I.	אל-תשלח ידך אל הנער	כי עתה ידעתי כי-ירא אלהים אתה
II.	אל-תירא מרדה מצרימה	כי-לגוי גדול אשימך שם
III.	אל-תקרב הלם של נעליך	כי המקום אשר אתה עומד עליו אדמת-קדש הוא ויאמר אנכי אלהי אביך אלהי אברהם / ... /

II.	אנכי ארד עמך מצרימה	ואנכי אעלך גם-עלה
III.	וארד להצילו מיד מצרים	ולהעלתו מן-הארץ ההוא

I. Gen. **22**,11 f.: Einleitung der Bestätigung der Verheissungen Jahwes an Abraham durch einen *Eid* (V. 15—18).
II. Gen. **46**,2—4: Einleitung der Verwirklichung der Verheissung zahlreicher *Nachkommenschaft*.
III. Ex. 3, 4b—6a,8: Einleitung der Verwirklichung der *Land*verheissung.

Zu dem grossen Hauptabschnitt, der von der Verwirklichung der Landverheissung handelt, sind so umfassende Analysen erforderlich, dass sie im Rahmen der vorliegenden Untersuchung keinen Raum finden — viele der vorgelegten Auffassungen müssten ausführlicher begründet werden, als es hier möglich ist.

Von besonderer Bedeutung für das Verständnis der Entfaltung des Verheissungsthemas sind zwei Punkte, die genauer untersucht werden sollten: der Sinaiabschnitt ist dem ursprünglichen literarischen Zusammenhang fremd; der Übergang von der Wüstenwanderung zur Landnahme im Buch Josua lässt einen ursprünglichen Zusammenhang als fortlaufende Erzählung erkennen.

Bekanntlich liegen im Exodus zwei Gottesbergtraditionen vor, die sich schwerlich miteinander vereinen lassen: teils der midianitische Gottesberg, Ex. **3**,1—**4**,18 und **18**, teils der Sinai, Kap. **19**ff. Man nimmt gewöhnlich an, dass beide Traditionen sowohl in J als auch in E überliefert worden sind, oder jedenfalls in der ältesten literarischen Quelle vorkamen, sofern man mit nur einer Quelle rechnet.[53] Versucht man nun aber, den Spuren einer im eigentlichen Sinne *zusammenhängenden* Grunderzählung nachzugehen, so muss allein schon das Vorkommen von zwei Gottesbergtraditionen als ein Kriterium *literarischer* Scheidung gelten. Ausserdem gibt es in den Kap. **17, 18** und **19** offenbare literarische Sprünge. In **17**,1 wird Rephidim als Lagerplatz genannt, woran V. **19**,2 anknüpft, der vom Aufbruch von Rephidim und der Ankunft beim Sinai handelt. Kap. **18** fällt völlig aus diesem Zusammenhang heraus, da in V. 5 vorausgesetzt wird, dass Mose und die Israeliten bereits auf dem „Gottesberg" angekommen sind. Dies Kapitel steht also in seiner nächsten Umgebung isoliert da, andererseits ist es aber durchaus klar, dass es statt dessen die ursprüngliche Fortsetzung des in Kap. **3** eingeleiteten Zusammenhangs ist, in dessen Rahmen auch die Erzählung vom Auszug ihren Platz hat.

131

Dieser Zusammenhang kann also unmöglich ursprünglich mit dem Sinaiabschnitt fortgesetzt worden sein.[54]

Unterstützt wird dieser Schlussatz natürlich ferner durch die seit langem wahrgenommene Tatsache, dass die literarkritischen Probleme im Sinaiabschnitt von ganz anderer Art als im übrigen Pentateuch sind, ebenso wie durch die Beobachtung, dass Anspielungen auf den Sinai ausserhalb der Bücher Mose auffällig selten vorkommen, so auch vor allem in den kurzen zusammenfassenden Texten, die von Rad als Beispiele des „kleinen geschichtlichen Credos" betrachtete.[55] Schliesslich sei an die Konkurrenz erinnert, die zwischen den verschiedenen Überlieferungen über den Abschluss des Bundes besteht: einerseits der des Bundes auf dem Sinai, andererseits sowohl der Anspielung im Deuteronomium auf einen vor Moses Tod geschlossenen Bund als auch der gut belegten Tradition, die den Abschluss des Bundes nach Sichem verlegt, Jos. **24**.[56]

Von grösster Bedeutung ist nun die Tatsache, dass zwei Eigennamen für den Gottesberg überliefert sind: Horeb und Sinai. Zwar wird Horeb mit Sinai identifiziert, besonders deutlich in Deuteronomium, wo der Name Horeb durchgehend auch bei Rückblicken auf Ereignisse gebraucht wird, die im Exodus im Rahmen des Sinaiabschnittes erzählt werden. Aber diese Identifikation dürfte kaum ursprünglich sein; da zwei verschiedene Gottesbergtraditionen im Exodus vorkommen, ist es am naheliegendsten anzunehmen, dass die beiden Eigennamen ursprünglich jeweils mit einer der beiden Traditionen verknüpft waren. Dies ist umso wahrscheinlicher, als uns in Ex. 3,1 ein ausdrücklicher Textbeleg vorliegt, wo der Name Horeb den midianitischen Gottesberg bezeichnet, auf dem Mose den brennenden Busch sah. Die verschiedenen Versuche, diese Namensangabe mit literarkritischen Argumenten zu entkräften, sind gescheitert.[57]

Wir dürfen also mit grosser Sicherheit annehmen, dass Horeb in der Grunderzählung des Hexateuchs der Name des midianitischen Gottesberges war, der Stätte, an der Mose berufen und ihm der Name Jahwe offenbart wurde, Ex. **3**; nach dem Auszug aus Ägypten schlagen die Israeliten bei diesem Berg ihr Lager auf, Mose begegnet seinem Schwiegervater Jethro wieder, es werden Opfer gebracht und Mose setzt auf den Rat Jethros Hauptleute zur Rechtssprechung über das Volk ein, Ex. **18**. Gemäss diesem Kapitel ist Mose selbst der höchste Richter, der dem Volke ausserdem mündlich „Satzungen und Weisungen" verkündet, V. 20; von der Schliessung eines Bundes und einem geschriebenen Gesetz ist hier dagegen nicht die Rede.[58]

Die ursprüngliche Überlieferung von Horeb in Ex. **3** und **18** hat von Anfang an mit der Tradition von Mose und dem Auszug aus Ägypten zusammengehört. Die beiden Episoden am Horeb bilden einen Rahmen um die heutige Erzählung vom Auszug und bestimmen auch den Zusammenhang derselben. Dies zeigt in erster Linie eine Analyse von Ex. **3**. Das Kapitel ist ferner der Ausgangspunkt der darauf folgenden Erzählung von der Wüstenwanderung.

Die am sorgfältigsten motivierte literarkritische Scheidung dieses Kapitels hat wohl Richter vorgelegt;[59] wir können uns hier darauf beschränken, an seine Hauptargumente anzuknüpfen. Eine wichtige Voraussetzung ist unsere frühere Feststellung, dass der Wechsel zwischen Jahwe und Elohim nicht als quellenscheidend zu betrachten ist. Aus methodischen Gründen vermeidet Richter es auch, sich auf diesen als auf ein Hauptkriterium zu berufen. Ferner konnten wir bereits feststellen, dass seine Scheidung der Verse 1—8 unhaltbar ist (vgl. oben, Anm. 52); damit fällt auch seine Rekonstruktion paralleler Fäden in Kap. 3. Seine übrigen Indizien sind hauptsächlich eine Anzahl von Wiederholungen, die er im Anschluss an die frühere Quellenkritik als Doppelungen betrachtet: V. 7 = V. 9; V. 6, 15 = V. 16; V. 10 = V. 16, 17. Auf diese Beobachtungen gründet sich seine ziemlich traditionelle Aufteilung des Textes: die Verse 7 f., 16—20 betrachtet er als einen zusammenhängenden Faden und die Verse 9—15 als eine Parallele zu diesem.

Tatsächlich lassen sich jedoch sämtliche Wiederholungen sehr wohl als absichtliche literarische Stilmittel erklären, was aus einer Analyse der Struktur des Textes hervorgeht. Die drei derart getrennten Abschnitte, V. 7 f, 9—15 und 16—20 sind Glieder eines *sich kontinuierlich entwickelnden Textes.* Jedes neue Glied greift hier bewusst auf das vorhergehende zurück, woraus sich die Wiederholungen erklären.

In V. 7 f. verkündet Jahwe seine *Absicht,* das Volk aus Ägypten zu befreien und die den Vätern gegebene Landverheissung zu verwirklichen. Dieser Abschnitt ist in dem feierlichen, poetischen Orakelstil gestaltet, den wir von den Verheissungs- und Segensworten der Genesis kennen (synonyme und steigernde Parallelismen, Alliterationen und Ansätze zu metrisch gebundenem Stil). Er weicht also sehr markant von dem umgebenden Prosastil ab.

Den nächsten Abschnitt, V. 9—15, hält ein neues Thema, *die Sendung Moses,* zusammen. Er wird durch eine Prosarede Jahwes, V. 9 f, eingeleitet, in direktem Anschluss an das vorhergehende Orakelwort, das zunächst zusammengefasst wird, um zu verdeutlichen, dass die in diesem verkündete Absicht Jahwes, das Volk zu befreien, der Anlass der Berufung Moses ist. Dies wird durch das einleitende Wort ועתה markiert, das also deutlich zeigt, dass V. 9 keine Doppelung von V. 7 f, sondern seine Fortsetzung ist, die dem folgenden V. 10 untergeordnet ist (auch die Sprache der Verse 7 f und 9 weist absichtliche Variationen auf). Der Abschnitt von der Sendung Moses setzt dann mit zwei Fragen Moses fort, V. 11 und 13, die zu Verdeutlichungen führen: der Auftrag soll mit göttlichem Beistand ausgeführt werden, der auch die Beglaubigung Moses gegenüber dem Volke mit sich bringt, V. 12; der Gott, der Mose den Auftrag gibt, präzisiert seine Identität, V. 14 f.

Der dritte und letzte Abschnitt, V. 16—20, enthält genauere Angaben über die praktische *Ausführung* des Auftrags: Mose soll zunächst den Ältesten des Volkes die Absicht Jahwes mitteilen, V. 16 f, danach soll man vom König von Ägypten fordern, das Land verlassen zu dürfen, um Jahwe zu opfern, V. 18.

Die abschliessende Vorhersage, dass der König sich weigern wird, das Volk ziehen zu lassen, führt zu einer Andeutung, wie sich die Ereignisse in der folgenden Auszugserzählung entwickeln werden, V. 19 f.

Wir können also feststellen, dass die mehrfachen Darlegungen der Absichten Jahwes und der Sendung Moses in den drei Abschnitten verschiedene Funktionen haben. Die Widerholungen sind daher keine Kriterien literarischer Uneinheitlichkeit.

Dagegen deutet vieles darauf, dass 3,21 f sowie der grössere Teil von Kap. 4 sekundäre Zusätze sind. Den Versen 3,21 f liegt die Kultfeier zugrunde, sie sind für den erzählerischen Hauptzusammenhang ohne Bedeutung; 4, 1—17 handelt von Zeichen, die Mose ausführen soll, um sich vor dem Volke zu beglaubigen, die aber mit 3, 12 und 18 schlecht im Einklang stehen. Vor allem aber ist die Rolle von Aaron und von Moses Stab in der folgenden Erzählung von den Plagen und dem Auszug offensichtlich sekundär. Als sicher ist nur anzunehmen, dass in der Grunderzählung gesagt wurde, wie Mose nach Ägypten zurückkehrte, was vermutlich in 4,18 und 29—31* steht. In den Versen 19 f und 24—26 heisst es, dass Sippora und die Söhne Moses ihn zurückbegleiteten, in Kap. 18 tauchen sie indessen wieder mit Jethro zusammen auf. Die Erklärung in V. 2, Mose habe sie im Voraus heimgeschickt, mag etwas gesucht erscheinen, muss aber nicht unbedingt eine sekundäre Harmonisierung sein. Die Frage, wie V. 19 und 24—26 zu beurteilen sind, mag offen bleiben. Als einigermassen gesicherten literarischen Grundbestand kann man 3,1—20, 4,18 und 29—31* betrachten.

In diesem literarischen Bestand ist es wohl vor allem der Abschnitt von der Sendung Moses, der beachtet werden muss: V. 9—15. Sein Auftrag ist es nicht nur, dem Volk die absicht Jawes mitzuteilen, sondern auch, sie zu verwirklichen; in den Versen 10—12 ist er Subjekt des Verbes והוצא(ת), אוציא, בהוציאך . Er soll also als Führer des Volkes und im Auftrage Jahwes das Werk Jahwes selbst ausführen.

In den Versen 11 und 12 folgt auf Moses Einwand die Versicherung des göttlichen Beistandes und die Bestätigung des Auftrages. Der hier vorkommende Ausdruck וזה-לך האות gehört zu den typischen Redewendungen eines im AT oft geschilderten Erkenntnisvorgangs, den W. Zimmerli genauer untersucht hat.[60] Jemand fordert von einem anderen

> die Vorlegung eines ganz bestimmten einzelnen Tatbeweises, den er bereit ist, als Beglaubigungszeichen für die Wahrheit der gesamten Aussage dieses anderen anzuerkennen. (S. 50.)

Eine solche kritische Prüfung kann zwischen Menschen vorkommen, sie ist aber am häufigsten, wenn Menschen in einer bestimmten Lage die Absichten Gottes zu erforschen oder die Wahrheit von Voraussagen zu prüfen suchen, in denen ein Anspruch auf göttliche Autorität erhoben wird. Das Zeichen besteht dann in einer Begebenheit oder einer Handlung, die sich als göttlich erkennen lässt. Die Bitte um ein Zeichen oder das Versprechen eines solchen kann verschieden ausgedrückt werden, z.B. בזאת אדע, Gen. **42**,33, vgl. **24**,12—14; רזה-לנו האות, 1. Sam. **14**,10; oder Jesajas Antwort auf das Verlangen Hiskias: זה-לך האות מאת יהוה, 2. Kön. **20**,8f, vgl. Jes. **38**,7. Indessen ist das Zeichen oder der Wahrheitsbeweis der Worte Jahwes oftmals das *Eintreffen des vorhergesagten Ereignisses,* was dann gegebenenfalls auch der Beweis dafür ist, dass derjenige, der es vorhergesagt hat, wirklich ein Gesandter Jahwes ist, vgl. Deut. **18**,21 f, 1. Kön. **22**,24—28, Jer. **28**,9. Auf das Erkennen des Zeichens gründet sich eine Gewissheit, die oft mit den Worten עתה ידעתי ausgedrückt wird, z.B. Ex. **18**,11; Ri. **17**,13; 1. Kön. **17**,24; vgl. auch nach der „Prüfung" Abrahams durch Gott, Gen. **22**,12.⁶¹

In Ex. **3**,12 deutet nun der Ausdruck רזה-לך האות darauf, dass ein solcher Erkenntnisvorgang folgen wird. Man nimmt indessen vielfach an, dass das Zeichen selbst hier nicht genannt wird, dass der Text also korrupt ist.⁶² Er lautet: „Wenn du das Volk aus Ägypten herausführst, werdet ihr Gott auf diesem Berge dienen." Hier eröffnet nun aber Zimmerlis Auslegung des Erkenntnisvorgangs eine Möglichkeit, den Text in seiner vorliegenden Gestalt zu erklären: als Zeichen wird tatsächlich der Endpunkt des gesamten Geschehens beim Auszug genannt. Demnach ist der Sinn von V. 12 also: die Tatsache an sich, dass die Befreiung von dem ägyptischen Joch gemäss der Vorhersage am Horeb *verwirklicht* worden ist, muss zu der Erkenntnis führen, dass die Befreiung ein Werk jenes Gottes ist, der sich Mose dort offenbart und ihm seinen Auftrag gegeben hat. Die Erkenntnis soll sich darin äussern, dass dem Gott an der Stätte seiner Offenbarung ein Kult geweiht wird. Dergestalt wird das gesamte Geschehen des Auszugs ein Erkenntnisvorgang, der mit der Offenbarung am Horeb beginnt und mit der Ankunft des befreiten Volkes an dieser Stätte endet.

Dies kommt nun an mehreren Stellen in der Erzählung zum Ausdruck. Zimmerli (S. 45) weist auf die Worte Jethros beim Zusammentreffen mit Mose hin, Ex. **18**,10f:

> Gepriesen sei Jahwe, der euch aus der Gewalt Ägyptens und aus der Gewalt des Pharao gerettet hat. Nun erkenne ich (עתה ידעתי), dass Jahwe grösser ist als alle Götter.

Man kann der Vermutung Zimmerlis wohl nur zustimmen, dass das Opfer, das Jethro gemäss V. 12 daraufhin darbringt, „als Element der zeichenhaften Manifestation der gewonnenen Erkenntnis zu werten ist." (Ebda.)

Dass die Ereignisse im Verlauf des Auszugs als Erkenntnisvorgang aufzufassen sind, geht ferner aus **3**,20 hervor, wo die kommenden Heimsuchungen Ägyptens mit der Bezeichnung נפלאתי „meine Wundertaten", angedeutet werden, deren Zweck es ist, auch Pharao zur Anerkennung der Übermacht Jahwes zu bringen.⁶³

Von besonderer Bedeutung für diesen Erkenntnisvorgang sind jedoch die verschiedenen Aussagen über den Glauben und den Unglauben des Volkes. Von Rad betont, dass sie mit dem „straffen inneren Zusammenhang" der gesamten Exoduserzählung zusammengehören, in dem sie eine „zielstrebige Thematik" darstellen, die im Abschluss der Erzählung, 14,31, kulminiert:[64]

> Als Israel die grosse Tat, die Jahwe an Ägypten getan hatte, sah, da fürchtete das Volk Jahwe und sie glaubten an Jahwe und an Mose, seinen Knecht.

Diesem Abschluss gehen nun mehrere Umschläge in der Einstellung des Volkes voraus. Am nächsten kommt ihm wohl der eigentliche Ausgangspunkt, wo erzählt wird, wie Mose von Midian zurückkommt und dem Volke Jahwes Absicht mitteilt, 4,29—31:

> Und Mose ging hin und versammelte alle Ältesten der Israeliten und redete alle Worte, die Jahwe geredet hatte. Und das Volk glaubte; und als sie hörten, dass Jahwe sich der Israeliten angenommen und ihre Unterdrückung angesehen habe, neigten sie sich und beteten an.[65]

Aber nach dem Zusammentreffen mit Pharao und der darauffolgenden Schärfung der Unterdrückung wird Mose von den Aufsehern der Israeliten verflucht, und Mose selbst wendet sich mit Vorwürfen an Jahwe, weil die versprochene Hilfe ausgeblieben ist, 5,21—23.

Als die Heere der Ägypter die Israeliten später verfolgen und sie am Schilfmeer einholen, macht das Volk Mose von neuem Vorwürfe, 14,11 f:

> Hast du uns etwa, weil es keine Gräber in Ägypten gab, herausgeholt, damit wir in der Wüste sterben? Was hast du uns angetan damit, dass du uns aus Ägypten herausgeführt hast? Haben wir das nicht schon in Ägypten zu dir gesagt: Lass uns, wir wollen den Ägyptern dienen; denn es ist besser für uns, den Ägyptern zu dienen, als in der Wüste zu sterben.

Hier sei nun hervorgehoben, dass das Thema vom Glauben und Unglauben des Volkes, und damit seiner Einstellung zur Sendung Moses, der rote Faden der anschliessenden *Erzählung von der Wüstenwanderung* ist, der sich hier in völlig einheitlicher Gestaltung verfolgen lässt. Die Wüstenwanderung erweist sich damit also als eine organische Fortsetzung der Erzählung vom Auszug. Wenn man die umfassenden Zusätze und Erweiterungen wegschält, die vor allem im Abschnitt vom Sinai und den dazugehörigen Gesetzessammlungen bestehen, so ergibt sich eine ursprüngliche Erzählung von erstaunlicher Knappheit und Konzentration. Ausser der Ankunft am Horeb und dem Aufenthalt dort, Ex. 18, scheint sie vor der Erzählung von den Kundschaftern, Num. 13—14, nur drei kurze Episoden enthalten zu haben, nämlich die Erzählungen vom Wasser und der Ernährung in der Wüste, Ex. 15,22a, 23—25a (das Wasser von Mara); Ex. 16 (das Manna; die Erzählung ist durch spätere Zusätze von den Wachteln und der Feier des Sabbats wesentlich erweitert worden); und Num 11, 4b—6, 10ab, 11—13, 15, 16a*, 18*, 19—23, 24a*, 31 f. (die Wachteln; vermutlich sind Tabeera, die siebzig Ältesten und auch Kibrot-hattaava sekundär).

Das Wesentliche an diesen drei Erzählungen ist es weniger, dass sie vielleicht auf anfangs selbständige, ursprüngliche Lokaltraditionen zurückgehen, sie sind in erster Linie nichts anderes als Illustrationen des Themas „Führung in der Wüste" (Noth) und sind daher ihrem Wesen nach als Funktionen des literarischen Zusammenhangs aufzufassen. Die erste Episode spielt sich nach dreitägiger Wanderung vom Schilfmeer durch die Wüste Sur ab. Der Glaube des Volkes an Jahwe und Mose, den das Wunder seiner Errettung dort erweckt hatte, ist, wie es sich zeigt, leicht zu erschüttern. Das Volk dürstet, man kommt nach Mara, aber das bittere Wasser kann man nicht trinken, **15**,24:

> Da murrte das Volk gegen Mose und sagte: Was sollen wir trinken?

Jahwe lehrt Mose ein Mittel, das Wasser geniessbar zu machen, und damit gibt sich das Volk für diesmal zufrieden.[66]

Die zweite Episode ereignet sich in der Wüste Sin. Das Volk hungert und denkt an Ägypten zurück, **16**,2f:

> Da murrte die ganze Gemeinde der Israeliten gegen Mose in der Wüste und sie sagten: Wären wir doch durch die Hand Jahwes im Lande Ägypten gestorben, als wir an den Fleischtöpfen sassen, als wir Brot satt zu essen hatten! Denn du hast uns in diese Wüste herausgeführt, nur um die ganze Gemeinde Hungers sterben zu lassen.

Das Volk bekommt nun Manna zu essen, wovon es sich auch weiterhin ernährt, aber allmählich wird es das leid.

Die letzte Episode spielt sich nach dem Aufbruch vom Horeb ab. Im heutigen Text ist sie von den beiden vorhergehenden durch den ganzen Sinaikomplex getrennt, sodass es erklärlich ist, dass man den ursprünglichen, engen Zusammenhang aus den Augen verloren hat. Der Inhalt der Erzählung ist von demselben Typus wie der der vorhergehenden und schliesst sich nach dem Prinzip der sich steigernden Wiederholung und der epischen Dreizahl an diese an: jetzt will das Volk Fleisch essen. Vom Ende des Kap. **18** hat die Grunderzählung bis zu dieser Episode vermutlich nur folgenden kurzgefassten Zusammenhang gehabt:

Ex **18**, 27   Daraufhin verabschiedete Mose seinen Schwiegervater; der ging in sein Land.

33,1—3a   Jahwe aber sagte zu Mose: Mach dich auf, ziehe mit dem Volk, das du aus Ägypten heraufgeführt hast, von hier hinauf in das Land, das ich dem Abraham, Isaak und Jakob zugeschworen habe mit den Worten: Deinen Nachkommen will ich es geben, [. . .] ein Land, das von Milch und Honig fliesst.

Num. **10**,33a   Und sie brachen vom Berge Jahwes auf, drei Tagereisen weit.

11, 4b—6   Da fingen die Israeliten wieder an (zu murren), und sie weinten sogar, und sagten: Wer gibt uns Fleisch zu essen. Wir denken an die Fische, die wir in Ägypten umsonst essen konnten, an die Kürbisse,

an die Melonen, an den Lauch und an die Zwiebeln und den Knob-
lauch. Jetzt aber ist unsere Kehle trocken; es gibt nichts, nur auf das
Manna fällt unser Blick.

Jahwe kommt auch diesmal dem Wunsche des Volkes entgegen und be-
schert ihm Wachteln zu essen. Die allmählich sich steigernde Spannung geht
aus der wachsenden Irritation Jahwes und aus der Klage Moses über seine
Sendung hervor, V. 11—13.

Ihren Höhepunkt erreicht aber die Geschichte in der unmittelbar anschliessenden Erzählung von den Kundschaftern, Kap. **13—14**. Der
ursprüngliche Text ist hier auf lange Strecken durch spätere Bearbeitungen
sowohl der Deuteronomisten als auch von P verändert worden, aber es liegt
auch ein klar erkennbarer älterer Bestand vor, der zur Grunderzählung
gehört haben dürfte. In der Einleitung gab es hier nur eine vage Ortsangabe:
die Wüste Paran, **13**,1 (vgl. die analogen Angaben über die Wüsten Sur, Ex.
15,22, und Sin, **16**,1). Erst als die Kundschafter nach der Erfüllung ihres Auftrages zurückkehren, **13**,26, wird der Name Kadesh genannt, woraus hervorgeht, dass der ursprünglichen Erzählung von der Wüstenwanderung wenig an
einem genauen Itinerarium lag, die Episoden werden vielmehr in erster Linie
thematisch zusammengehalten.[67]

Dem Bericht der Kundschafter zufolge, **13**,17 ff, entspricht das Land den
Verheissungen Jahwes: „Es ist wirklich eines, das von Milch und Honig
fliesst." Seine Früchte, die man dem Volk zeigt, deuten auf andere Lebensbe-
dingungen als die, über die man in der Wüste klagt. Aber die Einwohner des
Landes sind stark. Was die Kundschafter von ihnen berichten, ruft Furcht
hervor, und jetzt steigert sich die Unzufriedenheit zum hellen Aufruhr,
14,1—4:

Da erhob die ganze Gemeinde ihre Stimme und das Volk weinte während jener Nacht. Und alle Israeliten murrten gegen Mose, und die ganze Gemeinde
sagte zu ihm: Wären wir doch im Lande Ägypten gestorben, oder wären wir
doch in der Wüste gestorben. Warum will denn Jahwe uns in dieses Land hin-
einführen, nur damit wir durch das Schwert fallen; unsere Frauen und unsere
kleinen Kinder werden dann zur Beute werden. Wäre es für uns nicht besser,
nach Ägypten zurückzukehren? Und sie sagten zueinander: Lasst uns einen
Hauptmann über uns setzen und nach Ägypten zurückkehren.

Im weiteren Verlauf der Erzählung verkündet Jahwe endlich seine Strafe: das
Volk muss vierzig Jahre lang in der Wüste wandern, und von der Generation
der Erwachsenen soll niemand ausser Josua und Kaleb in das verheissene
Land gelangen. Auf dies Strafgericht hin bereut das Volk seinen Unglauben
und macht einen Versuch, das Land von Süden her, von Kadesh aus, zu erobern. Aber nun ist es zu spät, das Urteil steht fest, Jahwe verweigert dem
Volk seine Hilfe und der Versuch scheitert, V. 39—45.

Die Erzählung der Kap. **13** und **14**, die also zielbewusst durch die drei vorhergehenden Episoden vorbereitet worden ist, enthält einen Wendepunkt in

138

der Wüstenwanderung: sie hat sicher einen wirklichen historischen Hintergrund. Eine Gruppe von Stämmen mit Anknüpfung an Kadesh Barnea, unter ihnen vermutlich Simeon, Levi und Kaleb, sind vielleicht wiederholt auf den Widerstand der Amalekiter und Kanaanäer gestossen, als sie von Süden her in das Kulturland eindringen wollten. Von diesen Stämmen hat sich die Mose-Josuagruppe getrennt und das Land östlich des Toten Meeres umgangen. Die weiteren Schicksale dieser Gruppe sind es nun, welche die folgende Erzählung von der Wüstenwanderung spiegelt. Der Zweck der biblischen Erzählung in Num. 13—14 ist es, sowohl die Schwierigkeiten, von Süden her in das Land einzudringen, als auch den zeitraubenden Umweg der Mose-Josuagruppe zu erklären: sie sind die Strafe Jahwes für den Unglauben des Volkes, der ebenfalls zur Folge hat, dass Mose stirbt, ehe die Landverheissung in Erfüllung gegangen ist, — in der Grunderzählung kommt jedoch keine Anspielung auf eine persönliche Schuld Moses vor. Die Tatsache, dass der Mose-Josuagruppe ebenso wie Kaleb schliesslich der Erfolg beschieden war, erklärt die Erzählung damit, dass Josua und Kaleb im Gegensatz zu den übrigen Israeliten an Jahwe geglaubt haben, 14,6—9 (vgl. oben Anm. 67).

Im heutigen Text von Kap. 13—14 dürfte im Abschnitt über den misslungenen Landnahmeversuch, 14,39—45, die Grunderzählung ziemlich unverändert vorliegen, während die Fällung von Jahwes Strafurteil in zwei Versionen vorliegt, von denen die eine, 14,10b—25, deutliche deuteronomistische Züge trägt, während die andere, 14,26—38, entsprechend von P geprägt sein dürfte. Wo man hier die Grunderzählung zu suchen hat, bleibt ungewiss; vermutlich ist sie gar nicht mehr ganz intakt erhalten. Aber stilistisch und thematisch schliesst sich V. 11 ganz an den Zusammenhang der Grunderzählung an:

> Da sagte Jahwe zu Mose: wie lange soll dieses Volk mich verachten? Und wie lange wollen sie nicht an mich glauben trotz aller Zeichen, die ich unter ihnen getan habe?

Hier begegnen wir wiederum der Idee, dass Jahwes Handeln in Ägypten und in der Wüste „Zeichen" sind (vgl. Ex. 3,12, 8,19, 10,1), durch die der Glaube des Volkes, sein Vertrauen auf den Beistand Jahwes erweckt werden soll.

Der Erkenntnisvorgang, der in Ex. 3,12 beginnt, wird also in einem einheitlichen und bewusst komponierten literarischen Zusammenhang in der Wüstenwanderung weiter entwickelt. Hier wird jedoch berichtet, wie die Zeichen Jahwes wegen des Unglaubens des Volkes ihren Zweck ständig verfehlen: da die Israeliten nicht wagen, auf Jahwe zu vertrauen, verweigert er ihnen zum Schluss seine Hilfe bei der Landnahme, was zur Folge hat, dass sich die Erfüllung der Verheissung an die Väter um eine Generation verzögert. Da es Jahwes grosses und entscheidendes Zeichen war, dass er das Volk aus Ägypten geführt hat, was anfangs auch den Glauben der Israeliten erweckt hatte, Ex. 14,31, wird der in der Erzählung ständig wiederkehrende Vorsatz des Volkes, nach Ägypten zurückzukehren, der entscheidende Beweis seines Unglaubens, der also ständig die Erfüllung der Landverheissung gefährdet. So erweist sich das Murren des Volkes in der Wüste als unmittelbar mit dem literarischen Hauptthema des Hexateuchs, der Verheissung an die Väter, verknüpft. Wenn Jahwe diese Verheissung dann am Ende doch noch erfüllt, so geschieht dies *trotz* des Unglaubens des Volkes, also folglich ausschliesslich auf Grund des Eides, den Jahwe Abraham einst geschworen hat, und der wiederholt in der Erzählung von der Wüstenwanderung zitiert wird, und zwar mit wörtlichen Anspielungen auf die Verheissungstexte der Genesis. Demzufolge dürfte auch das Benehmen der Israeliten in der Wüste in absichtlichem Kontrast dazu gestaltet worden sein, welch unfassbaren Glauben Abraham einst bewiesen hatte, Gen. **22**, auf den sich Jahwes unerschüttlicher Beschluss gründet.

In unmittelbarem Zusammenhang mit dem in Ex. **3**,12 eingeleiteten Erkenntnisvorgang steht nun auch die für die folgende Erzählung ebenso bedeutungsvolle Kundmachung von Jahwes *Namen,* **3**,13—15: durch sein Handeln offenbart Jahwe sich selbst, seine Identität. Vor allem Zimmerli hat in seiner bereits genannten Studie diese im ganzen Alten Testament vorliegende Vorstellung behandelt. Er geht von einer prägnanten Formulierung aus: ,,du wirst (ihr werdet, sie werden) erkennen, dass ich Jahwe bin'', die besonders häufig bei Hesekiel und in der P-Schicht des Pentateuchs vorkommt, und zwar immer im Zusammenhang mit Aussagen über das Handeln Jahwes. Von grösster Bedeutung ist es jedoch, dass die Formel — mehr oder weniger frei formuliert — auch mehrfach in der ältesten literarischen Schicht des Pentateuchs vorkommt, vor allem im Rahmen der Exoduserzählung. Am deutlichsten tritt sie in **7**,17 hervor, wo Jahwe dem Pharao durch Mose die erste Plage verkündet:

> Daran sollst du erkennen, dass ich Jahwe bin: siehe ich schlage [. . .] die Wasser des Nils.

In **8**,6 verkündet Mose, dass die Froschplage aufhören wird:

> damit du erkennest, dass es keinen gibt wie Jahwe, unseren Gott.

Bei der Ankündigung der Plage der Stechfliegen sagt Mose im Auftrag Jahwes voraus, dass das Land Gosen, in dem die Israeliten wohnen, verschont bleiben wird:

> damit du erkennest, dass ich Jahwe bin, mitten im Lande, **8**,18.

Auf die Bitte Moses wird Jahwe den Hagel aufhören lassen:

> damit du erkennest, dass die Erde Jahwe gehört, **9**,29.

Von der letzten Plage, der Tötung der Erstgeburt, sollen die Israeliten verschont bleiben:

damit ihr erkennet, dass Jahwe einen Unterschied macht zwischen Ägypten und Israel, **11**,7.

Aus Pharaos Worten bei der ersten Begegnung mit Mose geht der Zweck dieser Formulierungen im Zusammenhang der Erzählung am deutlichsten hervor, **5**,2:

> Wer ist Jahwe, dass ich seinem Befehl, Israel zu entlassen, gehorchen sollte?
> Ich kenne Jahwe nicht und Israel will ich nicht entlassen.

Das theologische Hauptziel der Exoduserzählung ist es gerade, diese Frage zu beantworten: Wer ist Jahwe? Literarisch ist das natürlich die unmittelbare Fortsetzung von Ex. **3**,13—15, wo Mose nach dem Namen des Gottes fragt, der sich ihm hier offenbart hat, worauf ihm der Name Jahwe genannt wird.

Dass dieser Name seinen ursprünglichen Platz in der Exodustradition hat, hat wohl kaum jemand bezweifelt. Dass der Mose offenbarte Name ein neuer Name ist, wird ausdrücklich in P gesagt, wo es heisst, dass die Patriarchen den Namen Jahwe nicht kannten, Ex. **6**,2, aber es ist ziemlich klar, dass das auch der Sinn von **3**,13—15 ist. Es mag dann zwar inkonsequent erscheinen, dass der Name Jahwe schon in der Genesis gebraucht wird, aber eigentlich darf uns das kaum verwundern, es besteht keine Veranlassung um der Folgerichtigkeit willen eine ältere elohistische Quelle rekonstruieren zu wollen, die es wie P vermieden hätte, den Namen Jahwe in der Genesis zu gebrauchen. Hier hat schon in der Grunderzählung des Hexateuchs eine Spannung vorgelegen, die sich aus der Beschaffenheit des Stoffes erklärt: es war von Anfang an einfach unmöglich, einen vollständigen Ausgleich zu schaffen zwischen der tatsächlichen Zugehörigkeit des Namens Jahwe zur Exodustradition einerseits und andererseits der im epischen Zusammenhang notwendigen Voraussetzung, dass der Gott, der sich Mose offenbart hatte, mit dem Gott der Väter identisch war.[68]

Zimmerli (S. 48—64) sucht die Wurzeln der von ihm untersuchten Erkenntnisformel nicht nur in dem oben referierten Erkenntnisvorgang, in dem die Wahrheit einer Aussage durch Zeichen bewiesen wird, sondern auch in den göttlichen Selbstvorstellungen, wie sie in den Rahmen von Theophanieerzählungen gehören. Die typische Formulierung einer solchen Selbstvorstellung liegt in Ex. **3**,6 vor: zwar wird hier der Name Jahwe noch nicht genannt, aber die spätere Verdeutlichung auf die Frage Moses hin, V. 13—15, bedeutet gemäss den Voraussetzungen der Erzählung gleichwohl die ursprüngliche Kundmachung des Namens, und anschliessend kommt die Formel אני יהוה in den oben zitierten Texten der Exoduserzählung vor. Kapitel **3** ist aber zugleich der Ausgangspunkt des Erkenntnisvorgangs, den wir in der Erzählung von der Wüstenwanderung weiterverfolgen konnten, und der eindeutig mit der Kundmachung des Namens Jahwe zusammengehört. Aus diesen Beobachtungen dürfte sich wohl die Frage ergeben, ob die von Zimmerli untersuchte Jahweerkenntnisformel nicht ihren konkreten

Ursprung gerade in der ältesten Exodustradition hat, und ob nicht ihr Vorkommen an anderen Stellen des Alten Testaments implicite als eine Anspielung auf Jahwes erste Selbstoffenbarung beim Auszug aus Ägypten zu gelten hat.

Die Kundmachung des Gottesnamens ist nun tatsächlich mit der Stiftung eines neuen Kultes gleichbedeutend, die Worte in Ex. 3,15, nn זה-שמי לעלם וזה זכרי לדר דר müssen wahrscheinlich als die feierlichen Einsetzungsworte des Jahwekultes aufgefasst werden. Bei seinen Begegnungen mit Pharao erklärt Mose auch wiederholt, aus welchem Grunde Israel Ägypten verlassen muss: man will Jahwe einen Kult weihen, 7,16,26, 8,16, 9,1,13, 10,3,7,24; hier begegnen wir der unveränderlichen Formel שלח את-עמי ויעבדני die im Zusammenhang mit Jahwes Wort an Mose, 3,12 verstanden werden muss: בהוציאך את-העם ממצרים תעבדון את-האלהים על ההר הזה. In diesen Texten kann es sich kaum um etwas anderes handeln als um den durch die Offenbarung des Namens Jahwe gestifteten, ganz neuen Kult. Konkreter wird gesagt, dass man ein Fest, חג-יהוה, zu feiern gedenkt, 10,9, vgl. 5,1, dass man Opfer bringen will, 3,18, 5,3,8, 8,4,21—25, 10,25, wobei es sich also kaum um ein Fest handeln dürfte, von dem in der Erzählung vorausgesetzt wird, dass es die Israeliten aus alter Zeit kannten.[69] Wenn Mose von Pharao fordert, dass er Israel aus Ägypten ausziehen lasse, um Jahwe zu opfern, so darf dies keinesfalls als listiger Vorwand aufgefasst werden, wenn auch Pharao nach der Erzählung Moses Forderung so deutet, als ob es sich um einen kurzen Ausflug handelte, nach dem man nach Ägypten zurückkehren werde. Dass die wirkliche Perspektive der Erzählung länger ist, geht u.a. daraus hervor, dass das Verb עבד in den zitierten Texten eine Schlüsselstellung als Bezeichnung des geplanten Jahwekultes einnimmt: Dasselbe Wort bezeichnet aber auch die Sklaverei in Ägypten, was sicher seine bestimmten Gründe hat, vgl. Ex. 1,14, עבדה קשה; ferner 5,9,11,18; 14,12. Die Knechtschaft in Ägypten wird hier als die Alternative zum Dienen Jahwes dargestellt. Der Jahwekult bedeutet die Befreiung von der Sklaverei unter Pharao; der Sinn von Moses Verlangen ist also, dass Israel aufhören wird, dem Pharao zu dienen, um statt dessen zu beginnen, Jahwe zu dienen; Jahwe und Pharao stehen sich als Antagonisten gegenüber.

Pedersen deutet Ex. 1—15 als die Kultlegende des Passahfestes.[70] Tatsächlich ist dieser Abschnitt in noch höherem Masse eine Kultstiftungslegende, die vom Ursprung des Jahwekultes handelt. Solche Legenden sind jedoch im allgemeinen mit bestimmten Kultstätten verknüpft, hier aber fehlt im unmittelbaren Anschluss an die Exoduserzählung die Erwähnung von Altarbau und Opfer. Vermutlich lässt sich das aus dem Inhalt der Erzählung selbst erklären: sie verknüpft die Offenbarung des Namens Jahwe mit einem Ort ausserhalb Palästinas, der dem auf dem Boden Palästinas gegründeten Stämmebund niemals als Kultzentrum hat dienen können. Deshalb hat dem Jahwekult auch wohl von Anfang an die strenge Bindung an einen bestimmten Ort gefehlt, da

Jahwe gemäss der ältesten Tradition Israel auf seiner Wüstenwanderung begleitet hat. Ex. 3,7f. gibt indessen Aufschluss darüber, wo das Ende des hier eingeleiteten literarischen Zusammenhangs zu suchen ist: die in diesen Versen ausgesprochenen Verheissungen werden erst verwirklicht werden, wenn die Verheissung des Landes erfüllt ist. Von dem Altarbau, den die Offenbarung des Namens Jahwes erwarten lässt, muss im Zusammenhang mit der Landnahme erzählt worden sein. Im Buch Josua ist auch an einer einzigen Stelle von einem Altarbau die Rede, und zwar von dem Altar in Sichem, 8,30—35. Der Text ist allerdings zu einem grossen Teil, jedoch nicht in seiner Gesamtheit, deuteronomistisch. Die ursprüngliche, kurze Notiz hat vermutlich die Verse 30 und 31 umfasst. Es ist zu beachten, dass der Name Jahwe an dieser Stelle besonders hervorgehoben wird, da der Ausdruck *Jahwe, der Gott Israels* in bewusstem Gegensatz zu *El, der Gott Israels* in Gen. 33,20 gebraucht wird.

Ein Textzusammenhang von entscheidender Bedeutung muss noch näher untersucht werden, nämlich der Übergang zwischen den Erzählungen von der Wüstenwanderung und von der Landnahme im Buch Josua. Wenn wir ihre Zusammengehörigkeit untersuchen, so ist das natürlich zugleich eine Prüfung der Berechtigung der Hexateuchtheorie.

Ein Blick auf den Eröffnungsabschnitt des Buches Josua, die Rede Jahwes in Jos. 1,1—9, erlaubt es, ohne Schwierigkeiten jene Textabschnitte am Ende des Pentateuchs zu identifizieren, an die diese Rede anknüpft, die also auch das Buch Josua mit dem epischen Zusammenhang der Bücher Mose verbinden: die einzigen Texte, die hier in Frage kommen, sind der Abschnitt von der Ernennung Josuas zu Moses Nachfolger, Deut. 31,1—8, und der Abschnitt von Moses Tod, Deut. 34,1—8. Für die Beurteilung der Theorien vom Hexateuch, bzw. Tetrateuch, ist die Frage von grosser Bedeutung, ob man für diese Texte eine literarische Zusammengehörigkeit mit der Grunderzählung von Genesis bis Numeri nachweisen, oder doch wenigstens glaubhaft machen kann.

Zunächst können wir feststellen, dass die genannten Texte ziemlich umfassende Partien zweifellos deuteronomistischen Ursprungs enthalten: erstens die Verse, Deut. 31,3—6, die man jedoch ziemlich allgemein als sekundären Zusatz betrachtet, ferner den unmittelbar vorhergehenden V. 2b, der auf Deut. 3,23—27 zurückweist, dagegen keinen Zusammenhang mit der Grunderzählung hat; dieser Halbvers ist jedoch in seinem Kontext nicht notwendig. Eindeutig deuteronomistich sind schliesslich die Verse Jos. 1,7—9, denen jedoch auch ein notwendiger Zusammenhang mit den vorhergehenden Versen fehlt und bei denen viele positive Indizien dafür sprechen, dass sie sekundär sind. Die klar deuteronomistischen Abschnitte weichen also von ihrem unmittelbaren Kontext ab und können ausgeschieden werden, ohne dass dieser darunter leidet.

In Deut. 34,1—8, ist der Name Nebo, V. 1, vielleicht ein Zusatz der P-

Redaktion (vgl. **32,**49 /P/, sowie **3,**27, wo der Name fehlt). Auch der Ausdruck עַל-פִּי יהוה, v. 5, ist vermutlich ein Zusatz von P (vgl. Ex. **17,**1, Num. 3,16,39,51; **13,**3), durch den Jahwe zum Subjekt der Singularform wird, „er begrub ihn", die wiederum die Bemerkung in V. 6b vorbereitet „und niemand kennt sein Grab bis auf diesen Tag". Hier erscheint das Begräbnis Moses als etwas Übermenschliches, aber wir haben Grund anzunehmen, dass das Verb ursprünglich im Plural oder im *nif'al* gestanden hat, mit der Bedeutung, „man begrub ihn" (vgl. Sam. LXX). Noth weist wohl auch mit Recht darauf hin, dass die Aussage in V. 6b der recht genauen Angabe über den Platz von Moses Grab in V. 6a widerspricht: „im Tale gegenüber von Beth-Peor".[71]

Ziemlich sicher ist auch V. 7 ein Zusatz der P-Redaktion. Ein späterer Zusatz ist auch der Vers Jos. **1,**4, der den literarischen Zusammenhang belastet, ausserdem werden in dem Vers territoriale Ansprüche erhoben, die kaum vor der Zeit Davids und Salomos aktuell waren; er stimmt schlecht mit der Darstellung überein, wie Mose das Land überschaut, **34,**1—3.

Es spricht viel dafür, dass die drei betreffenden Textabschnitte ursprünglich direkt aufeinander folgten: die Ernennung Josuas, Deut. **31,**1—8, bereitet Moses Tod und die folgende Eroberung des Landes unmittelbar vor. Der in vieler Hinsicht heterogene Stoff, der heute diesen Text von **34,**1—8 trennt, hat keine notwendige Beziehung zu dem Zusammenhang, den diese Abschnitte zusammen bilden. Nur **32,**48—52 gehört näher damit zusammen: Mose erhält hier den Befehl Jahwes, auf den Berg Nebo zu steigen, wo er sterben wird; der Text gehört eindeutig zur P-Schicht, aber er unterscheidet sich in mehreren Punkten so markant von **34,**1—8, dass ein ursprünglicher literarischer Zusammenhang der beiden Texte gar nicht in Frage kommt. Dagegen ist es nicht unwahrscheinlich, dass den Versen **34,**1—8 ursprünglich ein Text vorausgegangen ist, der Jahwes Befehl an Mose enthielt, auf den Berg zu steigen, und dass dieser von dem heutigen P-Text **32,**48—52 ersetzt worden ist. Zwischen **34,**8 und 9 liegt ein deutlicher literarischer Bruch vor: V. 8b ist in seiner jetzigen Stellung als Hauptsatz, in Nebenordnung zu dem vorhergehenden V. 8a ganz sinnlos, ursprünglich muss er untergeordnet und temporal gewesen sein. Dann kann V. 9, der auf P's Parallelversion der Einsetzung Josuas in sein Amt anspielt, nicht seine ursprüngliche Fortsetzung gewesen sein. Diese müssen wir vielmehr in dem Anführungssatz, Jos. **1,**1b suchen (Vgl. Gen. **50,**4); V. 1a ist hier an Stelle von Deut. **34,**8b in seiner früheren Funktion getreten, nachdem V. 9ff eingeschoben worden und der ursprüngliche Textzusammenhang gesprengt war.

Auf Grund der obigen Beobachtungen sei nun der Versuch gemacht, einen zusammenhängenden Text zu rekonstruieren:

Deut. **31,** 1, 2a Mose aber ging hin zu ganz Israel und sprach zu ihnen: „[Ich bin jetzt 120 Jahre alt;] ich kann nicht mehr aus- und einziehen."

7 Und Mose rief Josua und sprach zu ihm in Gegenwart von ganz Israel: „Sei mutig und stark, denn du wirst dieses Volk in das Land

bringen, das Jahwe ihren Vätern geschworen hat, ihnen zu geben, und du wirst es ihnen als Besitz zuteilen.

8   Jahwe ist es, der vor dir herziehen wird; er wird mit dir sein, er wird dich nicht aufgeben oder verlassen. Fürchte dich nicht und erschrick nicht."

34, 1   Danach stieg Mose von den Steppen Moabs hinauf zum Gipfel des Pisga, gegenüber Jericho, und Jahwe zeigte ihm das ganze Land: Gilead bis nach Dan

2   und ganz Naphtali und das Land Ephraim und Manasse und das ganze Land Juda bis zum Westmeer,

3   das Südland und den Jordangau, die Ebene von Jericho, der Palmenstadt, bis nach Zoar.

4   Und Jahwe sprach zu ihm: „Dies ist das Land, das ich Abraham, Isaak und Jakob zugeschworen habe mit den Worten: Deinen Nachkommen will ich es geben. Ich habe es dich mit Augen schauen lassen, aber dorthinüber wirst du nicht ziehen."

5 a   Und Mose, der Knecht Jahwes, starb im Lande Moab,
6 a   und man begrub ihn im Tal im Lande Moab, gegenüber von Beth Peor.

8   Und die Israeliten beweinten Mose in den Steppen Moabs dreissig Tage lang. Und als die Tage des Weinens und der Trauer um Mose zu Ende waren,

Jos. **1,** 1 b   sprach Jahwe zu Josua, dem Sohne des Nun, dem Diener des Mose,
2   folgendermassen: „Mein Knecht Mose ist gestorben. Mach dich nun auf! Zieh über den Jordan, du und das ganze Volk, in das Land, das ich ihnen geben will.

3   Jeden Ort, den eure Fussohle betritt, gebe ich euch hiermit, wie ich Mose zugesagt habe.

5   Niemand wird vor dir standhalten dein Lebenlang; wie ich mit Mose gewesen bin, so will ich mit dir sein, ich will dich nicht aufgeben oder verlassen.

6   Sei mutig und stark, denn du wirst diesem Volke das Land als Besitz zuteilen, das ich ihnen geben will; wie ich ihren Vätern geschworen habe."

Die Frage erhebt sich nun, ob dieser Text spezifisch deuteronomistisch ist oder ob er mit der Grunderzählung zusammengehört. Einige Kommentare mögen dazu beitragen, siene literarische Affinität duetlich zu machen:

Der letzte Abschnitt in Num., den man zur Grunderzählung rechnen kann, ist Kap. **32***. Es ist denkbar, dass Deut. **31,**1 direkt auf Num. **32,**33 folgte, wo erzählt wird, wie Mose die im Ostjordanland eroberten Gebiete auf Ruben und Gad verteilt. Damit ist Moses Laufbahn abgeschlossen; die Eroberung und Verteilung des Westjordanlandes ist Josua überlassen. Nachdem Mose vorher mit Ruben und Gad gesprochen hat, wendet er sich jetzt, in Deut. **31,**1 an כל-ישראל; die Redewendung in V. 1: וידבר את-הדברים האלה, die wir in der obigen Rekonstruktion übergangen haben, ist ein deutlich sekundärer

145

Zusatz, der den Text mit dem aktuellen Kontext in Deuteronomium verbinden soll. Die Altersangabe, V. 2a, *kann* schon in der Grunderzählung vorgekommen sein, aber der ursprüngliche Text kann auch vom Deuteronomisten, der für V. 2b verantwortlich ist, modifiziert worden sein.

Lohfink hat die formale Struktur von Moses Rede, V. 7 f, analysiert:[72]

1. „Ermutigungsformel"	חזק ואמץ
2. Nennung der Aufgabe	כי אתה
3. „Beistandsformel"	יהוה יהיה עמך
4. Ermutigung	לא תירא ולא תחת

Diese Struktur entspricht nach Lohfink dem „festen Formular einer Art Amtseinsetzung".[73] Dass der Text einen klaren formalen Aufbau hat, lässt sich nicht leugnen, aber ob er einer vorgegebenen Gattung entspricht, ist wohl weniger sicher. Es deutet nichts darauf, dass er spezifisch deuteronomistisch wäre. Die Ermutigungsformeln, Nr. 1 und 4, sind im Zusammenhang mit dem Jahwekrieg typische Redewendungen. Sie lassen sich mit göttlichen Übereignungsformeln und mit den Reden des Anführers vergleichen. Wo solche Redewendungen in der deuteronomistischen Literatur vorkommen, gehen sie wahrscheinlich auf ältere Vorbilder zurück, vor allem auf den ältesten Bestand im Buch Josua (vgl. auch in der Grunderzählung Stellen wie Ex. **14**,13 und Num. **14**,9). Die wörtlichen Übereinstimmungen zwischen Deut. **31**,7 f und vor allem Jos. **1**,21,38, **3**,28 erklären sich wahrscheinlich am ehesten daraus, dass der deuteronomistische Verfasser in Kap. **1**—**3** den älteren Text, Deut. **31**,7 f, Jos. **1**,6, zitiert. In V. 7 steht das Verb mit Suffix תנחילנה, vgl. Jos. **1**,6; Wörter mit dem Stamm נחל kommen häufig in deuteronomistischem Sprachgebrauch vor, finden sich aber auch in anderen Texten. Im Zusammenhang vor allem mit der Eroberung und Verteilung des Landes ist ihr Vorkommen sachlich motiviert, und ganz allgemein kann man sagen, dass sich der häufige Gebrauch gewisser Wörter und Wendungen in Deut. wahrscheinlich daraus erklärt, dass der Verfasser den Zusammenhang der Grunderzählung gerade da aufgreift, wo die Eroberung des Landes eingeleitet wird.

Der Erzväterschwur kommt an drei Stellen in ähnlicher Form vor: in Deut. **31**,7 = Jos. **1**,6, und ausführlicher in Deut. **34**,4. Das Verb נשבע, נשבעתי kommt auch häufig in Deut. vor, aber es geht, wie wir gezeigt haben, auf Gen. **22**,16 zurück und gehört also ursprünglich zur Grunderzählung. Deut. **34**,4 stimmt wörtlich mit den Versen Ex. **33**,1—3a überein, die zur Grunderzählung gerechnet werden müssen (vgl. oben S. 137). Jahwes Zitate seiner Verheissungen an die Patriarchen sind in beiden Texten wortgetreue Hinweise auf die Verheissungsworte in Gen. **12**,7, **13**,15 und **28**,13; hier liegt also eine direkte Fortsetzung des literarischen Zusammenhangs der Grunderzählung vor. Zu der Bergschau gibt es eine nahe Entsprechung in Gen. **13**,14 f (vgl. auch **12**,1: Jahwe lässt Abraham das Land *sehen*); sie deutet also auf einen Zusammenhang mit der Grunderzählung. Deut. **34**,4 תעבר לא ושׁמה (vgl. Jos. **1**,2) knüpft kontrastierend an Gen. **12**,6 an בארץ אברם ויעבר, und drückt die Idee von der Inbesitznahme des landes aus (vgl. oben, Kap. I, S. 29). Die Bezeichnung Moses als Knecht Jahwes, Deut. **34**,5, vgl. Jos. **1**,2, geht auf die Grunderzählung zurück, Ex. **14**,31 (dieselbe Bezeichnung wird auch auf Abraham angewendet, Gen. **26**,24).

Die Beistandsformel, Deut. **31**,8 = Jos. **1**,5, endlich wird teils positiv formuliert, Jahwe wird mit Josua sein, teils negativ, er wird ihn nicht verlassen; dieselbe doppelte Formulierung hat das Versprechen des Beistands an Jakob, Gen. **28**,15, was also wiederum darauf deutet, dass der Text zur Grunderzählung gehört.

Aus diesen Beobachtungen ziehen wir den Schluss, dass in dem rekonstruierten Text nichts als spezifisch deuteronomistisch betrachtet werden muss, während eine grosse Zahl entscheidender Indizien uns nötigt, ihn als Glied im literarischen Zusammenhang der Grunderzählung aufzufassen. Damit haben wir also einen entscheidenden Beleg für die Richtigkeit der Hexateuchtheorie gefunden.

Zum Schluss müssen wir noch den nächsten literarischen Zusammenhang andeuten, dem der rekonstruierte Text als Verbindung dient.

Auch nach der Episode mit den Kundschaftern in Kadesh scheint die Darstellung der Wüstenwanderung kurzgefasst gewesen zu sein. Als es sich zeigt, dass der Weg in das Land von Süden her den Israeliten verschlossen ist, sehen sie sich gezwungen, eine andere Richtung einzuschlagen. Davon handelt das Kap. Num. **20**, 14—21, das vermutlich unmittelbar auf **14**,45 folgte. Mose schickt Boten zum König von Edom, mit dem Gesuch, die Israeliten durch sein Land ziehen zu lassen. Da ihnen die Bitte abgeschlagen wird, sind sie gezwungen, Edom zu umgehen. Als ursprüngliche Fortsetzung von V. 21 sind jedoch kaum die Verse 22 ff zu betrachten, die vom Aufbruch von Kadesh und der Ankunft am Berge Hor handeln. Hier findet man die stereotype Beschreibung des Itinerars der Wüstenwanderung bei P, wie sie entsprechend bei der Angabe über den Aufbruch vom Berge Hor, **21**,4aα vorkommt, die auch von P stammt. Der Abschnitt **20**,22—**21**,4aα ist also wahrscheinlich als ein sekundärer Einschub zu betrachten, — die ursprüngliche Fortsetzung von **20**,21 steht wahrscheinlich in **21**,4aβ, welcher Versteil folgerichtig an die Umgehung von Edom anknüpft und sich auch syntaktisch gut einfügt (vgl. **38**,16). Der ursprüngliche Text hätte also gelautet: (**20**,21) מעליו ישׂראל ויס (**21**,4aβ) אדום את-ארץ לסבב יס-סוף דרך. Das bedeutet natürlich nicht, dass man bis zum Schilfmeer hinabzog, sondern nur, dass man die Richtung, also nach Süden, einschlug. Der hier angedeutete Umweg um Edom ist also wohl erst am Südrand und dann am Ostrand des Gebiets von Edom entlang gegangen. Nach dem heute vorliegenden Text zu urteilen ist vielleicht in der Grunderzählung sonst nichts mehr von dieser ganzen Wanderung erzählt worden. Die nächste Episode, in der sich die Grunderzählung sicher identifizieren lässt, **21**,21—31, setzt voraus, dass die Umgehung Edoms beendet ist. Israel sendet Boten an Sihon von Hesbon mit dem Begehren, durch sein Gebiet ziehen zu dürfen, aber Sihon tritt zum Kampf gegen Israel an und wird besiegt, worauf Israel sein Gebiet besetzt. Zwischen **20**,14—21 (Edom) und **21**,21—31 (Sihon) lassen sich weitgehende literarische Ähnlichkeiten feststellen, ferner spürt man in beiden Erzählungen die Tendenz hervorzuheben, dass Israel östlich des Jordans nur Land von den Amoritern erobert hat, dass man Edom, Moab und Amon nicht überfallen hat, die Völker also, die nach dem Bericht der Genesis mit Israel verwandt waren. Auf die Episode von Sihon folgt im heutigen Text der Sieg über Og, den König von Basan, V. 32—35. Man hat in Frage gestellt, ob der Text zur ältesten literarischen Schicht gehört, worauf wir hier nicht einzugehen brauchen. In den Kapiteln **22—24** folgt dann die Erzählung von Bileam, deren Ausgangspunkt die Furcht Moabs vor Israel ist, (**22**,3). Die Episode hat keine notwendige Funktion im literarischen Zusammenhang und weicht im Charakter deutlich von diesem ab. Alles spricht dafür, dass die Erzählung nicht zum literarischen Grundbestand des Hexateuchs gehört hat.[74]

Die Notiz in **25**,1, „und Israel lagerte in Sittim" mag an **21**,35 angeknüpft haben, und hier schliesst jetzt vermutlich die Erzählung von Baal Peor an. Die ursprüngliche Erzählung scheint jedoch teilweise herausgebrochen und durch die heutigen Verse 6—18 ersetzt worden zu sein.

Den logischen Abschluss der Wüstenwanderung stellt die Verteilung der östlich vom Jordan eroberten Gebiete auf Ruben und Gad dar, Num. **32**. Dass dies Kapitel in seiner Substanz zur Grunderzählung gehört, ist kaum zu bezweifeln. Nur einige sekundäre Zusätze müssen ausgeschieden werden: die Erwähnung des Priesters Eleasar, V. 2 und 28, gehört zur P-Schicht; V. 3, die Aufzählung der Städte zu Anfang der direkten Rede erscheint unmotiviert, die Anführung muss ursprünglich mit V. 4 begonnen haben. Die Verse 10—12 enthalten eine unmotivierte Wiederholung von V. 13; die Erwähnung von Josua und Kaleb, V. 11f, hat mit dem springenden Punkt des Referats über die Ereignisse in Kadesh, d.h. mit Jahwes Zorn über das frühere Verhalten des Volkes, nichts zu tun; der Ausdruck in V. (11 und) 12 אחרי יהוה כי מלאו ist wahrscheinlich deuteronomistisch (vgl. Num. **14**,24, Deut. **1**,36, Jos. **14**,8f, 1. Kön. **11**,6). Die Verse 10—12 sind also wahrscheinlich ein sekundärer Zusatz. Vielleicht sind auch die Verse 28—32 sekundär: sie belasten die Erzählung, ohne sie weiterzuführen; der Abschnitt hat gewisse für die P-Schicht typische Kennzeichen. V. 33, „der halbe Stamm Manasse, des Sohnes Josephs" ist hier unmotiviert, da in diesem Zusammenhang vorher nicht die Rede von ihm gewesen ist. Ob die Verse 34—38 sekundär sind, ist unsicher. Die genaue Aufzählung der Städte mag in dem epischen Zusammenhang überflüssig erscheinen, andererseits schliesst sie sich aber gut an die Verse 16 und 24 f an. Die Verse 39—42 sind sicher sekundär: hier ist von neuen Eroberungen die Rede, während der Text im übrigen von der Verteilung des schon eroberten Gebiets handelt. Da es sich bei dem neueroberten Land um Gilead handelt, das Manasse (Makir und Jair) zugeteilt wird, sind die Verse eine weitere Stütze der Annahme, dass die Erwähnung von Manasse in V. 33 sekundär ist.

Aber auch wenn gewisse, sicher sekundäre Elemente und andere zweifelhafte Partien ausgeschieden werden, verbleibt eine durchaus einheitliche Erzählung als Hauptteil des Textes. Er enthält eine Reihe von ungewöhnlichen Wörtern und Wendungen und er zeigt keine Spuren einer umfassenden deuteronomistischen oder späteren Bearbeitung. Im Zusammenhang der Grunderzählung hat er eine logisch notwendige Funktion, da auf die zuvor erzählte Eroberung der Ostjordanländer eine Aufteilung dieser Gebiete unter die Israeliten gefolgt sein muss. Die Feststellung, dass Kap. **32** in seiner Substanz zur Grunderzählung gehört haben muss, hat ihre Folgen für die Beurteilung des Zusammenhangs zwischen Gen. — Num. und dem Buch Josua. Auf Kap. **32** muss nämlich eine Erzählung gefolgt sein, wie Ruben und Gad mit den übrigen Stämmen über den Jordan ziehen und nach Beendigung der Eroberung in ihre Gebiete östlich des Jordans zurückkehren. Dieser Zusammenhang lässt sich in ausführlicher Darstellung und mit oft wörtlicher Anknüpfung an Num. **32** im Buch Josua verfolgen, Jos. **1**,12—18; **4**,12; **22***.

Die in Jos. **1** eingeleitete Erzählung von der Landnahme schliesst mit dem Ende von Kap. **11**, dessen abschliessende Zusammenfassung, V. 16—20,[75] durchaus zur Grunderzählung gehört haben kann, dazu wahrscheinluch noch Vers 23, an den Kap. **14**,6—15* und vor allem Kap. **22*** anknüpfen, die in ihrer Substanz zur Grunderzählung gerechnet werden müssen.

Die deutlichen Spuren deuteronomistischer Bearbeitung, die im Buch Josua vorliegen, erhalten wohl ihre natürliche Erklärung daraus, dass der Landbesitz eine entscheidende Rolle in der Theologie der Deuteronomisten spielt, weshalb sie auch die Landnahme zum Ausgangspunkt ihrer Geschichtsdarstellung gewählt haben. Daraus folgt indessen auch, dass die vordeuteronomistische Landnahmeerzählung ihnen in besonders hohem Masse als Inspirationsquelle gedient haben muss. Was im Buch Josua deuteronomistisch und was vordeuteronomistisch ist, lässt sich daher in vielen Einzelfällen schwer entscheiden.

Abgesehen von der Theorie des unabhängigen deuteronomistischen Geschichtswerkes sind Alts und Noths Deutung von Jos. **2**—**9** als ätiologische Lokalsagen für die Beurteilung der Landnahmeerzählung im Buch Josua von entscheidender Bedeutung gewesen.[76] Einige kritische Bemerkungen zu dieser Theorie sind daher in unserem Zusammenhang am Platze.

Alt stellt fest, dass zwischen dem epischen Stoff und dem zusammenhaltenden Rahmen in Jos. **1**—**11** eine Spannung besteht. Den Rahmenzusammenhang prägt die Vorstellung, dass die Landnahme ein Kriegszug des gesamten Israel unter der Führung Josuas war, der zu einer schnellen und vollständigen Eroberung des Landes geführt hatte. Aber diese Vorstellung wird durch den angewandten Erzählungsstoff nicht ausreichend begründet. Nach Alt ist er vor allem in zwei Hinsichten unzulänglich: erstens wird kein zusammenhängendes Geschichtsbild dargestellt, sondern werden nur eine Reihe von Einzelerzählungen geboten; zweitens sind fast alle diese Einzelerzählungen im engen Bereich des benjaminitischen Stammesgebietes lokal verankert. Sie dürften kaum genügen, um die Vorstellung zu unterbauen, dass das ganze Palästina vom gesamten Israel erobert worden ist. Die Annahme Alts, dass der ursprüngliche Bestand eine Sammlung von freistehenden Kurzgeschichten war, und dass ihr Zusammenhang sekundär ist, stützt sich, wie gewöhnlich, auf eine wenig gründliche Beweisführung:

> Die Probe darauf kann jeder machen indem er sie einzeln liest oder — noch besser — nacherzählt; das Ergebnis wird sein, dass nicht eine von ihnen bei solcher Behandlung zu Schaden kommt, ja dass sie gerade dann erst richtig aufzuleben beginnen. Schon damit ist dem Historiker ein wichtiger Fingerzeig gegeben: der Zusammenhang der Erzählungen ist also nicht in dem Augenblick schon mitgegeben, in dem sie entstehen, sondern die Erzählungen selbst je für sich sind vorgegeben, und der Zusammenhang ist erst durch ihre Sammlung zustande gekommen. Darf man sich bei dieser Sachlage auf ihn wie auf eine ursprüngliche Gegebenheit des Quellenbestandes verlassen? (s. 182.)

Wenn man feststellen will, „was die einzelnen Erzählungen im Stadium ihrer Eigenständigkeit eigentlich gewollt haben" (ibid.), muss man also nach Alt alle jene Züge, die die Erzählungen in verschiedener Hinsicht miteinander verbinden, eliminieren, vor allem die ihnen gemeinsame gesamtisraelitische Perspektive und die Darstellung der Führerrolle Josuas. Dann erst werde ihre ursprüngliche Zweckbestimmung klar: sie sind „ätiologische Sagen ausgesprochenster Art" (ibid.), eine Schlussfolgerung, die Alt mit der Beobachtung der regelmässig auftretenden Abschlussformel begründet: „bis auf diesen Tag", **4**,9, **6**,25, **7**,26, **8**,28f, **9**,27, **10**,27. Alt nimmt an, dass die Kap. **2—9** eine ursprüngliche Sammlung solcher ätiologischer Sagen darstellen, da die lokalen Haftpunkte der Erzählungen dieser Kap. ganz nahe beieinander liegen, im Stammgebiet Benjamin oder seiner näheren Umgebung. Sie seien in dem benjamitischen Stammesheiligtum Gilgal gesammelt worden. Zu dieser Sammlung hätten die Kap. **10** und **11** nicht gehört: sie sind nach Alt keine ätiologischen Sagen, sondern Kriegsberichte, die ausserdem die Handlung über das Stammesgebiet Benjamins hinausführen. In den benjaminitischen Traditionen, die Kap. **2—9** zugrunde liegen, ist Josua nicht vorgekommen da er Ephraimit gewesen wäre.

Gegen diese Hypothese lassen sich viele Einwände erheben, was auch weitgehend schon geschehen ist. Erstens ist es ja eine *petitio principii*, alle literarischen Zusammenhänge zu eliminieren, aus dem einzigen Grunde, weil sie Zusammenhänge sind (sh. oben, Einleitung, C, 3); Alts Eindruck, dass die Erzählungen „dann erst aufzuleben beginnen, wenn man sie einzeln liest", ist höchst subjektiv. Zweitens ist die Bezeichnung ätiologische Sage sicher unzutreffend, und sie ist auch kritisiert worden.[77] Das Vorkommen der Formel „bis auf diesen Tag" genügt nicht um zu begründen, dass der Hauptzweck einer Erzählung ätiologisch ist. Übrigens kommt die Formel ja auch ausserhalb der Kap. 2—9, in Kap. 10,27 vor. Die Kap. 2—9 enthalten im Wesentlichen Kriegsberichte, die sich in ihrem grundlegenden Charakter in keiner Hinsicht von den Erzählungen in Kap. 10 und 11 unterscheiden. Sie können sogar als Typillustrationen dafür dienen, was von Rad „die Theorie des heiligen Krieges" nennt.[78] Jedenfalls ist es der durchgehende und ursprüngliche Zweck der Erzählungen, die Prinzipien des Jahwekrieges zu beleuchten. Ausserdem haben wir Gründe angeführt, die dafür sprechen, dass Gilgal niemals ein benjaminitisches Stammesheiligtum, sondern von Anfang an ein gemeinsames Heiligtum der Rahelstämme war (vgl. oben, Kap. III B), und folglich auch von Anfang an eine der Stätten, mit denen die Tradition der zwölf Stämme verknüpft war. Die Schwierigkeit, Josua aus dem ursprünglichen Bestand von Kap. 1—11 herauszulösen, haben wir auch bereits berührt (vgl. ebda.).

Bei der Frage nach Josuas Herkunft ist zu beachten, dass er im ältesten Textbestand nirgends ausdrücklich als Ephraimit bezeichnet wird. Das ist umso auffälliger, als die Stammeszugehörigkeit bedeutender Israeliten bei ihrer einleitenden Vorstellung in der gesamten frühen epischen Literatur sonst als ein wichtiges Traditionselement betrachtet wird.[78]

Josua dagegen wird nur als „Nuns Sohn" vorgestellt, zum ersten Mal in der Grunderzählung in Num. 14,6, vgl. dann Jos. 1,1, 2,1,23, 24,29. Das wiederholte Vorkommen dieser festen und ursprünglichen Namenstradition deutet auf einen besonderen Hintergrund; sie entspricht in jeder Hinsicht der Benennung „Kaleb, Jefunnes Sohn", die ebenfalls zum ersten Mal in Num. 14,6 in der Grunderzählung auftaucht. Eine weitere Übereinstimmung der Überlieferungen besteht darin, dass Josua und Kaleb beide einen eigenen Landbesitz in einem der israelitischen Stammesgebiete erhalten, vgl. Jos. 19,49f. Das könnte darauf deuten, dass weder Josua noch Kaleb ursprünglich zu einem der zwölf Stämme gehört hat, was auch in der eigentümlichen Formulierung von Jos. 24,15 vorausgesetzt zu werden scheint. Wie Kaleb in späteren Texten in den Stamm Juda eingegliedert wird, vgl. Num. 13,7, so hat man später angenommen, dass Josua Ephraimit war, Num. 13,9, da sein Landbesitz Timnat Sera in Ephraim lag. Wahrscheinlich stammen Josua und Kaleb beide ursprünglich aus Kadesh Barnea; Josua hat zu jener Gruppe gehört, die von Kadesh den Umweg östlich um das Tote Meer einschlug und die Überlieferung vom Auszug aus Ägypten nach Zentralpalästina einführte.

Wenn das zutrifft, muss man die Landnahmeerzählung des Buches Josua sowohl überlieferungsgeschichtlich als auch rein literarisch völlig anders beurteilen, als es Alt vorgeschlagen hat.

Es ist bezeichnend, dass Alt sich bei der Ausscheidung der Gestalt Josuas aus der ursprünglichen Überlieferungsschicht von Kap. 2—9 auf keinerlei literarische Indizien stützen konnte. Seine Beweisführung war nur negativ:

> Die einzelnen Sagen verlieren kaum etwas von ihrer Substanz, wenn man ihn ausscheidet und lediglich die Masse der Einwanderer als handelndes Subjekt einsetzt, also eine Fassung nach der Art eines Teiles der Anekdoten in Ri. 1 rekonstruiert. (S. 187.)

Abgesehen davon, dass eine solche Rekonstruktion völlig hypothetisch ist, ergibt sich aus ihr auch die Schwierigkeit, dass man nun eine Erklärung dafür finden muss, wie Josua durch eine sekundäre Traditionsbildung im angenommenen benjaminitischen Sagenkreis eine so unerhört starke Stellung erlangen konnte, dass seine Gestalt, wie Alt selber zugeben muss, „ihn scheinbar ganz beherrscht" (S. 186).

Wir haben, wie gesagt, allen Anlass, die grundlegende Voraussetzung von Alts Theorie in Frage zu stellen, dass die Landnahmeerzählung aus einer Serie ursprünglich freistehender Kurzgeschichten zusammengefügt ist. Folgt man seinem Rat und liest die verschiedenen Episoden für sich und lässt den Zusammenhang ausser Acht, so ergibt sich keineswegs, „dass sie dann erst richtig aufzuleben beginnen". Als Einzelerzählungen wirken sie zwar lebendig, aber in gewisser Hinsicht doch stereotyp; ihrer Gestaltung scheinen die für den Jahwekrieg typischen allgemeinen Vorstellungen und Methoden zugrunde zu liegen, und es sind ja mehrfach gewichtige Gründe dagegen angeführt worden, dass die einzelnen Episoden überhaupt auf historische Fakta zurückgehen.

Die Eigenart und die besondere Bedeutung der Landnahmeerzählung besteht im Gegenteil gerade *in den Hauptlinien des Zusammenhangs:* sie stellt zunächst einen *Weg* vom Jordanübergang zum Zentrum des Landes dar. Die Bedeutung der Geschichten von der Eroberung Jerichos und Ais besteht vielleicht nur darin, dass sie die Etappen auf diesem Weg zu konkretisieren versuchen. Sie sind also aus ihrer Funktion für den Zusammenhang zu deuten und stellen die Fortsetzung dar, auf die der Übergang über den Jordan von Anfang an abgezielt haben muss. Dass die beiden Erzählungen an sich vermutlich rein fiktiv sind, ist dabei von untergeordneter Bedeutung. Sodann werden in Kap. 10 und 11 zwei expansive Kriegszüge erzählt, von denen einer in die südlichen Landesteile geht, der andere in die nördlichen; der vorausgesetzte Ausgangspunkt ist also Zentralpalästina, von wo jedoch merkwüdigerweise keine militärischen Eroberungen berichtet worden sind.

Sollte der Landnahmeerzählung des Buches Josua eine historische Wirklichkeit zugrunde liegen, so muss sie vor allem gerade in der Disposition des Zusammenhangs gesucht werden (vgl. oben, Kap. III, S. 52 und 63). Entscheidend für das Verständnis der Landnahmeerzählung ist daher eine genauere Analyse des literarischen Aufbaus ihrer Gesamtheit.

Es lassen sich, wie gesagt, zwei Hauptabschnitte unterscheiden: der erste stellt, angefangen beim Jordanübergang, den Weg ins Zentrum des Landes dar, der zweite die Eroberung der südlichen und nördlichen Landesteile, worin sich die Eroberung des gesamten Westjordanlandes andeutet. Diese literarische Struktur wird im Text deutlich markiert: der durch die Rede Jahwes, Jos. 1,1—6, eingeleitete erste Abschnitt schliesst mit Kap. 8, was vor allem daraus hervorgeht, dass die Verse 9,1f als einleitendes Rahmenstück des gesamten Abschnitts, Kap. 9—11, dienen, und sich nicht auf die unmittelbar folgende Erzählung von der List der Gibeoniter beziehen. In den beiden Versen wird erzählt, wie sich sämtliche Könige des Westjordanlandes zusammenschliessen, um Josua zu bekämpfen, von den Kämpfen handeln dann aber erst die Kap. 10 und 11. Die Erzählung von den Gibeonitern erhält also ihren Platz im zweiten Hauptabschnitt; ihre Bedeutung an dieser Stelle geht aus der abschliessenden Zusammenfassung der Landnahmeerzählung in Kap. 11,16—20 hervor: die Gibeoniter sind die grosse Ausnahme von der Regel, dass alle früheren Einwohner des Landes vernichtet wurden, weil sie sich weigerten, Jahwes und Israels alleiniges Anrecht auf den Besitz des Landes anzuerkennen. Die Gibeoniter wurden also verschont, weil sie Jahwes und Israels Recht anerkannten und bereit waren, zum Unterhalt von „Jahwes Altar" beizutragen, 9,27.

Eine entsprechende Ausnahme von der Regel, dass die Einwohner des Landes niedergemacht wurden, enthält indessen auch der Anfang des ersten Abschnitts: Rahab und ihre Familie, Kap. 2 und 6,22—25. Es erweist sich also, dass die beiden Hauptabschnitte parallel aufgebaut sind: zuerst wird von einer Gruppe erzählt, die verschont bleibt, und dann folgen jeweils zwei Kriegsberichte, die veranschaulichen, wie die Einwohner des Landes vernichtet werden: im ersten Abschnitt die Zerstörung von Jericho und Ai, im zweiten die Eroberung der südlichen und nördlichen Landesteile.

Aus diesem Überblick geht nun auch hervor, dass der Erzählung vom Bau des Altars in Sichem, 8,30, 31b eine Schlüsselstellung im literarischen Aufbau der Landnahmeerzählung zukommt: sie ist der abschliessende Höhepunkt des ersten Hauptabschnitts. Der Weg zum Zentrum des Landes führt also vom Jordanübergang nach Sichem, was dafür sprechen dürfte, dass auch der literarische Ursprung der Landnahmeerzählung dort zu suchen ist und dass diese Erzählung die ursprüngliche Fortsetzung von Genesis — Numeri darstellt. Dass es sich auch in 9,27 um den Altar von Sichem handelt, ist ziemlich klar, da er unmittelbar vor der Geschichte von den Gibeonitern, 8,20, genannt wird und im literarischen Bestand vor dieser Erzählung kein anderer Altar vorkommt. Nun ist auch in Kap. 22, V. 19 und 29, von Jahwes Altar die Rede, und da der literarische Grundbestand dieses Kapitels den epischen Zusammenhang, der in Num. 32 eingeleitet wird, abschliesst, darf man annehmen, dass es zur Grunderzählung des Hexateuchs gehört hat. Mit Jahwes Altar muss folglich auch hier der in Jos. 8,20 f genannte Altar gemeint sein.

Die Funktion der Notiz vom Altar in der Hexateucherzählung ist es vermutlich, jenen Zusammenhang abzuschliessen, der mit der Offenbarung des Namens Jahwe in Ex. 3 anhebt. Bei der Ankunft im Zentrum des verheissenen Landes wird jenem Gott ein Kult gegründet, der sich Mose am Horeb offenbart hat, Israel aus Ägypten befreit hat und auf der Wüstenwanderung mit dem Volke gewesen ist. Dies ganze Geschehen wird in der Erzählung als ein Erkenntnisvorgang gedeutet, der unmittelbar an die Verkündung des Namens Jahwe anknüpft. Die Gründung der Kultstätte aus Anlass des neuen Gottesnamens kann natürlich nur im verheissenen Lande stattgefunden haben, und von ihr berichtet Jos. 8,30 f. Dadurch erscheint die Exoduserzählung als Sichems *hieros logos*. Wie wir schon mehrfach im Verlauf der Untersuchung angedeutet haben, ist das Passahfest wahrscheinlich Hauptfest in Sichem gewesen.

Damit schliesst sich auch der grössere Kreis: die Verheissungen, die Jahwe dem Stammvater Abraham in Sichem gegeben hat, Gen. 12,7, sind mit der Vollendung der Landnahme erfüllt. Die Hexateucherzählung schliesst damit, dass die Stämme Israels sich nun ihrerseits zum Bunde mit Jahwe verpflichten, Jos. 24.

Anmerkungen zu Kapitel IV

[1] *Studien zur Religion und Sprachgeschichte des Alten Testaments,* I, Berlin 1899, S. 21 ff.

[2] Er geht jedoch nicht von den Versuchen der früheren Literarkritik ab, die Verheissungsworte und Segenssprüche der Genesis auf die angenommenen Quellen zu verteilen, vgl. S. 37—52.

[3] Vgl. S. 64 f: „Diese entscheidende Formung, man kann auch sagen: Umformung, die ist *gewollt, geschaffen.* Sie ist darum auch ein erstmalig-einmalig vollzogener literarischer Akt, sie lässt sich nur in der Person eines Schöpfers, in der schöpferischen Persönlichkeit denken. Der Name dieses Ersten ist verschollen, mag man ihn nun den (ersten) Jahwisten oder mit Eissfeldt L nennen /. . ./ Dieser Namenlose ist *der Schöpfer der Erzvätertradition.*"

[4] Ort und Zeit seiner Entstehung wären nach Galling das Reich Juda nach dem Zerfall der Gesamtmonarchie gewesen: die Reichstrennung sollte „gerade durch die Betonung der Volkseinheit überwunden werden" (S. 75). Sogar die in den Patriarchenerzählungen vorherrschende zentralpalästinische Perspektive sucht Galling vor diesem Hintergrund zu erklären: „Die Anerkennung der Hegemonie Ephraims, die Anerkennung eines nordisraelitischen Stammvaters Jakob, das alles sollte den Frieden stiften, der zwischen Nord und Süd verlorengegangen war." (Ebda.) Hier zeigt sich erneut, welche Schwierigkeiten die Hypothese vom Ursprung der literarischen Komposition in Juda mit sich bringt.

[5] 1929; = Kl. Schr. I, S. 1—78, Seitenhinweise beziehen sich hierauf.

[6] *Theologie des A.T.,* S. 171.

[7] Vor allem ÜP, S. 58—62.

[8] *Verheissenes Land und Jahweland im Hexateuch,* (1943) = Ges. St., 1958, S. 87—100, Zitat S. 89.

[9] *Theologie des A.T.,* S. 172.

[10] ÜP, S. 59.

[11] Ibid., unter Hinweis auf von Rad.

[12] Hoftijzers Hypothese hat man in der Forschung im allgemeinen nicht akzeptiert, sie ist aber interessant, da sie im äussersten Gegensatz zu den überlieferungsgeschichtlichen Theorien Alts, von Rads und Noths steht, die ebenfalls mit Recht kritisiert werden.

[13] Gunkel, *Genesis,* S. 80.

[14] *Genesis,* S. 164.

[15] *Genesis,* S. 80.

[16] V. 1aβ verweist ausdrücklich auf die Erzählung von Abraham und Sara in Ägypten, **12,**10—20, und ist offenbar wie dieser sekundär; auf dieselbe Erzählung spielt nun auch V. 2 an: die Mahnung „ziehe nicht hinab nach Ägypten, sondern wohne in dem Land, das ich dir sagen werde", erscheint unmotiviert, da Isaak sich bereits in Gerar niedergelassen hat. V. 3, „alle diese Länder" kommt sonst nicht in den Verheissungsworten an die Patriarchen vor; zu Jahwes Aussage in V. 5, dass Abraham „meine Ordnungen, meine Gesetze, meine Satzungen und Gebote gehalten hat", gibt es in den Erzählungen von Abraham keine Entsprechung, sie stammt offenbar aus später Zeit. Die Indizien, die nach G. Schmitt, ZAW 85, S. 143 ff, darauf deuten sollen, dass Kap. **26** von Kap. **12,**10—20 abhängig ist, sind kaum überzeugend.

[17] Die literarkritischen Einwände gegen die Ursprünglichkeit der Verse 24, 25a in diesem Zusammenhang sind unzulänglich:

1. Gunkel, *Genesis,* S. 303: „Der Altar kann nicht vor dem Zelte aufgestellt werden; die natürliche Reihenfolge ist vielmehr die umgekehrte." Indessen, „sein Zelt aufschlagen" heisst hier natürlich: sich niederlassen, am Ort *bleiben*; der Grund, weshalb Isaak nicht weiterzieht sondern bleibt, ist die Gottesoffenbarung an diesem Ort, worauf ganz folgerichtig *zunächst* die Erwähnung des Altarbaus folgt. Die Reihenfolge des Textes ist also richtig.

2. Gunkel, ebda: „Die Sage von Be'erseba' begründete in ihrer ursprünglichen Gestalt die Heiligkeit der Stätte daraus, dass sich die Ahnherren dort geschworen hatten; die Erscheinung Jahwes, 24, 25a hat denselben Zweck, stört also das Folgende." Einwand: der Vertrag zwischen Isaak und den Philistern begründet nicht die *Heiligkeit* des Ortes, sondern bietet nur den Anlass zu seiner *Namengebung.* Gunkel beachtet die wirkliche Struktur des Abschnitts nicht: a) Ankunft am Orte, b) Offenbarung, c) Altarbau, d) Namengebung durch den Empfänger der Offenbarung. Diese Struktur ist selbstverständlich grundlegend und ursprünglich, vgl. Gen. **28,**11 ff. Die Offenbarung und das Jahwewort, V. 24, sind also notwendig für die Struktur. Zwar wird der Name selbst nicht direkt von der Offenbarung hergeleitet, sie hat aber zum Bleiben an diesem Ort veranlasst, wo der Vertrag dann also geschlossen wird.

¹⁸ Die Verse 1aβ, 2—5 sind sekundär, vgl. oben, Anm. 16; V. 15 und 18 spielen auf keine bekannte Episode der Abrahamserzählung an (ausser vielleicht auf **21**,25 f; diese Stelle gehört jedoch nicht zur Grunderzählung), sie unterbrechen den klaren Zusammenhang der umgebenden Verse und überlasten die anschliessende Erzählung vom Graben der Brunnen, die ursprünglich nach dem epischen Prinzip der Dreizahl aufgebaut war, V. 19—22; sie sind also sicher sekundär. Im übrigen ist Kap. **26** einheitlich.

¹⁹ Dass die Verknüpfung der Isaaktradition mit Beer Seba ursprünglich ist, geht abgesehen von **26**,23—33 auch aus **46**,1—4 hervor. Dass die Verheissung der Nachkommenschaft in **26**,24 besonders betont wird, ist von Bedeutung, da diese Verheissung auch in **46**,3 zitiert wird: Jahwes Offenbarung vor Jakob in Beer Seba leitet, wie wir sogleich sehen werden, gerade jenen Hauptabschnitt in der Grunderzählung des Hexateuchs ein, der davon handelt, wie die Verheissung der Nachkommenschaft in Ägypten *verwirklicht* wird. Ein Vergleich zwischen den hier angeführten Texten und **21**,22—33, wo Abraham mit Beer Seba verknüpft wird, führt zu der Schlussfolgerung, dass die Abrahamstradition sekundär ist, was u.a. Wellhausen annimmt, *Prolegomena*, S. 332, Anm. 1, ebenso Noth, ÜP, S. 112 ff, vor allem S. 121.

²⁰ Wörtliche Übereinstimmungen:

ויעחק משם	**26**,22, vgl. **12**,8;
וירא אליו יהוה	**26**,24, vgl. **12**,7;
ויבן שם מזבח	**26**,25, vgl. **12**,7, **13**,18;
ויט-שם אהלו	**26**,25, vgl. **12**,8.

²¹ Der Bericht vom Tod der Patriarchen geschieht in stereotypen Formulierungen, am ausführlichsten beim Tode Abrahams und Isaaks; so in **25**,8: ויגוע וימת אברהם בשיבה טובה זקן ושבע ויאסף אל-עמיו ויקברו אתו, vgl. **35**,29. Kürzer ist die Formulierung von Jakobs Tod, **49**,33, die sonst aber mit den vorhergehenden übereinstimmt, vgl. auch V. 29. Diesen Formeln, oder charakteristischen Elementen derselben, begegnen wir auch an anderen Stellen, und zwar fast immer in einem deutlich von P geprägten Kontext. An manchen Stellen ist es ganz offenkundig, dass die Formeln oder ihre Elemente zum eigentlichen P-text gehören, so in **25**,17 (Ismael); Num. **20**,24,28 f (Aaron); Num. **27**,13, **31**,2, Deut. **32**,50 (Mose); das hier gebrauchte Wort עמים in der Bedeutung von Stammesgenossen kommt im übrigen meistens in P-Texten vor. Die Annahme ist daher sehr naheliegend, dass die Formeln durchweg aus der Redaktion von P stammen. Jedoch ist mit dieser Annahme das wesentliche Problem noch nicht gelöst, die Frage nämlich, wie sich die Formeln zur Grunderzählung verhalten. Zunächst ist festzustellen, dass sie gerade an den Stellen vorkommen, wo schon die Grunderzählung den Tod der Patriarchen berichtet haben muss; das geht aus jenen Texten hervor, in denen man den literarischen Zusammenhang dieser Erzählung verfolgen kann. An einer Stelle ist es ausserdem völlig klar, dass der *unmittelbare* Kontext der Formel zur Grunderzählung gehört, und zwar beim Bericht von Jakobs Tod, **49**,33. Schon Gunkel hat diese Tatsache festgestellt, er sagt über die ältesten Quellen der Erzählung von Jakobs Tod in *Genesis*, S. 475: „Charakteristisch für den Erzählungsstil ist, dass die verschiedenen Zustände Israels in dieser Geschichte an dem Bett deutlich gemacht werden: zum Dankgebet fällt er auf dem Bett nieder **47**,31, zum Segnen setzt er sich im Bette auf **48**,2b, im Tode streckt er sich über das Bett aus. — Der Tod selber ist vom Red. nach P erzählt worden." Hier führt uns also die alte Erzählung bis zum Augenblick des Todes, worauf vom Tode selbst in Formulierungen berichtet wird, denen wir sonst bei P begegnen. Aus diesem Text können wir mit definitiver Sicherheit schliessen, dass gerade an dieser Stelle, wo vom Tode Jakobs berichtet wird, auch schon in der Grunderzählung davon erzählt wurde. Dasselbe gilt mit grösster Sicherheit auch vom Tode der anderen Patriarchen: der Wortlaut ist hier nur von P *neuformuliert* worden, was wiederum darauf deutet, dass P keine unabhängige Quellenschrift war, sondern eine Bearbeitung und Erweiterung des älteren Textes. P zeigt ein besonderes Interesse gerade für jene Stellen der Grunderzählung, wo vom Tode der Patriarchen die Rede ist, was mit dem *tŏlĕdōt*-Schema zusammenhängt: P fügt im Anschluss an diese Stellen viel von seinem eigenen Traditionsstoff ein, sodass der ganze literarische Kontext hier deutlich von P geprägt ist. Andererseits bedeutet dies aber, dass die P-Texte, in denen der Tod der Patriarchen erwähnt wird, zu einer Rekonstruktion der *Grunderzählung* dienen können, sh. unten, Anm. 36. Ausserdem ist es möglich, dass die Formeln selbst nicht vollständig neu geschaffen sind, sondern dass P gewisse Worte und Ausdrücke der Grunderzählung beibehalten hat. Eine charakteristische Formulierung in Gen. **25**,8 dürfte P jedenfalls vorgegeben gewesen sein: וימת בשיבה טובה ויקבר, der wir auch in Ri. **8**,32 begegnen.

156

[22] Die herkömmliche Auffassung, die Erzählung von Träumen sei typisch für E und diene zur Hervorhebung der Distanz Gottes vom Empfänger der Offenbarung, ist wohl weniger glaubhaft.

[23]Die traditionelle Quellenscheidung schreibt in Kap. **28** die Verse 11—12, 17—18, 20—22 dem Elohisten zu, 13—16 und 19 dem Jahwisten. Durch diese Quellenscheidung wird keine einzige der Fragen gelöst, die sich aus dem Text ergeben, sie schafft im Gegenteil eine Menge unlösbarer Probleme.

1. Nach ihr hat J keine Exposition.

2. Die Traumvision wird E zugeschrieben, die Rede Jahwes J; eine völlig „stumme" Theophanieerzählung, ohne ein Gotteswort, ist aber kaum vorstellbar.

3. Beiden Quellen wäre die Vorstellung gemeinsam, dass die Offenbarung im Traum geschah, vgl. V. 16 (J); diese Vorstellung betrachtet man aber sonst als für E typisch. In dem heute vorliegenden Bestand, den man E zuschreibt, fehlt die Angabe, dass Jakob erwachte.

4. Gemäss der Quellenkritik wären Jahwes Verheissung, V. 13—15, und Jakobs Gelübde, V. 20—22, als Parallelen unvereinbar, vgl. Gunkel, *Genesis*, S. 317: „Beides zusammenzustellen wäre dem Frommen unerträglich: was Gott zugesagt hat, würde der Mensch durch ein Gelübde nur in Zweifel ziehen." Das ist ein Fehlurteil: Jakob stellt mit seinem Gelübde das Wort Gottes natürlich nicht in Frage, dies ist im Gegenteil der unmittelbare Anlass zu seinem Gelübde, was definitiv klar wird, wenn man beachtet, dass die Verse 20—21 inhaltlich und dem Wortlaut nach *völlig* mit den Versen 15—16 übereinstimmen: a) Gott wird mit Jakob sein, b) ihn auf der Wanderung behüten (שמר), c) gelobt die Heimkehr.

5. Diese vollständige Übereinstimmung zwischen Jahwes Rede und Jakobs Gelübde beweist, dass der Name Jahwe, V. 21, ursprünglich ist, er knüpft ja direkt an die Selbstvorstellung Jahwes, V. 13, an, sodass die Quellenscheidung sich nicht einmal auf ihr Hauptkriterium, den Wechsel zwischen Jahwe und Elohim, berufen kann.

6. Es ist falsch, V. 17 als eine Wiederholung von V. 16 zu betrachten, vielmehr wird in V. 17 die Aussage von V. 16 weiterentwickelt: die Entdeckung der Gegenwart Jahwes ist der Anlass, dass Jakob den Ort als furchterregend erlebt; aus der Feststellung in V. 16 wird dann auch der Name Bethel abgeleitet, der in V. 17 vorwegnehmend angedeutet wird (woraus sich der Wechsel zwischen Jahwe und Elohim erklärt). Die einzig denkbare Beurteilung des Textes ist also die Pedersens, *Israel*, III—IV, S. 211, Anm. 1: "There is no reason to insist on a distinction of sources in Gen. 28,11 ff. If the alternating use of the names Yahwe and Elohim is not considered decisive there are neither contradictions nor repetitions." Dies hat dann auch für die Beurteilung von Gen. 35,1—7 entscheidende Folgen, welchen Abschnitt Pedersen mit Recht in direktem Anschluss an Kap. **28** deutet. Dagegen kann **35**,9—15 als zur P-Schicht gehörig ausgeschieden werden. Vgl. auch Volz, *Der Elohist als Erzähler,* S. 73—78: seine Gesichtspunkte zu Gen. **28** sind alle zutreffend.

Da also der Namenswechsel Jahwe — Elohim in Kap. **28** nicht auf zwei Quellen zurückgeführt werden *kann,* ist dieser Text zugleich eine der wichtigsten Stellen, an der die Quellentheorie definitiv scheitert.

[24] Dass **33**,18 ganz oder teilweise von P stammen sollte, lässt sich nicht nachweisen. Schon in **12**,5b hat die Grunderzählung wahrscheinlich ויבאו ארצה כנען. Diese Formel erscheint im Zusammenhang als notwendig und lässt sich kaum ausscheiden, obwohl sie an einen P-Einschub anschliesst. Besonders wichtig für die Beurteilung von **33**,18 ist Kap. **31**,17ff: hier ist von Jakobs Aufbruch bei Laban und dem Ziel seiner Reise die Rede: לבוא אל-יצחק אביו ארצה כנען; diese Stelle ist also die direkte Entsprechung zu **33**,18, wo die Ankunft in Kanaan geschildert wird. Zwar kommt auch in **31**,17 ff ein P-Einschub vor, der sich aber höchstwahrscheinlich auf V. 18 a beschränkt, der Rest gehört zur Grunderzählung, die also folgenden Wortlaut gehabt hat: "Da machte sich Jakob auf, setzte seine Söhne und seine Frauen auf Kamele und trieb all sein Vieh mit sich fort, um zu seinem Vater Isaak ins Land Kanaan zu ziehen." Die Erzählung vom Aufbruch, V. 17, *fordert* hier im ursprünglichen Text eine anschliessende Angabe des Zieles; dass Isaak erwähnt wird, entspricht dem folgenden V. 30, vgl. schon **28**,21. — Paddan Aram kommt zwar bei P vor, es gehört aber auch zur Grunderzählung, vgl. **28**,2,5, welche Stellen um des Zusammenhangs willen zur Grunderzählung gehört haben *müssen.* (Die verwandte Bezeichnung שדה ארם, Hos. **12**,13, zeigt, dass die Genesistradition über die Zeit von P zurückreicht). Die sprachlichen Indizien, mit denen man die literarkritische Aufspaltung von **33**,18 begründet hat, erscheinen also durchweg nicht schwerwiegend genug. Nielsen, *Shechem,* S. 225 f, berücksichtigt sie auch nicht. Das Wort שלם, **33**,18 übersetzt Nielsen mit "peace-minded", ibid., S. 224, was auf

das folgende Kap. 34 vorausdeuten würde. Die Anknüpfung an Kap. **28**,21 dürfte jedoch wahrscheinlicher sein, da auch andere Indizien darauf deuten, dass Jakobs Auszug aus Kanaan und seine Rückkehr dorthin einander entsprechen.

[25] Vermutlich ist es nicht ganz abwegig, auf eine Analogie hinzuweisen, die zwischen dem folgerichtigen Aufbau der Jakobserzählung und den viel diskutierten altorientalischen Vasallenverträgen bestehen dürfte: Jakob verpflichtet sich zum Bunde erst, nachdem und weil Jahwe die Verpflichtungen, die er durch seine Verheissungen übernommen hatte, erfüllt hat. Ebenso appelliert der historische Prolog der Verträge an die Dankbarkeit des Vasallen für die Wohltaten, die ihm der Grosskönig zuvor erwiesen hat.

[26] Es ist kaum zu bezweifeln, dass die Formel als solche in einem ursprünglichen Zusammenhang mit **35**,4 steht, wo erzählt wird, wie Jakob die „fremden Götter" (vgl. V. 2) unter dem heiligen Baum bei Sichem begräbt. Die Formel geht also auf sichemitische Lokaltradition zurück und gehört mit endgültiger Sicherheit zum vordeuteronomistischen Bestand von Josua 24. Worauf der Text konkret anspielt, diskutieren folgende Forscher: A. Alt, *Die Wallfahrt von Sichem nach Bethel*, E. Nielsen, *The Burial of the Foreign Gods*, G. Schmitt, *Der Landtag von Sichem*, S. 48—54, F.O. Garcia-Treto, *Bethel, the History and Tradition of an Israelite Sanctuary*, A. de Pury, *Promesse divine et légende cultuelle dans le cycle de Jacob;* ein ziemlich umfassendes Vergleichsmaterial stellt O. Keel zusammen in *Das Vergraben der „Fremden Götter" in Genesis XXXV 4b*. Er fasst zusammen: „Das Vergraben oder Beisetzen von Götterbildern und Beterfiguren, von Votivgaben und Kultmobiliar aller Art an heiliger Stätte muss im ganzen Alten Orient verhältnismässig häufig vorgekommen sein." (S. 326) Über die Gründe hierzu sagt er: „Man wird aber ganz allgemein (und entsprechend vage) sagen dürfen, dass in allen angeführten Fällen sakrale Gegenstände, die, sei es aus Platzmangel, sei es durch Beschädigung oder einen Wechsel der religiösen Vorstellungen, überflüssig und unbrauchbar geworden waren, aus Respekt vor ihrer Heiligkeit nicht einfach weggeworfen, sondern am heiligen Orte vergraben wurden." (Ebda.) In Anbetracht dieser allgemeinen Überlegungen und des Textzusammenhangs in der Genesis und im Buch Josua, wo von der Schliessung des Bundes und der Kultgründung nach vorherigen Reinigungsriten die Rede ist, ist es wohl doch wahrscheinlich, dass das Wegschaffen der „fremden Götter" die Erinnerung an ein historisches Ereignis in Sichem enthält: die Verpflichtung der israelitischen Stämme zum Jahwekult durch Josua. Dieser Kult war sicher nicht in jeder Hinsicht neu, sondern enthielt manche Züge der vorjahwistischen Tradition der Stämme, vgl. F.M. Cross, *Jahwe and the Gods of the Patriarchs;* id., *Canaanite Myth and Hebrew Epic*, S. 3—75. Aber er muss von Anfang an bestimmte, ihm eigene Züge gehabt haben, und einer der ursprünglichen war sicher die Ablehnung der *Kultbilder*.

[27] *Israel* III—IV, S. 209.

[28] Ibid.

[29] In LXX, Syr. und Vulg. fehlt „El" in V. 7, während MT mit Sicherheit die richtige Lesart hat, die als *lectio difficilior* zu betrachten ist. Offenbar handelt es sich hier nicht um einen Ortsnamen im eigentlichen Sinne. In erster Linie bezieht er sich ja auf den *Gott*, dem ein lokaler Kult in Bethel gestiftet wird, sodann darf man den Ausdruck wohl als eine Bezeichnung des lokalen *Kultes* selber, als eine Art Kulttitel auffassen, der dann seinerseits schliesslich als Name des *Ortes* dient, wo dieser Kult gefeiert wird. Eine weitere, vielleicht analoge Benennung eines Ortes nach dem besonderen Kult, der mit ihm verbunden war, liegt in Gen. **22**,14, יהוה יראה vor. Naheliegend ist *auch der Vergleich mit Jakobs Benennung der maṣṣēbah*, die er in Sichem errichtet, **33**,20: אל אלהי ישראל. Vermutlich können mehrere solche Kulttitel mit ein und demselben Ort verbunden gewesen sein.

[30] *Israel* II—IV, S. 210.

[31] Sh. oben, Anm. 19.

[32] Sh. unten, S. 00 ff.

[33] Gunkel, *Jakob*, S. 357 ff nimmt an, dass die Erzählung von Jakob und Esau auf ein „Standesmärchen" zurückgeht, in dem Esau den Typ des Jägers im Unterschied vom Kleinviehhirten Jakob repräsentiert, vgl. auch oben, Einleitung, S. 5. Wahrscheinlich war aber wohl die Zwillingsrivalität das grundlegende Motiv, dass ja weit verbreitet ist und bei dem in der Genesis die Rollen Jakobs und Esaus als Ahnherren der Völker Israel und Edom vorausgesetzt waren.

[34] V. 29 ist recht deutlich sekundär und bezieht sich auf das Vasallentum der Nachbarvölker unter David, voraus sich auch die Andeutung erklärt, dass Jakob noch weitere Brüder gehabt hätte, was nicht mit der Erzählung übereinstimmt.

³⁵ V. 40 b ist wiederum ein klar sekundärer Zusatz, was nicht zuletzt aus seinem Prosastil hervorgeht, vgl. Gunkel, *Genesis,* ad loc: Er stammt aus einer Zeit, wo Edom von Juda freigekommen war, also nach ca 840, vgl. 2. Kön. **8,20** f. Die Aussage, dass Esau seinem Bruder „dienen" soll, bezieht sich indessen kaum auf das Vasallentum der Edomiten unter David und in der Folgezeit, sondern darauf, wie sich die Edomiten in schlechten Zeiten durchschlagen: sie plündern und treten in den Dienst der wohlhabenderen Israeliten. Die beiden Glieder von V. 40a sind also parallel.

³⁶ Zu der fest geprägten Formel des Berichtes über Isaaks Tod sh. oben, Anm. 21. Auch der Text im übrigen entspricht dem, was ursprünglich am Abschluss der Jakobserzählung gestanden haben *muss.*

³⁷ V. 23 a ist kein Zusatz und enthält keinen realen Widerspruch zu 24,27,48; **29,**5.

³⁸ Diese Struktur muss schon in der Grunderzählung vorgelegen haben; wenn auch Kap. **23** in seiner heutigen Form viele Indizien einer Bearbeitung durch P aufweist, so muss an dieser Stelle ein ursprünglicher Bericht über den Tod und das Begräbnis Saras vorgelegen haben; auch die Tradition von Machpela muss im ursprünglichen literarischen Bestand vorhanden gewesen sein: sie wird in der Erzählung von Jakobs Tod und Begräbnis vorausgesetzt, aus der sie schwerlich ausgeschieden werden kann, **47,**29 ff, **49,**1a,29—33, **50,**4—14; diese Texte dürften wenigstens in der Hauptsache auf die Grunderzählung zurückgehen.

³⁹ Zu Gen. **15** vgl. A. Caquot, *L'alliance avec Abraham;* N. Lohfink, *Die Landverheissung als Eid;* R.E. Clements, *Abraham and David.*

⁴⁰ Auch die Namensänderungen Abram — Abraham und Sarai — Sara gehen hier auf P zurück. Sie sind im heutigen Text konsequent durchgeführt, die ersteren Namensformen werden bis Kap. **17** und von da an die letzteren gebraucht, woraus hervorgeht, dass der alte Text von P retouchiert ist.

⁴¹ In Kap. **16** ist die Reihenfolge der Verben besonders zu beachten:

ויבא אל-הגר   V. 4, vgl. **29,**23,30; **30,**3 u.a.

ותהר   V. 4, vgl. **29,**32,33 u.a.

ותלד   V. 15, vgl. **29,** 32 u.a.

ויקרא   V. 15, vgl. **29,** 32 u.a.

Dies ist die für die Geburtserzählung typische Reihenfolge der Verben, es handelt sich in Kap. **16** also primär um eine *Geburtserzählung.* Natürlich sind die Textstellen, die zusammen diese Reihenfolge ergeben, literarisch einheitlich! Eine Besonderheit des Kapitels **16** ist es nur, dass Ismael seinen Namen von Abraham erhält, sonst pflegen meistens die Mütter den Namen zu geben. In Kap. **16** hat dies seinen besonderen Grund: der Erzähler betont, dass Abraham Ismael als seinen Sohn akzeptiert; damit erhält auch die Mutter des Kindes eine andere Rechtsstellung in der Familie: Sara verfügt nicht mehr frei über ihre Magd. Das ist die neue Voraussetzung von Kap. **21.** die Abweichung von Kap. **16** in dieser Hinsicht ist natürlich kein Indizium literarischer Uneinheitlichkeit. Das Verhältnis zwischen Kap. **16** und **21** lässt sich durch einen Vergleich mit Ex. **2,**1—10 erhellen. In einem ersten Abschnitt, V. 1 f, der Kap. **16** entspricht, wird die Geburt des Kindes erzählt, im grossen Ganzen mit der üblichen Verbreihenfolge der Geburtserzählung: ותקח את-בת-לוי ... ותהר ותלד. Erst dann folgt die Erzählung von der Aussetzung und Rettung des Kindes, V. 3—10, die Kap. **21** entspricht. — Allerdings bestehen in Gen. **16** und **21** weitgehende Übereinstimmungen der Struktur, auf die jüngst H.C. White, *The Initiation Legend of Ishmael* hingewiesen hat; White beachtet jedoch nicht, dass das Motiv "the endangered child" nur in Kap. **21** vorkommt. Zu diesem Motiv ist eine vorhergehende Erzählung von der Geburt des Kindes immer vorauszusetzen.

⁴² E: ausser dem Gottesnamen Elohim z.B. das Rufen „vom Himmel her", V. 11, 15; J: ausser Jahwe, V. 11; 14—16, die Formulierung וישא את-עיניו וירא והנה, V. 13 (auch V. 4), vgl. z.B. **18,**2.

⁴³ *Genesis,* S. 239.

⁴⁴Die tatsächliche Gleichheit der Verse 15—18 mit anderen Verheissungsworten betrachtet R. Kilian, *Isaaks Opferung,* als ein Argument dafür, dass diese Verse jünger als die übrigen sind, S. 28: „Dadurch, dass der Redaktor der Verse 15—18 hier ältere Verheissungselemente zusammenfasst, erweist er sich wiederum als jünger als die ‚zitierten' Verheissungen."

⁴⁵ Vgl. vor allem die vielen Anspielungen auf den Erzväterschwur in Deut. mit dem stereotypen Gebrauch des Wortes נשבע, das also aus Gen. **22,**16 stammt. Eine Übersicht über sämtliche Stellen in Deut. **4,**45—**28,**68 gibt Lohfink, *Das Hauptgebot,* S. 307 f.

[46] *Altisraelitische Kultstätten,* S. 112—115; vgl. hierzu mit anderer Begründung Wellhausen, *Composition,* 1899³, S. 19. Ablehnend Nielsen, *Shechem,* S. 333 f, der statt dessen die Identifikation von Moria und Mara vorschlägt (Ex. **16**,4). Die meisten Forscher teilen die Einstellung Noths zur Frage der Identifikation der Stätte, ÜP, S. 126: „Es verlohnt sich nicht darauf einzugehen; wir wissen es einfach nicht."

[47] *Shechem,* S. 217.

[48] Ibid.

[49] Vgl. von Gall, *Altisraelitische Kultstätten,* S. 109 f; Nielsen, *Shechem,* S. 41 f; man spürt dahinter wohl eine antisamaritanische Tendenz, das Bestreben, den Hinweis des ursprünglichen Textes auf Sichem zu verwischen.

[50] Vgl. hierzu G.R.H. Wrigth, *Joseph's Grave under the Tree by the Omphalos at Shechem;* id., *The Mythology of Pre-israelite Shechem.*

[51] Vgl. die völlig gleichartige Darstellung des Verlaufs der Ereignisse im „kleinen historischen Credo"; in Ägypten wird Jakobs Familie עצום גדול לגוי ורב, Deut. **26**,5; der Ausdruck ist eine Kombination von Gen. **12**,2 (**46**,3) mit Ex. **1**,9; die Ägypter sehen sich veranlasst, dem Volke עבדה קשה, Deut. **26**,6, aufzuerlegen, welcher Ausdruck aus Ex. **1**,14 stammt.

[52] Diese synoptische Aufstellung erweist u.a., dass folgende literarkritische Scheidungen in Ex. 3 bei Richter, *Berufungsberichte,* S. 58—72, unbegründet sind: „ ‚Aus der Mitte des Dornbusches' wird also Zusatz in V. 4 sein", wofür er keine zwingenden Gründe anführt. „Zwischen V. 4a und V. 5 stört der retardierende Anruf, der auch die Gottesnamen wechselt"; es sollte wohl jedem freistehen, sich nicht davon stören zu lassen. „Nach V. 6a scheint die Selbstvorstellung(sformel) das Verbergen des Antlitzes (V. 6b) zu bewirken; näher liegt als Anlass die verschleiernde Aussage in V. 5"; warum? Dort wird ja nur der *Ort,* nicht aber der *Gott* genannt, vor dem Mose sein Antlitz verhüllt! Nach der literarkritischen Scheidung sucht Richter aus den Textfragmenten zwei parallele Zusammenhänge zu rekonstruieren, wobei er die göttliche Selbstvorstellung, V. 6a, einem anderen Zusammenhang als dem von V. 7 f zuordnet. Aus unserem synoptischen Vergleich geht hervor, dass dies nicht gerechtfertigt ist. Die literarkritische Aufspaltung dieses Textes gründet sich auf eine Methode, die Richter selbst folgendermassen beschreibt S. 58: „Die Literarkritik muss bei der Beobachtung einsetzen, ob sich Doppelungen, Wiederholungen und Spannungen am Text feststellen lassen, und zwar zunächst soweit als möglich ohne Rekurs auf Daten in anderen Texten." Im vorliegenden Falle hätte aber gerade der Vergleich mit anderen Texten entscheidend zur Lösung der literarkritischen Probleme in Ex. 3 beigetragen. Als praktische Methode der Textanalyse muss es wohl gelten, in erster Linie festzustellen, was besonders klar und eindeutig ist — und das sind in der Regel *nicht* die literarischen Unebenheiten, sondern bestimmte, unzweideutige *Zusammenhänge* —und erst auf dieser Grundlage dann die schwerer lösbaren Probleme des Textes anzugreifen, nicht aber (wie es hier geschieht) eine bestimmte Art von Kriterien prinzipiell zu isolieren und sich auf Grund derselben von vornherein ein definitives Urteil über die literarische Einheitlichkeit, bzw. Uneinheitlichkeit des Textes zu bilden. Was nämlich im eigentlichen Sinne als Doppelung, Wiederholung und Spannung, d.h. als Kriterien mangelnder literarischer Einheit, zu betrachten ist, das geht nicht immer so unmittelbar und unzweideutig aus jeder einzelnen Texteinheit hervor, wie es Richter mit seiner Methode voraussetzen muss. Zu einer einigermassen sicheren literarkritischen Beurteilung sind Seitenblicke in vielen verschiedenen Richtungen erforderlich.

[53] Ex. 18 wird im allgemeinen wesentlich E zugeschrieben, Kap. 3 und 4 dagegen verteilt man auf J und E.

[54] Von Rad betont in seinem sehr wichtigen Aufsatz *Beobachtungen an der Moseerzählung Exodus 1—14,* S. 194 f, dass das problematische Verhältnis von Ex. 3 zu Ex. **19**f und **24** im allgemeinen zu wenig beachtet worden ist. Die Vermutung, dass der „Gottesberg", **18**,5, eine Glosse sei (Rudolph u.a.) ist unbegründet, da auch andere Beziehungen zwischen den Kap. 3f und **18** vorliegen.

[55] *Das formgeschichtliche Problem,* S. 18—23, 48—50, ebenso im Wesentlichen, Noth, ÜP, S. 54—58, 63—67.

[56] Schon E. Meyer und B. Luther, *Die Israeliten,* S. 542—561, nahmen an „dass die Ausbildung der Bundesvorstellung aus dem Kultus von Sichem erwachsen ist" (S. 557 Meyer), und dass die Erzählung vom Bundesschluss am Sinai in Wahrheit den Kult von Sichem schildert. Vgl. in neuerer Zeit u.a. J. L'Hour, *L'alliance de Sichem.* Eine breite Diskussion der Forschung zur Überlieferung vom Sinai mit Literaturangaben findet man bei de Vaux, *Histoire,* S. 376—421; weiter z.B. E.W. Nicholson, *Exodus and Sinai in Tradition and History.*

160

[57] Gemäss Noth, *Das zweite Buch Mose,* S. 20, wäre „Horeb" ein Zusatz des Dtr, was eine ganz unbegründete Annahme ist. — Richter gelangt auf Grund seiner ungenügenden Beachtung der inhaltlichen Aspekte zu folgender literarkritischer Scheidung in *Berufungsberichte,* S. 62: „In 3,1 steht die genaue Zielangabe ‚er kam zum Gottesberg nach Horeb' in Spannung zur allgemeinen Angabe ‚er trieb das Kleinvieh hinter die Steppe' und zur plötzlichen und zufälligen Erscheinung am Dornbusch. Die beiden Verben mit Richtungsangabe in V. 1 können Doppelungen sein." Hiergegen ist einzuwenden, dass es sich tatsächlich nicht um eine „genaue Zielangabe" handelt. Der Erzähler will im Gegenteil hervorheben, dass Mose selber *kein* bestimmtes Ziel bei seiner Wanderung hatte (er trieb das Kleinvieh), und dass er ohne eigene Absicht gerade zum Gottesberg Horeb gelangte; gemeint ist natürlich, dass er vom Gott, der sich ihm hier offenbaren wollte, dorthin geführt worden war und dass die Offenbarung für Mose selbst völlig unerwartet kam. Eine solche bewusste Erzählertechnik kommt analog in der Erzählung von Saul, 1. Sam. 9, zur Anwendung: Sauls Suche nach den Eselinnen seines Vaters endet — von Sauls eigenem Gesichtspunkt aus — ganz unerwartet damit, dass er zum König gesalbt wird. Der Sinn ist also, dass Begebenheiten, die dem Menschen als zufällig erscheinen, tatsächlich von göttlichen Absichten gelenkt werden.

[58] Ein Text in Deuteronomium 1,9—18, ist ein absichtlich abgewandeltes Referat von Ex. 18; in den umgebenden Versen 6 und 19 wird also der Name Horeb im ursprünglichen Sinne gebraucht: der Berg, um den es sich hier handelt, ist *nicht* mit dem Sinai identisch. Vor allem in einer Hinsicht ist dieser Text interessant: in Vers 18 heisst es ausdrücklich, dass Mose, angefangen auf dem Horeb, während seiner ganzen Zeit als Führer des Volkes diesem das Gesetz persönlich und *mündlich* verkündet hat. Diese Aussage hat wohl kaum eine Funktion als Einleitung zum deuteronomistischen Geschichtswerk, umso mehr aber als Einleitung des Deuteronomiums selbst mit seiner Gesetzsammlung. Ausgangspunkt der letzteren sind die Worte in V. 5: בעבר הירדן בארץ מואב הואיל משה באר את-התורה הזאת לאמר. Das Verb באר kann ‚klar machen', ‚einschärfen' bedeuten, — jedenfalls bezieht sich der Vers auf die im Deuteronomium vorliegende schriftliche Gesetzsammlung, vgl. Deut. 27,8. Dieser Vers muss mit 1,18 zusammengestellt werden: was die mündliche Gesetzesverkündung Moses zu seinen Lebzeiten war, soll nach seinem Tode das im Deut. vorliegende schriftliche Gesetz sein. So gedeutet erweist es sich, dass diese Einleitung zum Deuteronomium kein Gesetz kennt, das schon auf dem Sinai oder „Horeb" aufgezeichnet gewesen und dem Volk vorgelegt worden wäre. Der Sinaiabschnitt kann also relativ spät in den Pentateuch eingefügt worden sein, d.h. nach der Eingliederung des Deuteronomiums, und die Rückblicke auf die Sinaitradition unter dem Namen Horeb im Abschnitt Deut. 4—11 können zu einer sekundären Schicht gehören. Vermutlich ist der Sinaiabschnitt eine sekundäre Überlieferungsvariante, die sich aus der älteren Horebtradition entwickelt hat. Dem Zusammenhang nach zu urteilen, der zwischen der Überlieferung vom Sinai, der Bundeslade und den Gesetzestafeln besteht, könnte diese Tradition in Silo entstanden und später von Jerusalem übernommen worden sein. Dies bleibt natürlich eine Vermutung, jedenfalls scheint aber kein ursprünglicher Zusammenhang zwischen dem Sinai und der Überlieferung von Sichem zu bestehen, trotz der Annahme von Rads, *Das formgeschichtliche Problem,* S. 30—37. Den Gesetzestafeln entsprechen in Sichem wohl jene Steine, auf denen das Gesetz nach Deut. 27,2f. und Jos. 8,32 aufgezeichnet worden ist.

[59] *Berufungsberichte,* S. 58—72.

[60] *Erkenntnis Gottes,* S. 39—57.

[61] An die Erkenntnis kann sich eine Lobpreisung anschliessen, die mit den Worten ברוך יהוה anhebt, Gen. 24,27, vgl. Ex. 18,10.

[62] Vgl. Noth, *Das zweite Buch Mose,* ad loc.

[63] Vgl. 8,19, wo die Plage der Stechfliegen ein „Zeichen" genannt wird. Zur Grunderzählung gehört wahrscheinlich auch 10,1, wo dasselbe Wort vorkommt.

[64] S. 193, vgl. 198.

[65] In dem hier rekonstruierten Text stammt die Wendung „redete alle Worte, die Jahwe geredet hatte" vielleicht aus der Bearbeitung P's, sie ist aber im Zusammenhang notwendig und hat wohl einen früheren Text mit entsprechendem Inhalt ersetzt. In V. 31 liegt die Grunderzählung unverändert vor: der Text knüpft an das Jawewort von 3,7 an, und zu dem Ausdruck ויקדו וישתחוו gibt es Entsprechungen in 24,26 und 47,31. Er gehört mit dem Erkenntnisvorgang zusammen.

[66] Unter den drei Episoden ist es nur bei dieser denkbar, dass ihr eine konkrete lokale Tradi-

tion zugrundeliegt; bei den beiden anderen fehlt eine solche, wenn sie sich auch auf Erfahrungen mit konkreten Naturerscheinungen gründen mögen. Nach V. Fritz, *Israel in der Wüste,* S. 34 f, gehört Ex. **15**,22—25 zu J während die übrigen Texte vom Murren des Volkes zu P gehören, was kaum konsequent ist. Alle im Folgenden zitierten Texte sind P völlig fremd. Auch das hier vorkommende Wort עדה ist nicht für P kennzeichnend, sondern ist in der Grunderzählung die formelle Bezeichnung des Zwölfstämmebundes.

[67] Die Aufzählung der Namen der zwölf Kundschafter, V. 5—17, stammt von P; in der Grunderzählung, V. 2—4·, 18 ff, wurde nur der Auftrag Jahwes an Mose erwähnt, Männer auszusenden, um das Land auszukundschaften; erst in Kap. **14**,6 werden zwei von ihnen bei Namen genannt, und aus dem Wortlaut des Verses geht hervor, dass sie vorher nicht genannt worden sind: Josua, Nuns Sohn, und Kaleb, Jefunnes Sohn. Josua tritt hier zum ersten Mal in der Grunderzählung des Hexateuchs auf und durch sein Verhalten in Kadesh macht er sich als Moses Nachfolger verdient.

[68] Schon Galling, *Die Erwählungstraditionen,* S. 57, hat betont, dass diese Spannung nicht einmal in dem E zugeschriebenen literarischen Bestand aufgehoben ist: es ist doch kaum realistisch sich vorzustellen, dass die Israeliten nach dem Namen eines Gottes forschen würden, der sich ihnen als der Gott ihrer Väter vorstellt, den sie also immer schon gekannt und angebetet hatten, — und doch wird gerade das in der angeblichen Quelle E gesagt: 3,6,13!

[69] Die Aussagen, dass dieser Opfergottesdienst in der Wüste, drei Tagereisen von Ägypten entfernt stattfinden soll, dienen wohl vor allem dazu, dem Pharao klarzumachen, dass man *ausser Landes* opfern muss, — sie stehen wohl kaum in direktem Gegensatz zu Ex. 3,12, wo eine Kultfeier auf den Horeb verlegt wird.

[70] *Passahfest und Passahlegende;* ferner in *Israel II—IV,* S. 384—415. Vgl. oben, Einleitung, Anm. 3.

[71] ÜP, S. 188; S. Schwertner, *Erwägungen zu Moses Tod und Grab,* argumentiert für die Ursprünglichkeit von V. 6b: die Tradition von Moses Grab sei anfänglich „negativ" gewesen; er deutet die Grabnotiz jedoch als Funktion des redaktionellen Zusammenhangs von Dtr; wahrscheinlich hat sie aber ursprünglich in einem älteren epischen Zusammenhang gestanden.

[72] *Die deuteronomistische Darstellung des Übergangs der Führung Israels von Moses auf Josue.*

[73] S. 38 f.

[74] W. Gross, *Bileam: Literar- und formkritische Untersuchung der Prosa in Num. 22—24,* kommt zu dem Ergebnis, dass sich kein literarischer Zusammenhang zwischen der Erzählung von Bileam und den Quellen des Pentateuchs nachweisen lässt.

[75] Noth, *Das Buch Josua,* ad loc., sowie S. 13, schreibt die Verse dem vordeuteronomistischen „Sammler" zu und meint, sie seien von judäischer Perspektive geprägt. — Darauf deuten keine entscheidenden Indizien.

[76] Alt, *Josua;* die Seitenangaben im Text nach *Kl. Schr.* I; Noth, *Das Buch Josua,* und verschiedene andere Untersuchungen, vor allem *Der Beitrag der Archäologie zur Geschichte Israels.*

[77] Die Kritik gegen Alt richtete sich zum Teil gegen seine Auffassung von der geschichtlichen Zuverlässigkeit der ätiologischen Sagen. Von unmittelbarer Bedeutung ist in unserem Zusammenhang nur die Frage, ob die Episoden in Jos. **2—9** überhaupt als ätiologisch bezeichnet werden können. Vgl. hierzu vor allem B.S. Childs, *A Study of the Formula „until this Day",* der behauptet, dass die Formel am häufigsten in nicht-ätiologischem Material vorkommt. Er vermutet sogar, S. 289 f: „In the great majority of cases, the formula 'until this day' has been secondarily added as a redactional commentary on existing traditions." Sh. ferner J. Brigth, *Early Israel in Recent History Writing,* der Alt und Noth u.a. wegen ihrer Auffassung der Ätiologie „as a creative factor in the formation of tradition" (S. 91) kritisiert; C. Westermann, *Arten der Erzählung in der Genesis,* S. 39—47, führt im Anschluss an Gunkel aus, dass in einer Erzählung verschiedene ätiologische Motive, oft mehrere zugleich, vorkommen können, dass aber die Ätiologien selten ihr Hauptzweck sind: „eine reine Ätiologie = ätiologische Sage gibt es überhaupt nicht"; B.O. Long, *The Problem of Etiological Narrative in the Old Testament* behandelt eine Reihe typischer Formeln, in denen ein ätiologisches Interesse zum Ausdruck kommt: „Briefly, the results show that only rarely are these formulae related to a 'story' complex."

[78] Einige Beispiele: Ehud stammte von Benjamin, Ri. **3**,15, Gideon von Manasse, Ri. **6**,15, Tola von Issachar, Ri. **10**,1, Jair und Jefta waren von Gilead (Stammesbezeichnung), Ri. **10**,3, **11**,1, Simson war von Dans Stamm, Ri. **13**,1, Samuel war Ephraimit, 1. Sam. **1**,1, Saul war Benjaminit, 1. Sam. **9**,1, David war Bethlehemit, also vom Stamme Juda, 1. Sam. **16**,1.

162

Übersicht: Umfang der Grunderzahlung

Im Folgenden eine Liste der Textabschnitte des Hexateuchs, die wahrscheinlich zur Grunderzahlung gehört haben. Abschnitte, die wesentlichere Zusätze und/oder Änderungen enthalten, die nicht in der Klammer angegeben werden, sind mit einem] bezeichnet. Grössere Lücken im ursprünglichen Text werden mit /.../ markiert. Texte, die in der Hauptsache den Zusammenhang der Grunderzahlung wiedergeben dürften, aber literarisch durchgreifend umgestaltet worden sind, werden in eckige Klammern [ ] gesetzt. An einigen Stellen liegen Erweiterungen von solchem Ausmass vor, und sie sind so mit dem ursprünglichen Text verflochten, dass eine Rekonstruktion im Detail notwendig ist. Für drei wichtige Stellen legen wir hier Rekonstruktionsvorschläge vor. Sie bleiben natürlich in vieler Hinsicht hypothetisch, die vorgelegten Lösungen erheben nicht den Anspruch, endgültig zu sein.

Abraham
Genesis **11**,27—32 (ausser 27aα, 28bβ, 31,32a); **12**—**13** (ausser **12**,4b,5a bα,8bβ—**13**,1,2bβ—4, 6); **16** (ausser 3,16); **18** (ausser 17—19); **19**; **21**,1—21 (ausser 4 f); **22**,1—19.

Isaak
22,20—24; [**23**?] **24**; [**25**,8—10] **25**,21—34; **26**,1—33 (ausser 1aβ,2—5,15,18).

Jakob
27,1—45 (ausser 29a,29b?,36a?, 36b, 37, 40b); V. 46 ursprünglich: „Und Rebecka sagte zu Isaak: Wenn Jakob ein Weib nimmt von den Töchtern des Landes, was soll mir da das Leben?"
28(ausser 3—9); **29**—**33** (ausser 30,21?, 31,10, 12 die Rede, 18aβ); **34***?
35,1—7, 16—20, [27,29, **36**,8, **37**,1];

Joseph
37,3—36 (ausser 25aβ—27, 28aβb und dann ebenfalls **45**,4bβ, 5aα; vielleicht unsicher, der Text kann auch als einheitlich betrachtet werden); **38**—**46**,5 (ausser **41**,46, **43**,14a); **46**,28b—34; **47**,1—12*, 13—26? 29—31; **48** (ausser 3—7, 22b); **49**,1a, [29—33] **50**,1—25*.

Exodus **1**,6, 7*, 8—22; **2**,1—17, 18 (ausser Reguel), 19—23; **3**,1—20; **4**,18, 29—31*; **5***; **6**,1; **7**,14—29* (ausser 22 sowie Aron und der Stab); **8**,1—11* (ausser 3), 16—28; **9**,1—7, 13 f, 17—34, 35aβ; **10**,1—19 (ausser 2), 20*, 21—29? **11**,1? 4—8; **12**,21—23, 27b, 29—33; **13**,17—19; **14**,5—7, 9—12*.

14, 13   Da sagte Mose zu dem Volke: Fürchtet euch nicht! Stellt euch hin und seht euch die Hilfe Jahwes an, die er euch heute tun wird, denn wie ihr die Ägypter heute seht, werdet ihr sie in alle Zukunft nie mehr sehen.

14   Jahwe selbst wird für euch kämpfen, ihr aber werdet euch still verhalten.

15   Und Jahwe sagte zu Mose:

16   Strecke deine Hand aus über das Meer, damit die Israeliten mitten in das Meer hinein auf trockenem Boden gehen können.

21   Da streckte Mose seine Hand aus über das Meer. Und Jahwe liess durch einen starken Ostwind die ganze Nacht hindurch das Meer hinweggehen und machte so das Meer zu trockenem

22   Land, und die Israeliten konnten auf trockenem Boden mitten in das Meer hineingehen.

23   Die Ägypter setzten nach und gingen hinter ihnen mitten in das Meer hinein, alle Rosse, Streitwagen und Streitwagenfahrer des Pharao.

24   Aber zur Zeit der Morgenwache blickte Jahwe zum Lager der Ägypter hinunter und versetzte das Lager der Ägypter in panischen Schrecken.

25   Er hemmte die Räder ihrer Wagen und liess sie nur mit Schwierigkeit weiterfahren. Da sagten die Ägypter: Wir wollen vor Israel fliehen, denn Jahwe selbst kämpft für sie gegen

26   Ägypten. Jahwe aber sagte zu Mose: Strecke deine Hand aus über das Meer, damit das Wasser zurückkehrt über die Ägyp-

27   ter, über ihre Streitwagen und Streitwagenfahrer. Und Mose streckte seine Hand aus über das Meer. Da kehrte das Wasser beim Anbruch des Morgens in sein gewöhnliches Bett zurück, während die Ägypter gerade ihm entgegen flohen. So schüttel-

28   te Jahwe die Ägypter mitten in das Meer hinein, die Streitwagen und Streitwagenfahrer der ganzen Kriegsmacht des Pharao, die hinter ihnen in das Meer hineingegangen waren, so dass von ihnen nicht ein einziger übrigblieb.

29   Die Israeliten aber waren auf trockenem Boden mitten durch das Meer hindurchgegangen.

30   So errettete an jenem Tage Jahwe Israel aus der Gewalt der

31   Ägypter, und als Israel die grosse Tat, die Jahwe an Ägypten getan hatte, sah, da fürchtete das Volk Jahwe, und sie glaubten an Jahwe und an Mose, seinen Knecht.

Von Ägypten bis Kadesh

Exodus **15**,22aβb—25a; **16*** (der ursprüngliche Text stark erweitert und verändert); **18**; **33**,1,3a; Numeri **10**,33a; **11**,4b—6,10abβ, 11—13, 15, 16aα, 18*, 19—23, 24a*, 31 f; /. . .?/ **13**,1—3* 17—29*; **14**,1—10a (ausser Aron), 11, [11—25 Dtr? parall. 26—35 P geben in der Substanz den Inhalt der Grunderzählung wieder] 39—45*.

Von Kadesh bis Sittim; Moses Tod

20,14—21; **21**,4aβ /. . .?/ 21—31, 32—35? **25**,1—5 /. . ./ **32** (ausser 1—3, 10—12, 28—32, 39—42); Deut. **31**,1—8* (ausser 3—6); **34**,1—8*.

Die Landnahme

Deut. **34**,8b; Josua **1**,1b—6 (ausser 4), 10—18; **2**;

3,1   Und Josua machte sich am nächsten Morgen früh auf, und er und alle Israeliten brachen von Sittim auf und gelangten bis zum Jordan und sie übernachteten daselbst, bevor sie ihn überschritten.

5   Da sprach Josua zu dem Volke: Heiligt euch, denn morgen wird Jahwe in eurer Mitte Wunder tun.

7   Und Jahwe sprach zu Josua: Heute will ich beginnen, dich in den Augen ganz Israels gross zu machen, damit sie erkennen, dass ich mit dir sein will, wie ich mit Mose gewesen bin.

9   Und Josua sprach zu den Israeliten: Kommt herbei und hört auf die Worte Jahwes, eures Gottes.

10   Und Josua sprach: Daran werdet ihr erkennen, dass ein lebendiger Gott in eurer Mitte ist und dass er vor euch die Kanaaniter, die Hethiter, die Heviter, die Pheresiter, die Girgasiter, die Amoriter und die Jebusiter gewiss vertreiben wird:

11   Seht,

13   das Wasser des Jordans wird abgeschnitten werden und das von oben herabfliessende Wasser wird als ein einziger Damm dastehen.

14   Als dann das Volk aus seinen Zelten aufbrach, um den Jordan
15   zu überschreiten — der Jordan aber war über alle seine Ufer
16   hinaus angefüllt während der Erntezeit — da blieb das von oben herabfliessende Wasser stehen und sammelte sich als ein einziger Damm weit hinauf über die Stadt Adam, die neben Zarthan liegt, und das zum Steppenmeer, dem Salzmeer, hin-

	abfliessende wurde völlig abgeschnitten. Das Volk konnte so gegenüber von Jericho den Übergang vollziehen,
17b	und ganz Israel zog hinüber auf trockenem Boden, bis das ganze Volk das Überschreiten des Jordans vollendet hatte.
4,1	Als nun das ganze Volk das Überschreiten des Jordans vollendet hatte, da rief Josua zwölf Männer heran, die er aus dem
4	Kreise der Israeliten bestimmt hatte, je einen Mann aus jedem
5	Stamme, und Josua sprach zu ihnen: Geht mitten in den Jordan hinein und nehmt euch jeder einen Stein auf seine Schul-
6	ter nach der Zahl der Stämme der Israeliten, damit dies ein
7	Zeichen bleibe in eurer Mitte, dass das Wasser des Jordans abgeschnitten wurde.
8	Und sie hoben zwölf Steine mitten aus dem Jordan auf, nach der Zahl der israelitischen Stämme, und sie nahmen sie mit sich hinüber in das Nachtquartier, um sie dort aufzustellen.
11	Als nun das ganze Volk den Übergang vollendet hatte — und
12	die Rubeniten und Gaditen zogen gerüstet vor den Israeliten
18bβ	hinüber, wie Mose zu ihnen gesagt hatte — da kehrte das Wasser des Jordans an seinen Ort zurück und ging wie gestern und vorgestern über alle seine Ufer hinaus.
14	An jenem Tage machte Jahwe Josua gross in den Augen ganz Israels, und sie fürchteten ihn, wie sie Mose gefürchtet hatten, sein ganzes Leben lang.
19b	Und sie lagerten sich in Gilgal an der östichen Flurgrenze
20	von Jericho. Jene zwölf Steine aber, die sie aus dem Jordan genommen hatten, richtete Josua in Gilgal auf.
5,13—15	/. . ./?
6,1	Jericho aber war (nach aussen und innen) verschlossen angesichts der Israeliten. Niemand konnte aus- und eingehen.
2	Da sprach Jahwe zu Josua: Siehe, ich gebe hiermit in deine Hand Jericho und seinen König.
3	Und ihr sollt mit allen Kriegsleuten die Stadt umziehen, indem ihr die Stadt einmal umkreist. So sollst du an sechs Tagen tun.
4	Am siebenten Tage aber sollt ihr die Stadt siebenmal umzie-
5	hen. Wenn dann das ganze Volk ein grosses Kriegsgeschrei erhebt, wird die Mauer der Stadt an der Stelle, an der sie steht, zusammenfallen, und das Volk soll, jeder an der ihm zunächstliegenden Stelle, hinaufsteigen.
7	Und (Josua) sprach zu dem Volke: Geht hinüber und umzieht
10	die Stadt. Ihr sollt kein Kriegsgeschrei erheben und eure Stimme nicht hören lassen, und kein Wort soll aus eurem Munde hervorgehen, bis ich zu euch sage: Erhebt das Kriegsgeschrei. Dann sollt ihr das Kriegsgeschrei erheben.

12	Am nächsten Morgen machte sich Josua früh auf.
14	Und sie umzogen die Stadt einmal. Dann kehrten sie in das Lager zurück. So taten sie an sechs Tagen.
15	Am siebenten Tage aber brachen sie früh beim Aufsteigen der Morgenröte auf und umzogen die Stadt siebenmal. Nur an diesem Tage umzogen sie die Stadt siebenmal.
16	Und beim siebenten Male sprach Josua zum Volke: Erhebt das Kriegsgeschrei, denn Jahwe hat euch die Stadt in die Gewalt
20bβ	gegeben. Da erhob das Volk ein grosses Kriegsgeschrei, und die Mauer fiel an der Stelle, and der sie stand, zusammen und das Volk stieg in die Stadt hinauf, jeder an der ihm zunächstlie-
21	genden Stelle, und sie nahmen die Stadt ein und bannten alles, was in der Stadt war, Mann und Weib, jung und alt, dazu Rinder, Kleinvieh, Esel, mit der Schärfe des Schwertes.

22 f, 25, 26? 27; **7***; **8**,1—29, 30,31b; **9** (ausser 7,8a, 14, 18—21, 23,27bβ); **10***; **11***; [**14**,6—15]; **22***; **24***.

Literaturverzeichnis

AHARONI, Y., The Land of the Bible. A Historical Geography. London 1966.

ALBRIGHT, W.F., The Israelite Conquest of Canaan in the Light of Archaeology, BASOR 74 (1939), 11—23.

— The List of Levitic Cities. Louis Ginsberg Jubilee Volume I, New York 1945, 49—73.

— From the Stone Age to Christianity. Baltimore 1946[2].

ALT, A., Kleine Schriften zur Geschichte des Volkes Israel, I—III, München 1953—1959.

— Jerusalems Aufstieg. 1925. (=Kl. Schr. III, 243—257.)

— Judas Gaue unter Josia. 1925. (=Kl. Schr. II, 276—288.)

— Die Landnahme der Israeliten in Palästina. 1925. (=Kl. Schr. I, 89—125.)

— Das System der Stammesgrenzen im Buche Josua. 1927. (=Kl. Schr. I, 193—202.)

— Der Gott der Väter. 1929. (BWANT III, 12;=Kl. Schr. I, 1—78.)

— Josua. 1936. (=Kl. Schr. I, 176—192.)

— Die Wallfahrt von Sichem nach Bethel. 1938. (=Kl. Schr. I, 79—88.)

— Erwägungen über die Landnahme der Israeliten in Palästina. 1939. (=Kl. Schr. I, 126—175.)

— Der Rythmus der Geschichte Syriens und Palästinas im Altertum. 1944. (=Kl. Schr. III, 1—19.)

— Bemerkungen zu einigen judäischen Ortslisten des Alten Testaments. 1951. (=Kl. Schr. II, 289—305.)

— Die Heimat des Deuteronomiums. 1953. Kl. Schr. II, 250—275.

— Der Stadtstaat Samaria. 1954. (=Kl. Schr. III, 258—302.)

BENTZEN, A., Die josianische Reform und ihre Voraussetzungen. Kopenhagen 1926.

BEYERLIN, W., Gattung und Herkunft des Rahmens im Richterbuch. In: Festschrift A. Weiser , 1963, 1—30.

BIRKELAND, H., Zum hebräischen Traditionswesen. Die Komposition der prophetischen Bücher des Alten Testaments. 1938. (ANVAO II, 1.)

BLENKINSOPP, J., Gibeon and Israel. The Role of Gibeon and the Gibeonites in the Political and Religious History of Early Israel. London 1972. (Society for OT Study, Monograph Ser. 2.)

BOLING, R.G., Bronze Age Buildings at the Shechem High Place: ASOR Excavations at Tananir. BA 32 (1969), 81—103.

BOTTÉRO, J., Le Problème des Ḫabiru à la 4e Rencontre Assyriologique Internationale. Paris 1954. (Cahiers de la Société Asiatique 12.)

BREKELMANS, Chr. Die sogenannten deuteronomischen Elemente in Gen.— Num. Ein Beitrag zur Vorgeschichte des Deuteronomiums. VTS 15 (1966), 90—96.

BRIGHT, J., Early Israel in Recent History Writing. A Study in Method. Chicago 1956. (Studies in Biblical Theology 19.)

— A History of Israel. Philadelphia 1959.

BUDDE, K., Das Buch der Richter. 1897. (Kurzer Hand-Commentar zum AT VII.)

— DieBücher Samuel. 1902. (Kurzer Hand-Commentar zum AT, VIII.)

BUHL, M.-L. und HOLM-NIELSEN, S., Shiloh. The Danish Excavations at Tall Sailūn, Palestine, In 1926, 1929, 1932 and 1963. Kopenhagen 1969. (Publications of the National Museum, Arch.-Hist. Ser. I, Vol. XII.)

CALLAWAY, J.A., New Evidence on the Conquest of Ai, JBL 87 (1968), 312—320.

CAMPBELL Jr, E.F., Shechem in the Amarna Archive. In: G.E. Wright, Shechem, 1965, Appendix II, 191—207.

— und WRIGHT, B.E., Tribal League Shrines in Amman and Shechem. BA 32 (1969), 104—116.

CAQUOT, A., L'alliance avec Abram (Genèse 15). Semitica 12 1962), 51—66.

CARMICHAEL, O., A New View of the Origin of the Deuteronomic Credo. VT 19 (1969), 273—289.

CASPARI, W., Der Stil des Eingangs der israelitischen Novelle. ZWTh 53 (1911), 218—253.

CHILDS, B.S., A Study of the Formula "until this Day". JBL 82 (1963), 279—292.

CLEMENTS, R.E., Abraham and David. Genesis 15 and its Meaning for Israelite Tradition. London 1967.

CODY, A., A History of Old Testament Priesthood. Rom 1969. (Anal. Biblica 35.)

CROSS, F.M., Jahwe and the God of the Patriarchs. HTR 55 (1962), 244—250.

— Canaanite Myth and Hebrew Epic. Essays in the History of the Religion of Israel. Cambridge Mass. 1973.

DANELL, G.A., Studies in the Name of Israel in the Old Testament. Diss. Uppsala 1946.

DAVID, M., Die Bestimmungen über die Asylstätte in Josua XX. OTS 9 (1951), 146—175.

DUMERMUTH, F., Zur deuteronomistischen Kulttheologie und ihren Voraussetzungen. ZAW 70 (1958), 59—98.

EISSFELDT, O., Kleine Schriften, I—IV, Tübingen 1962—1968.

— Hexateuchsynopse. Leipzig 1922. Neudruck Darmstadt 1962.

— Die kleinste literarische Einheit in den Erzählungsbüchern des Alten Testaments. 1927.(=Kl. Schr. I, 143—149.)

— Der geschichtliche Hintergrund der Erzählung von Gibeas Schandtat (Richter 19—21). 1935. (=Kl. Schr. II, 64—80.)

— Non dimittam te, nisi benedixeris me. 1957. (=Kl. Schr. III, 412—416.)

— Silo und Jerusalem. 1957. (=Kl. Schr. III, 417—425.)

— Jacobs Begegnung mit El und Moses Begegnung mit Jahwe. 1963. (=Kl. Schr. IV, 92—98.)

— Einleitung in das Alte Testament. Tübingen 1964[3].

ENGNELL, I., Gamla Testamentet. En traditionshistorisk inledning, I. Stockholm 1945.

— Die Artikel: Formhistorisk metod, Litterärkritisk metod, Moseböckerna, Traditionshistorisk metod. Svenskt Bibliskt Uppslagsverk I—II, 1962—1963[2].

FOHRER, G., Studien zur alttestamentlichen Theologie und Geschichte (1949—1966). 1969. (BZAW 115.)

— Überlieferung und Geschichte des Exodus. Eine Analyse von Ex 1—15. 1964. (BZAW 91.)

— Altes Testament — „Amphiktyonie" und „Bund"? 1966. (In: BZAW 115, 84—119.)

— Geschichte der israelitischen Religion. Berlin 1969.

FRITZ, V., Israel in der Wüste. 1970. (Marburger Theol. St. 7.)

VON GALL, A., Altisraelitische Kultstätten. 1898. (BZAW 3.)

GALLING, K., Die Erwählungstraditionen Israels. 1928. (BZAW 48.)

GARCIA-TRETO, F.O., Bethel, the History and Tradition of an Israelite Sanctuary. Princeton 1967.

GESENIUS, W. und BUHL, F., Hebräisches und aramäisches Handwörterbuch über das Alte Testament. Heidelberg 1954[17].

GLOBE, A., The Literary Structure and Unity of the Song of Debora. JBL 93 (1974),593—612.

GREENBERG, M., The Hab/piru. New Haven 1955. (American Oriental Series 39.)

GRESSMANN, H., Mose und seine Zeit. Ein Kommentar zu den Mose-Sagen. 1913. (FRLANT 18.)

— Die Anfänge Israels. Göttingen 1922². (Die Schriften des Alten Testaments, I, 2.)

— Ursprung und Entwicklung der Joseph-Saga. In: Eucharisterion für H. Gunkel, Göttingen 1925, 1—55.

GROSS, W., Bileam: Literar- und formkritische Untersuchung der Prosa in Num 22—24. München 1974. (St ANT 38.)

GUNNEWEG, A.H.J., Leviten und Priester. Hauptlinien der Traditionsbildung und Geschichte des israelitisch-jüdischen Kultpersonals. Göttingen 1965. (FRLANT 89.)

GUNKEL, H., Jakob. Preuss. Jahrb. 176 (1919), 339—362.

— Die Komposition der Joseph-Geschichte. ZDMG 76 (1922), 55—71.

— Genesis. Göttingen 1910³. (Göttinger Handkommentar zum Alten Testament I, 1.)

HARAN, M., Studies in the Account of Levitical Cities. JBL 80 (1961), 45—54, 156—165.

HELLER, J., Noch zu Ophra, Ephron und Ephraim. VT 12 (1962), 339—341.

— Ursprung des Namens Israel. Communio Viatorum 3—4 (1964), 263 f.

HERRMANN, S., Das Werden Israels. ThLZ 87 (1962), 561—574.

— Mose. Ev Th 28 (1968), 301—328.

— Autonome Entwicklungen in den Königreichen Israel und Juda. VTS 17 (1969), 139—158.

— Israels Aufenthalt in Ägypten. 1970. (Stuttgarter Bibelstudien 40.)

— Geschichte Israels in altisraelitischer Zeit. München 1973.

HOFTIJZER, J., Die Verheissungen an die drei Erzväter. Leiden 1956.

HOLM-NIELSEN, S., Svh. BUHL, M-L. und HOLM-NIELSEN, S.

IRWIN, W.H., Le sanctuaire israélite avant l'établissement de la monarchie. RB 72 (1965), 161—184.

KAISER, O., Stammesgeschichtliche Hintergründe der Josephs-Geschichte, VT 10 (1960), 1—15.

KEEL, O., Das Vergraben der „Fremden Götter" in Genesis XXXV 4b. VT 23 (1973), 305—336.

KELSO, J.L., The Excavation of Bethel (1934—1960).(AASOR 39.)

KENYON, K., Digging up Jericho. London 1957.

— Archaeology in the Holy Land. London 1970³.

KILIAN, R., Die vorpriesterlichen Abrahamsüberlieferungen. 1966. (BBB 24.)

— Isaaks Opferung. Zur Überlieferungsgeschichte von Gen 22. 1970. (Stuttgarter Bibelstudien 44.)

KITTEL, R., Geschichte des Volkes Israel, I. Stuttgart 1888. 1932⁷.

KLATT, W., Hermann Gunkel. Zu seiner Theologie der Religionsgeschichte und zur Entstehung der Formgeschichtlichen Methode. 1969. (FRLANT 100.)

KNIGHT, D.A., The Traditions of Israel. The Development of the Traditio-Historical Research of the Old Testament, with Special Consideration of Scandinavian Contributions. Montana Missoula 1973. (Society of Biblical Literature Dissertation Series 9.)

KNUDTZON, J.A., Die El-Amarna-Tafeln. Leipzig 1915. (Vorderasiat. Bibliothek II.) Neudruck Hildesheim 1964.

KÖHLER, L. und BAUMGARTNER, W., Lexicon in Veteris Testamenti Libros. Leiden 1958 (I, 1967³).

KRAUS: H.J., Gilgal. Ein Beitrag zur Kultusgeschichte Israels. VT 1 (1951), 181—199.
— Gottesdienst in Israel. Grundriss einer Geschichte des alttestamentlichen Gottesdienstes. München 1962².
LANGLAMET, F., Gilgal et les récits de la traversée du Jourdain. 1969. (Cahiers de la RB 11.)
LEHMING, S., Zur Überlieferungsgeschichte von Gen 34. ZAW 70 (1958), 228—250.
LEMCHE, N.P., Israel i dommertiden. En oversigt over diskussionen om Martin Noths „Das System der zwölf Stämme Israels". Kopenhagen 1972. (Text og Tolkning 4.)
L'HOUR, J., L'alliance de Sichem. RB 69 (1962), 5—36, 161—184, 350—368.
LOHFINK, N., Darstellungskunst und Theologie in Dtn 1,6 — 3,29. Biblica 41 (1960), 195—134.
— Die deuteronomistische Darstellung des Übergangs der Führung Israels von Moses auf Josue. Ein Beitrag zur alttestamentlichen Theologie des Amtes. Scholastik 37 (1932), 32—44.
— Das Hauptgebot. Eine Untersuchung literarischer Einleitungsfragen zu Dtn 5—11. 1963. (Analecta Biblica 20.)
— Die Landverheissung als Eid. Eine Studie zu Gen 15. Stuttgart 1967.
LONG, B.O., The Problem of Ethiological Narrative in the Old Testament. 1968. (BZAW 108.)
LÖHR, M., Das Asylwesen im Alten Testament. 1930. (Schr. d. Köningsberger Gel. Ges., geisteswiss. Kl. VII, 3.)
LUTHER, B., Sh. MEYER, E.
MAIER, J., Das altisraelitische Ladeheiligtum. 1965. (BZAW 93.)
MARQUET-KRAUSE, J., Les fouilles de Ay (et-Tell) 1933—1935: La résurrection d'une grande cité biblique. Paris 1949. (Bibliothèque Archéologique et Historique 45.)
MAYES, A.D.H., The Historical Context of the Battle against Sisera. VT 19 (1969), 353—360.
— Israel in the Pre-Monarchy Period. VT 23 (1973), 151—170.
— Israel in the Period of the Judges. London 1974. (Studies in Biblical Theology 2, 29.)
MAZAR, B., The Cities of the Priests and Levites. VTS 7 (1960), 193—205.
MENDELSOHN, I., On the Preferential Status of the Eldest Son. BASOR 156 (1959), 38—40.
MENDENHALL, G.E., The Hebrew Conquest of Palestine. BA 25 (1962), 66—87.
MEYER, E. und LUTHER, B., Die Israeliten und ihre Nachbarstämme. Halle 1906.
MITTMANN, S., Deuteronomium 1,1—6,3 literarkritisch und traditionsgeschichtlich untersucht. 1975, (BZAW 139.)
MÖHLENBRINK, K., Josua Im Pentateuch. ZAW 59 (1942—43), 14—58.
MOWINCKEL, S., Zur Frage nach dokumentarischen Quellen in Jos 13—19. 1946. (ANVAO, Hist.-filos. Klasse 1.)
— Die vermeintliche „Passahlegende" Ex 1—15 in Bezug auf die Frage: Literarkritik und Traditionskritik. St Th 5 (1951), 66—88.
— „Rahelstämme" und „Leastämme". In: Festschrift O. Eissfeldt, II, 1958. (BZAW 77), 129—150.
— Tetrateuch — Pentateuch — Hexateuch. Die Berichte über die Landnahme in den drei altisraelitischen Geschichtswerken. 1964. (BZAW 90.)
— Erwägungen zur Pentateuch-Quellenfrage. Trondhjem 1964.
MUILENBURG, J., The Birth of Benjamin. JBL 75 (1956), 194—201.

NICHOLSON, E.W., Exodus and Sinai in History and Tradition. Oxford 1973. (Growing Points in Tehology.)
NICOLSKY, N.M., Das Asylrecht in Israel. ZAW 48 (1930), 146—175.
NIELSEN, E., Oral Tradition. A Modern Problem in Old Testament Introduction. London 1954. (Studies in Biblical Theology 11.)
— The Burial of the Foreign Gods. St Th 8 (1955), 103—123.
— Shechem. A Traditio-Historical Investigation. Kopenhagen 1955 (1959²).
NOTH, M., Gesammelte Studien zum Alten Testament I—II. München 1957—1969. (Theologische Bücherei 6 und 39.)
— Aufsätze zur biblischen Landes- und Altertumskunde, I—II. 1971.
— Die israelitischen Personennamen im Rahmen der gemeinsemitischen Namengebung. 1928. (BWANT III, 10.) Neudruck Hildesheim 1966.
— Das System der zwölf Stämme Israels. 1930. (BWANT IV, 1.) Neudruck Darmstadt 1966.
— Studien zu den historisch-geographischen Dokumenten des Josua-Buches. ZDPV 58 (1935), 185—255. (=Aufsätze I, 229—280.)
— Die Gesetze im Pentateuch. 1940. (=Ges. St. I., 9—141.)
— Num 21 als Glied der „Hexateuch"-Erzählung. ZAW 58 (1940—41), 161—189.
— Das Land Gilead als Siedlungsgebiet israelitischer Sippen. PJb 37 (1941), 50—101. (=Aufsätze I, 347—390.)
— Überlieferungsgeschichtliche Studien, I. Die sammelnden und bearbeitenden Geschichtswerke im Alten Testament. 1943. (Schr. d. Königsberger Gel.Ges., geisteswiss. Kl. XVIII, 2.) Neudruck Darmstadt 1957.
— Israelitische Stämme zwischen Ammon und Moab. ZAW 60 (1944), 11—57. (=Aufsätze I, 391—433.)
— Überlieferungsgeschichte des Pentateuch. Stuttgart 1948. Neudruck Darmstadt 1960.
— Das Amt des „Richters Israels". 1950. (=Ges. St II, 71—85.)
— Geschichte Israels. Göttingen (1950) 1966⁶.
— Überlieferungsgeschichtliches zur zweiten Hälfte des Josuabuches. In: Festschrift Fr. Nötscher, 1950 (BBB 1), 152 ff.
— Die Nachbarn der israelitischen Stämme im Ostjordanlande. ZDPV 68 (1951), 1—50. (=Aufsätze I, 434—475.)
— Das Buch Josua. (1937) 1953². (Handbuch zum Alten Testament I, 7.)
— Das zweite Buch Mose, Exodus. 1958, 1968⁴. (Das Alte Testament Deutsch 5.)
— Gilead und Gad. ZDPV 75 (1959), 14—73.
— Der Beitrag der Archäologie zur Geschichte Israels. VTS 7 (1960), 262—282. (=Aufsätze I, 34—52.)
— Das vierte Buch Mose, Numeri. 1966. (Das Alte Testamente Deutsch 7.)
NYBERG, H.S., Studien zum Hoseabuche. 1935. (UUÅ 6.)
ORLINSKY, H.M., The Tribal System of Israel and Related Groups in the Period of the Judges. Oriens Antiquus 1 (1962), 11—20.
OTTOSSON, M., Gilead. Tradition and History. 1969. (Conjectanea Biblica, Old Testament Series 3.)
PEDERSEN, J., Die Auffassung vom Alten Testament, ZAW 49 (1931), 161—181.
— Passahfest und Passahlegende. ZAW 52 (1934), 161—175.
— Israel, its Life and Culture. I—II (dänisch 1920) London 1926. Neudruck 1964. III—IV (dänisch 1934) London (1940) 1963³.
PLÖGER, J.G., Literarkritische, formgeschichtliche und stilkritische Untersuchungen zum Deuteronomium. 1967. (BBB 26.)
PRITCHARD, J.B., Gibeon Where the Sun Stood Still. The Discovery of the Biblical City. Princeton 1962.

DE PURY, A., Genèse XXXIV et l'histoire. RB 76 (1969), 5—49.

— Promesse divine et légende culturelle dans le cycle de Jacob. Une Etude à propos de Genèse 28. Neuchâtel 1972.

VON RAD, G., Gesammelte Studien zum Alten Testament. I (1958) 1965[3]; II 1973 (Theologische Bücherei 8 und 48.)

— Das Gottesvolk im Deuteronomium. 1929. (BWANT 47; = Ges. St. II, 9—108.)

— Das formgeschichtliche Problem des Hexateuch. 1938. (BWANT IV:26; = Ges. St. I, 9—86.)

— Verheissenes Land und Jahwes Land im Hexateuch. ZDPV 66 (1943), 191—204 (=Ges. St. I, 87—100.)

— Deuteronomium-Studien. 1947. (FRLANT 58, = Ges. St. II, 109—153.)

— Das erste Buch Mose, Gesesis. 1949, 1967[8]. (Das Alte Testament Deutsch 2—4.)

— Der Heilige Krieg im alten Israel. 1951. (A ThANT 20.)

— Josephsgeschichte und ältere Chokma. 1953. (=Ges. St. I, 272—280.)

— Die Josephsgeschichte. Neukirchen 1954, 1959[3]. (Biblische Studien 5.)

— Theologie des Alten Testaments, I—II. München 1958—1960[2].

REDFORD, D.B., A Study of the Biblical Story of Joseph, Genesis 37—50. 1970. (VTS 20.)

REICKE, B., Analogier mellan Josefberättelsen i Genesis och Ras Shamratexterna. SEÅ 10 (1945), 5—30.

RICHTER, W., Traditionsgeschichtliche Untersuchungen zum Richterbuch. 1963, 1966[2]. (BBB 18.)

— Die Bearbeitungen des „Retterbuches" in der deuteronomistischen Epoche. 1964. (BBB 21.)

— Beobachtungen zur theologischen Systembildung in der alttestamentlichen Literatur anhand des „kleinen geschichtlichen Credo". In: Festschrift M. Schmaus, 1967, I, 175—212.

— Die sogenannten vorprophetischen Berufungsberichte. Eine literaturwissenschaftliche Studie zu 1 Sam 9, 1—10, 16, Ex 3 f. und Ri 6,11b—17. 1970. (FRLANT 101.)

— Exegese als Literaturwissenschaft. Entwurf einer alttestamentlichen Literaturtheorie und Methodologie. Göttingen 1971.

RINGGREN, H., Oral and Written Transmission in the O.T. St Th (1950), 34—59.

— Literarkritik, Formgeschichte, Überlieferungsgeschichte. Erwägungen zur Methodenfrage der alttestamentlichen Exegese. ThLZ 91 (1966), 641—650.

ROST, L., Das kleine Credo und andere Studien zum Alten Testament. Heidelberg 1965.

RUDOLPH, W., Sh. VOLZ, P. und RUDOLPH, W.

— Der „Elohist" von Exodus bis Josua, 1938. (BZAW 68.)

RUPRECHT, E., Die Frage nach den vorliterarischen Überlieferungen in der Genesisforschung des ausgehenden 18. Jh. ZAW 84 (1972), 293—314.

SCHMITT, G., Der Landtag von Sichem. 1964. (Arbeiten zur Theologie I, 15.)

—Zu Gen 26, 1—14. ZAW 85 (1973), 143—156.

SCHULTE, H., Die Entstehung der Geschichtsschreibung im alten Israel. 1972. (BZAW 128.)

SCHUNCK, KL.-D., Benjamin. Untersuchungen zur Entstehung und Geschichte eines israelitischen Stammes. 1963. (BZAW 86.)

SCHWERTNER, S., Das verheissene Land. Bedeutung und Verständnis des Landes nach den frühen Zeugnissen des AT. Diss. Heidelberg 1967.

— Erwägungen zu Moses Tod und Grab in Dtn 34, 5.6. ZAW 84 (1972), 25—46.

SEEBAS, H., Der Erzvater Israel und die Einführung der Jahweverehrung in Kanaan. 1966. (BZAW 98.)

SEITZ, G., Redaktionsgeschichtliche Studien zum Deuteronomium. 1971. (BWANT 93.)

SIMONS, J., The Structure and Interpretation of Josh. XVI—XVII. Orientalia Neerlandica, 1948, 190—215.

SMEND, R., Jahwekrieg und Stämmebund. Erwägungen zur ältesten Geschichte Israels. 1966². (FRLANT 84.)

SOGGIN, J.A., Die Geburt Benjamins. VT 11 (1961), 432—440.

STAERK, W., Studien zur Religions- und Sprachgeschichte des Alten Testaments, I. Berlin 1899.

STEUERNAGEL, C., Die Einwanderung der israelitischen Stämme in Kanaan, Historisch-kritische Untersuchungen. Berlin 1901.

— Jahwe, der Gott Israels. BZAW 27 (1914), 329—349.

STOLTZ, F., Jahwes und Israels Kriege. Kriegstheorien und Kriegserfahrungen im Glauben des alten Israel. 1972. (AThANT 60.)

SVENSKT BIBLISKT UPPSLAGSVERK. Herausg. I. Engnell. Stockholm 1962—1963².

TALMON, S., The Town Lists of Simeon. IEJ 15 (1965), 235—241.

TÄUBLER: E., Biblische Studien. Die Epocte der Richter. Tübingen 1958.

DE VAUX, R., Les Patriarches Hébreux et les découvertes modernes. RB 53 (1946), 321—348; 55 (1948), 321—347; 56 (1949) 5—36. Deutsche Übersetzung: Die hebräischen Patriarchen und die modernen Entdeckungen. Düsseldorf 1961.

— Les Institutions de l'Ancien Testament, I—II. Paris 1958—1960.

— Le problème des Ḥapiru après quinze années. JNES 27 (1968), 221—228.

— Histoire ancienne d'Israel des Origines à l'installation en Canaan. 1971. (Etudes Bibliques.)

— La thèse de l'amphictyonie israélite. HTR 64 (1971), 415—436.

VOGT, E., Die Erzählung vom Jordanübergang, Josue 3—4. Biblica 46 (1965), 125—148.

VOLZ, P. und RUDOLPH, W., Der Elohist als Erzähler. Ein Irrweg der Pentateuchkritik? 1933. (BZAW 63.)

VRIEZEN, T.C., The Credo in the Old Testament. In: Die ou Testamentiese Werkgemeenskap in Suid Afrika: Studies in the Psalms, ed. A.H. van Zyl, Potchefstrom 1963, S. 5—17.

WEIPPERT, H., Die „deuteronomistischen" Beurteilungen der Könige von Israel und Juda und das Problem der Redaktion der Königsbücher. Biblica 53 (1972), 301—339.

WEIPPERT, M., Die Landnahme der israelitischen Stämme in der neueren wissenschaftlichen Diskussion. Ein kritischer Bericht. 1967. (FRLANT 92).

WEISER, A., Das Deboralied. ZAW 71 (1959), 67—97.

WELCH, A.C. The Code of Deuteronomy. A New Theory of its Origin. London 1924.

WELLHAUSEN, J., Prolegomena zur Geschichte Israels. Berlin 1886³.

— Die Composition des Hexateuchs und der historischen Bücher des Alten Testaments. Berlin 1899³.

WESTERMANN, CL., Forschung am Alten Testament. Gesammelte Studien. 1964. (Theologische Bücherei 24.)

— Arten der Erzählung in der Gesesis. (Forsch. am A.T., 9—91.)

WHITE:, H.C., The Initiation Legend of Ishmael. ZAW 87 (1975), 267—306.

WIDEGREN, G., Literary and Psychological Aspects of the Hebrew Prophets. 1948. (UUÅ 10.)

— Oral Tradition and Written Literature among the Hebrews in the Light of Arabic Evidence, with Special Regard to Prose Narratives. Acta Orientalia 23 (1959), 201—262.

WOLFF, H.W., Gesammelte Studien zum Alten Testament. 1964. (Theologische Bücherei 22.)
— Hoseas geistige Heimat. 1956. (=Ges. St., 232—250.)
WRIGHT, G.E., Shechem. The Biography of a Biblical City. New York, London 1965.
WRIGHT, G.R.H. und HENNESY, J.B., The Bronze Age at Amman. ZAW 78 (1966), 351—359.
WRIGHT, G.R.H. Temples at Shechem. ZAW 80 (1968), 1—35.
— The Mythology of Pre-Israelite Shechem. VT 20 (1970), 75—82.
— Joseph's Grave under the Tree by the Omphalos at Shechem. VT 22 (1972), 476—486.
YADIN, Y., Hazor. The Head of all those Kingdoms. Joshua 11:10. London 1972. (The Schweich Lectures 1970.)
ZIMMERLI, W., Gottes Offenbarung. Gesammelte Aufsätze zum Alten Testament. 1963. (Theologische Bücherei 19.)
— Erkenntnis Gottes nach dem Buche Ezechiel. 1954. (AThANT 27. = Gottes Offenbarung, 41—119.)
ZOBEL, H.-J., Stammesspruch und Geschichte. 1965. (BZAW 95.)

Verzeichnis der Abkürzungen

AASOR	Annual of the American Schools of Oriental Research. New Haven (Conn.).
ANET	Ancient Near Eastern Texts relating to the Old Testament. Ed. J. Pritchard. New Jersey 1955^2.
ANVAO	Avhandlinger utgitt av det Norske Videnskaps-Akademi i Oslo. Oslo.
AThANT	Abhandlungen zur Theologie des Alten und Neuen Testaments. Zürich.
BA	The Biblical Archaeologist. New Haven (Conn.).
BASOR	Bulletin of the American Schools of Oriental Research. New Haven (Conn.), Baltimore(Md.).
BBB	Bonner Biblische Beiträge. Bonn.
BWANT	Beiträge zur Wissenschaft vom Alten und Neuen Testament. (Leipzig) Stuttgart.
BZAW	Beihefte zur Zeitschrift für die Alttestamentliche Wissenschaft. (Giessen) Berlin.
Dtr	Deuteronomist, -isch.
E	Elohist.
EvTh	Evangelische Theologie. München.
FRLANT	Forschungen zur Religion und Literatur des Alten und Neuen Testaments. Göttingen.
HTR	Harvard Theological Review. Cambridge (Mass.).
IEJ	Israel Exploration Journal. Jerusalem.
J	Jahwist.
JBL	Journal of Biblical Literature. (New York, New Haven) Philadelphia.
JNES	Journal of Near Eastern Studies. Chicago.
KBL	Köhler – Baumgartner, Lexicon in Veteris Testamenti Libros
MT	Massoretischer Text.

176

OTS	Oudtestamentische Studien. Leiden.
P	Priesterschrift, -schicht, -redaktion, -schule.
PJb	Palästinajahrbuch. Berlin.
RB	Revue Biblique. Paris.
SBU	Svenskt Bibliskt Uppslagsverk.
SEÅ	Svensk Exegetisk Årsbok. Lund.
StANT	Studien zum Alten und Neuen Testament. München.
StTh	Studia Theologica. Lund , Aarhus.
ThLZ	Theologische Literaturzeitung. Leipzig, Berlin.
UUÅ	Uppsala Universitets Årsskrift.
ÜP	Noth, Überlieferungsgeschichte des Pentateuch.
ÜSt	Noth, Überlieferungsgeschichtliche Studien.
VT	Vetus Testamentum. Leiden.
VTS	Supplements to Vetus Testamentum. Leiden.
ZAW	Zeitschrift für die Alttestamentliche Wissenschaft. (Giessen) Berlin.
ZDMG	Zeitschrift der Deutschen Morgonländischen Gesellschaft. (Leipzig) Wiesbaden.
ZDPV	Zeitschrift des Deutschen Palästina-Vereins. (Leipzig, Stuttgart) Wiesbaden.
ZWTh	Zeitschrift für Wissenschaftliche Theologie. Jena, Halle, Leipzig.

Verzeichnis der Bibelstellen

184

186